Richard Wagner

Parsifal

Textbuch
Einführung und Kommentar
von Kurt Pahlen
unter Mitarbeit von Rosmarie König

Schott Mainz · Piper München

SERIE MUSIK
PIPER · SCHOTT
Band 8032

Libretto: Richard Wagner (Originaltext)
Abdruck der Notenbeispiele aus:
Richard Wagner, *Parsifal*
Klavierauszug von Mottl (EP 3409), erfolgt mit
Genehmigung von C. F. Peters, Frankfurt
Bildvorlagen wurden zur Verfügung gestellt von den Osterfestspielen Salzburg 1980 (Lauterwasser; S. 143, 163, 247) und von Sabine Toepffer, München (S. 150/51, 154/55, 157, 164/165). Die übrigen Vorlagen entstammen dem Archiv Kurt Pahlen.

ISBN 3-7975-8032-2 (Schott)
ISBN 3-492-18032-9 (Piper)
Originalausgabe März 1981
4. Auflage 20.–22. Tausend März 1990

Umschlag: Federico Luci
Satz: Filmsatz Schröter GmbH, München
Druck und Bindung: Clausen & Bosse, Leck
Printed in Germany

Richard Wagner

Parsiful

SERIE MUSIK
PIPER · SCHOTT
Band 8032

Zu diesem Buch

Nicht weniger als 37 Jahre – mehr als Wagners halbes Leben – vergehen vom ersten Gedanken an eine Oper *Parsifal* bis zu ihrer Uraufführung in Bayreuth im Jahre 1882 – es war Wagners letztes Bühnenwerk vor seinem Tode am 13. Februar 1883. Der Musikverlag Schott in Mainz erwirbt *Parsifal* für 100000 Mark, und die Tatsache, daß *Parsifal* als Repertoirestück aller wichtigen Musiktheater der Welt aufgenommen wurde, gibt dem Verleger recht. Alljährlich, vor allem am Karfreitag, wird diese Oper gespielt, immer mit dem gleichen guten Publikumserfolg. Jeder Musikfreund wird die Größe und Erhabenheit dieses Werkes von ungewöhnlicher Bedeutung erleben.

Dieses Buch enthält neben dem Textbuch einführende Kommentare von Kurt Pahlen. Er begleitet das musikalische und das äußere wie innere dramatische Geschehen der Oper mit Hinweisen zu kompositorischer Struktur und Sinnzusammenhang. Eine kurze Inhaltsangabe und ein Abriß der Entstehungsgeschichte stellen das Werk in einen Zusammenhang mit dem Gesamtschaffen des Komponisten und seiner Biographie und bieten eine umfassende, reich illustrierte Einführung.

Kurt Pahlen, geboren 1907 in Wien, Dr. phil. (Musikwissenschaft), war in Buenos Aires Generalmusikdirektor der Filharmònica Metropolitana und Direktor des Teatro Colón sowie an der Universität Montevideo Gründer und Inhaber des Lehrstuhl für Musikgeschichte. Als Gastdirigent bedeutender Konzert- und Opernorchester, Gastprofessor vor allem südamerikanischer Universitäten und Verfasser von über 40 in zahlreiche Sprachen übersetzten Büchern mit breit gefächerter Thematik, erwarb er sich einen internationalen Ruf als Pionier des Musiklebens. Sein besonderes Engagement gilt mit jährlich mehr als 200 Vorträgen der einführenden Vermittlung des Opernrepertoires an ein breites Publikum.

Die Reihe Opern der Welt in der Serie Musik Piper Schott gibt einen umfassenden Überblick über die Standardwerke des Spielplans.

Inhalt

Richard Wagner im letzten Jahrzehnt seines Lebens
(Nach einem Stich von A. Weger)

Zur Aufführung

TITEL

»Parsifal«

BEZEICHNUNG

Ein Bühnenweihfestspiel in drei Akten
Dichtung und Musik: Richard Wagner
Uraufführung: Bayreuth, am 26. Juli 1882

PERSONENVERZEICHNIS

Amfortas, König des Grals . .	Bariton
Titurel, sein Vater	Baß
Gurnemanz, Gralsritter	Baß
Klingsor, abtrünniger Gralsritter, Zauberer	Bariton
Kundry	Mezzosopran oder Dramatischer Sopran
Parsifal	Tenor
2 Gralsritter	Tenor und Baß
4 Knappen	Sopran, Alt, 2 Tenöre
Klingsors Zaubermädchen (»Blumenmädchen«)	6 Solistinnen und Frauenchor
Die Gralsritter	Tenöre und Bässe (Chor)
Stimmen von Knaben (aus unsichtbarer Höhe)	Sopran und Alt

ZEIT

(nicht von Wagner angegeben): Wahrscheinlich um die Mitte des 9. christlichen Jahrhunderts.

ORT

(von Wagner nur ungenau angegeben) Wahrscheinlich am Südhang der Pyrenäen, wo seinerzeit die Grenze zwischen christlichem und islamischem Gebiet verlief.

SCHAUPLÄTZE

1. Akt: Im Gebiete des Grals, Waldlichtung nahe einem See
In der Gralsburg
2. Akt: In Klingsors Zauberschloß und -garten.
3. Akt: Im Gebiete des Grals, eine Frühlingsaue
In der Gralsburg

ORCHESTERBESETZUNG

3 Flöten, 3 Oboen, 1 Englischhorn, 3 Klarinetten, 1 Baßklarinette, 3 Fagotte, 1 Kontrafagott, 4 Hörner, 3 Trompeten, 3 Posaunen, 1 Baßtuba, Pauken, 2 Harfen, Streicher (zweigeteilte Geigen, Bratschen, Violoncelli, Kontrabässe).
Ferner Bühnenmusik: 2 Trompeten, 4 Posaunen, 4 Glokken, 1 Rührtrommel.

AUFFÜHRUNGSDAUER

Ungefähr 5 Stunden.

Textbuch mit Erläuterungen zu Musik und Handlung

Richard Wagner schrieb, als er (im Münchener Hoftheater am 12. November 1880) König Ludwig II. das Vorspiel zu »Parsifal« vorführte, eine Einführung, der er die Überschrift gab: »Liebe-Glaube-: Hoffen?« Darin spricht er von zwei »Themen«: »Liebe« und »Glauben«, die gemeinsam zweifellos den Inhalt dieses ausgedehnten Tonstückes ausmachen. Wenn wir aber zum Zwecke einer Analyse von den musikalischen Themen sprechen, so müssen wir ihrer drei erwähnen. Wagner selbst hat bekanntlich seinen Motiven keine Namen gegeben; das haben erst seine Jünger und Erklärer getan (Hans von Wolzogen schuf den heute überall verwendeten Begriff des »Leitmotivs«), wobei es keineswegs eindeutig feststeht, wie weit diese Motive tatsächlich mit einem – einengenden – Wort bezeichnet werden können.*

Das erste Motiv, das im Parsifal-Vorspiel vorkommt,

kann wohl als »Liebesmotiv« bezeichnet werden, bedeutet aber keinesfalls die sinnlich-menschliche Liebe (die etwa Tristan und Isolde zueinander trieb), sondern eine höhere, sublimierte Liebe, die durch eine Vereinigung mit Gott ihre Erfüllung erfährt. Diese Tonfolge erklingt in der ersten Gralsszene dann, von »Stimmen aus der Höhe« gesungen, mit dem Text: »Nehmet hin meinen Leib, nehmet hin mein Blut um unsrer Liebe willen«, womit der Bogen zur christlichen Liebe – zur Kommunion im katholischen Sinne – gezogen erscheint.

* Vergl. »Zur Geschichte des ›Parsifal‹« in diesem Band, S. 209

VORSPIEL

Das Motiv erklingt unisono, von je einer Klarinette, einem Fagott, vier Solostreichern gespielt, denen sich im zweiten Takt noch das Englischhorn zugesellt. Es erfährt eine stimmungsvolle Entwicklung, bis zum verschwebenden Abschluß. Darauf setzt es abermals einstimmig ein, aber dieses Mal (von As-Dur) nach c-Moll versetzt, was ihm einen unendlich schmerzlichen Charakter verleiht.

(2)

Nach weiterer Entwicklung und einem erneuten Verschweben bringt Wagner ein Motiv,

(3)

das mit dem Gral identifiziert werden könnte (»Gralsmotiv«). Es ist allerdings weniger mystisch als das »Liebesmotiv«, seine Instrumentation mit Trompeten und Posaunen läßt eher an die weltlichen Missionen der Gralsgemeinschaft denken; trotzdem bleibt die innerliche Versenkung, das Gottesvertrauen, das Bewußtsein einer heiligen Aufgabe unüberhörbar.

Unmittelbar schließt sich nun mit zusätzlichen Hörnern das felsenfeste »Glaubensmotiv« an.

(4)

Es bildet den dynamischen Höhepunkt des Vorspiels, das im wesentlichen mit den drei genannten Themen arbeitet und klanglich eine fast unglaubliche Fülle von Stimmungen durchläuft, von ätherischer Zartheit zum gewaltigen Ausdruck der Glaubensstärke.

Die drei Motive untermalen auch noch, zum Teil hinter der Bühne – wie aus der fernen Gralsburg – geblasen, den Beginn der ersten Szene.

Hier gewinnt Wagner aus einer rhythmischen Belebung der Anfangstöne des »Glaubensmotivs« (Nr. 4) ein frisch bewegtes Motiv des Tagesbeginns, das bei der ersten Erwähnung des Königs die Violoncelli (die Singstimme unterstreichend) als »Amfortasmotiv« schon andeuten.

Es würde zu weit führen, alle motivischen Anspielungen zu nennen, die Wagner verwebt, ja es würde den Hörgenuß be-

ERSTER AUFZUG

Im Gebiete des Grals

Wald, schattig und ernst, doch nicht düster

Eine Lichtung in der Mitte. Links aufsteigend wird der Weg zur Gralsburg angenommen. Der Mitte des Hintergrundes zu senkt sich der Boden zu einem tiefer gelegenen Waldsee hinab. – Tagesanbruch.

Gurnemanz (rüstig greisenhaft) und zwei Knappen (von zartem Jünglingsalter) sind schlafend unter einem Baume gelagert. – Von der linken Seite, wie von der Gralsburg her, ertönt der feierliche Morgenweckruf der Posaunen.

Gurnemanz (erwachend und die Knappen rüttelnd):
He! Ho! Waldhüter ihr,
Schlafhüter mitsammen,
so wacht doch mindest am Morgen!
(Die beiden Knappen springen auf)

Gurnemanz: Hört ihr den Ruf? Nun danket Gott,
daß ihr berufen, ihn zu hören!
(Er senkt sich mit den Knappen auf die Knie und verrichtet mit ihnen gemeinschaftlich stumm das Morgengebet)
(Sie erheben sich langsam.)
Jetzt auf, ihr Knaben! Seht nach dem Bad.
Zeit ist's, des Königs dort zu harren.
(Er blickt nach links in die Szene.)
Dem Siechbett, das ihn trägt, voraus
seh ich die Boten schon uns nahn!
(Zwei Ritter treten, von der Burg her, auf.)
Heil euch! Wie geht's Amfortas heut?
Wohl früh verlangt' er nach dem Bade:
Das Heilkraut, das Gawan
mit List und Kühnheit ihm gewann,
ich wähne, daß (es)* Lind'rung schuf?

Zweiter Ritter: Das wähnest du, der doch alles weiß?
Ihm kehrten sehrender nur
die Schmerzen bald zurück:

* Textvariante (TV): Anstelle von »es« steht »das«.

einträchtigen, ohne Entscheidendes zum Verständnis beizutragen. Nur Wesentliches sei hervorgehoben:
Bei Gurnemanz' Worten »Toren wir ...« erklingt leise das »Erlösungsmotiv« oder »Motiv des ›durch Mitleid wissenden Toren‹« (also Parsifals, der allerdings noch ein anderes, entgegengesetztes Motiv haben wird: das des seiner Mission noch unkundigen weltfahrenden Ritters):

(5)

Gleich danach, bei starker Belebung des Orchesters, wird Kundry in der Musik angekündigt. Auch sie ist mit einer Mehrzahl von Motiven, wie es ihrer vieldeutigen Persönlichkeit entspricht, gezeichnet. Hier etwa: als die sich aufopfernde, rasende, fast durch die Luft fliegende Gralsbotin.

(6)

schlaflos von starkem Bresten,
befahl er eifrig uns das Bad.

Gurnemanz (das Haupt traurig senkend):
Toren wir, auf Lind'rung da zu hoffen,
wo einzig Heilung lindert!
Nach allen Kräutern, allen Tränken forscht
und jagt weit durch die Welt:
ihm hilft nur eines –
nur der Eine.

Zweiter Ritter: So nenn uns den!

Gurnemanz (ausweichend): Sorgt für das Bad!

(Die beiden Knappen haben sich dem Hintergrunde zugewendet und blicken nach rechts.)

Zweiter Knappe: Seht dort die wilde Reiterin!

Erster Knappe: Hei!
Wie fliegen der Teufelsmähre die Mähnen!

Zweiter Ritter: Ha! Kundry dort.

Erster Ritter: Die bringt wohl wicht'ge Kunde?

Zweiter Knappe: Die Mähre taumelt.

Erster Knappe: Flog sie durch die Luft?

Zweiter Knappe: Jetzt kriecht sie am Boden hin.

Erster Knappe: Mit den Mähnen fegt sie das Moos.

(Alle blicken lebhaft nach der rechten Seite.)

Sofort darauf erklingt ein zweites, ebenfalls Kundry zugehöriges Motiv:

Ein greller, hart dissonierender Orchesterakkord, der sich in einen wilden Absturz der Streicher bis in die Tiefen löst, aus der dann Seufzer vernehmbar werden: Kundrys jäher Übergang von einer Existenz, einer Welt in die andere, entgegengesetzte, findet hier plastischen musikalischen Ausdruck.

Das Abflauen der heftigen, rhythmisch stark pulsierenden Bewegung deutet Kundrys Erschöpfung an, ein langer Hornton ihr Einschlafen.
Auf diesem gleichen Ton setzt, nun da der Zug mit dem auf einer Bahre hereingetragenen König sichtbar wird, das Amfortasmotiv in voller Breite ein:

Zweiter Ritter: Da schwingt sich die Wilde herab!

Kundry (stürzt hastig, fast taumelnd herein. Wilde Kleidung, hoch geschürzt; Gürtel von Schlangenhäuten lang herabhängend; schwarzes, in losen Zöpfen flatterndes Haar; tief braun-rötliche Gesichtsfarbe; stechende schwarze Augen, zuweilen wild aufblitzend, öfters wie todesstarr und unbeweglich. Sie eilt auf Gurnemanz zu und dringt ihm ein kleines Kristallgefäß auf):
Hier! Nimm du! – Balsam . . .
Gurnemanz: Woher brachtest du dies?
Kundry: Von weiter her, als du denken kannst.
Hilft der Balsam nicht,
Arabia birgt
dann nichts mehr zu seinem Heil. –
Fragt nicht weiter! *(Sie wirft sich an den Boden.)*
Ich bin müde.

Ein Zug von Knappen und Rittern, die Sänfte tragend und geleitend, in welcher Amfortas ausgestreckt liegt, gelangt, von links her, auf die Bühne. – Gurnemanz hat sich von Kundry ab-, sogleich den Ankommenden zugewendet.
Gurnemanz (während der Zug auf die Bühne gelangt):
Er naht: sie bringen ihn getragen. –
O weh! Wie trag ich's im Gemüte,
in seiner Mannheit stolzer Blüte

Es klingt schwer, leidvoll – mit einer »übermäßigen« Harmonie (fis-b-d), die den Eindruck schmerzlicher Sehnsucht erweckt – und doch noch irgendwie majestätisch, wie ein Anflug von einstiger Größe. Bei Gurnemanz' kommentierenden Worten (»Er naht ...«) läßt sich Wagners motivische Arbeit recht genau verfolgen und verstehen: Das Motiv des Amfortas wird großartig umgestaltet zu den Worten »des siegreichsten Geschlechtes Herrn«, und es sinkt zu leidvollen Seufzern herab bei »Behutsam! Hört, der König stöhnt ...«

Beim Erwähnen der »Gralsgebote« erklingt im Orchester zart das Gralsmotiv.

Aus dem dramatischen Rezitativ, das – wie immer bei Wagner – weite Strecken beherrscht und die Handlung vorwärtstreibt (und das immer wieder Motive oder motivische Anspielungen, vor allem im Orchester, verarbeitet) tritt bei Amfortas' Erwähnung der Prophezeiung das Erlösungsmotiv (Nr. 10), das hier wie in Erinnerung zitiert wird. Bei Amfortas Frage, wer das Gefäß aus Arabien gebracht, erklingt noch vor Nennung ihres Namens, Kundrys Motiv (Nr. 7), verkürzt und weniger dramatisch, gewissermaßen nur als Andeutung,

des siegreichsten Geschlechtes Herrn
als seines Siechtums Knecht zu sehn!
(Zu den Knappen.)
Behutsam! Hört, der König stöhnt.

(Die Knappen halten an und stellen das Siechbett nieder):
Amfortas (erhebt sich ein wenig):
Recht so! – Habt Dank! Ein wenig Rast. –
Nach wilder Schmerzensnacht
nun Waldesmorgenpracht.
Im heil'gen See
wohl labt mich auch die Welle:
es staunt das Weh,
die Schmerzensnacht wird helle. –
Gawan!
Zweiter Ritter: Herr! Gawan weilte nicht.
Da seines Heilkrauts Kraft,
wie schwer er's auch errungen,
doch deine Hoffnung trog,
hat er auf neue Sucht sich fortgeschwungen.
Amfortas: Ohn' Urlaub? – Möge das er sühnen,
daß schlecht er Gralsgebote hält!
O wehe ihm, dem trotzig Kühnen,
wenn er in Klingsors Schlingen fällt!
So breche keiner mir den Frieden:
ich harre des, der mir beschieden.
»Durch Mitleid wissend« –
war's nicht so?
Gurnemanz: Uns sagtest du es so.
Amfortas: »Der reine Tor!«
Mich dünkt, ihn zu erkennen:
dürft' ich den Tod ihn nennen!

um das musikalische Element mit dem szenisch-dramatischen in Einklang zu bringen. Das Kundry-Motiv kommt, stets umgestaltet, noch mehrmals in dieser Szene vor, bis es beim Aufbruch des Königs zum See in das Amfortas-Motiv (Nr. 8) übergeht, das hier, breiter als zuvor, ausgedehnt wird.

Bezeichnend für Wagners Motivtechnik ist diese Stelle: Ein Knappe wendet sich heftig an Kundry, die er mit einem »wilden Tier« vergleicht. Noch bevor sie antwortet, erklingt das Gralsmotiv (Nr. 3) im Orchester, dem Kundry die Frage unterlegt, ob denn »hier« (also im Gralsgebiet) »die Tiere nicht heilig« seien?

Um Kundry erhebt sich heftiger Streit: Gurnemanz verteidigt sie gegen die Knappen, die in ihr nur »die Heidin«, das Böse, Feindliche sehen wollen. Das Orchester ergeht sich dabei in wechselvollen Bildungen, die vor allem den Text deutlich werden lassen. Nur an einer Stelle erklingt, von der ausdrucksstarken Baßklarinette geblasen, das Motiv der Liebe

Gurnemanz (indem er Amfortas das Fläschchen Kundrys überreicht):
Doch zuvor* versuch' es noch mit diesem!
Amfortas (es betrachtend):
Woher dies heimliche Gefäß?
Gurnemanz: Dir ward es aus Arabia hergeführt.
Amfortas: Und wer gewann es?
Gurnemanz: Dort liegt's, das wilde Weib. –
Auf, Kundry, komm!
(Kundry weigert sich und bleibt am Boden.)
Amfortas: Du, Kundry?
Muß ich dir nochmals danken,
du rastlos scheue Magd? –
Wohlan!
Den Balsam nun versuch' ich noch;
es sei aus Dank für deine Treue!
Kundry (unruhig und heftig am Boden sich bewegend):
Nicht Dank! – Haha! Was wird es helfen?
Nicht Dank! Fort, fort! Ins Bad!
(Amfortas gibt das Zeichen zum Aufbruch.)
(Der Zug entfernt sich nach dem tieferen Hintergrunde zu. – Gurnemanz, schwermütig nachblickend, und Kundry, fortwährend auf dem Boden gelagert, sind zurückgeblieben. Knappen gehen ab und zu.)
Dritter Knappe: He! Du da!
Was liegst du dort wie ein wildes Tier?
Kundry: Sind die Tiere hier nicht heilig?
Dritter Knappe: Ja; doch ob heilig du,
das wissen wir grad noch nicht.
Vierter Knappe:
Mit ihrem Zaubersaft, wähn' ich,
wird sie den Meister vollends verderben.
Gurnemanz: Hm! – Schuf sie euch Schaden je?
Wann alles ratlos steht,
wie kämpfenden Brüdern in fernste Länder
Kunde sei zu entsenden,

* TV: Anstelle von »zuvor« steht »hier«.

oder Gemeinschaft durch die Liebe (Nr. 1) – bei Gurnemanz' Worten über Kundry: »Hier lebt sie heut – vielleicht erneut, zu büssen Schuld aus frührem Leben ...« Wagners Gedankengänge werden in der Verwendung der Motive oft deutlicher als in den Worten.

Hier kristallisiert sich das Orchester, das eine Zeitlang nur »begleitet« hat, zu einem neuen Motiv, das starke Bedeutung erlangen wird. Es symbolisiert etwa den »Zauber«, Klingsors Schloß, Kundrys andere, »zweite« Existenz:

(Notenbeispiel S. 28)

und kaum ihr nur wißt, wohin –
wer, ehe ihr euch nur besinnt,
stürmt und fliegt dahin und zurück,
der Botschaft pflegend mit Treu und Glück?
Ihr nährt sie nicht, sie naht euch nie,
nichts hat sie mit euch gemein;
doch wann's in Gefahr der Hilfe gilt,
der Eifer führt sie schier durch die Luft,
die nie euch dann zum Danke ruft.
Ich wähne, ist dies Schaden,
so tät' er euch gut geraten.

Dritter Knappe: Doch haßt sie uns. –
Sieh nur, wie hämisch dort nach uns sie blickt!

Vierter Knappe: Eine Heidin ist's, ein Zauberweib.

Gurnemanz: Ja, eine Verwünschte mag sie sein.
Hier lebt sie heut' –
vielleicht erneut,
zu büßen Schuld aus früh'rem Leben,
die dorten ihr noch nicht vergeben.
Übt sie nun Buß' in solchen Taten,
die uns Ritterschaft zum Heil geraten,
gut tut sie dann und recht sicherlich,
dienet uns – und hilft auch sich.

Dritter Knappe: So ist's wohl auch jen' ihre Schuld,
die uns so manche Not gebracht?

Gurnemanz (sich besinnend):
Ja, wann oft lange sie uns ferne blieb,
dann brach ein Unglück wohl herein,
Und lang schon kenn ich sie:
doch Titurel kennt sie noch länger.
Der fand, als er die Burg dort baute,
sie schlafend hier im Waldgestrüpp,
erstarrt, leblos, wie tot.
So fand ich selbst sie letztlich wieder,
als uns das Unheil kaum gescheh'n,
das jener Böse* über den Bergen

* TV: Hier ist »dort« eingeschoben.

(9)

Seine Aussage ist hier sehr klar: Einst Titurel, dann Gurnemanz selbst fanden Kundry, verborgen im Gestrüpp, gerade als sie nach ihrer Zauberin-Rolle in todesähnlichen Schlaf versunken war. Das Motiv kehrt weiterentwickelt wieder bei Gurnemanz' Frage an Kundry, wo sie gewesen sei, als Amfortas jene unselige Begegnung in Klingsors Schloß hatte. Wieder ahnt der Hörer etwas, was den handelnden Personen auf der Bühne unbekannt ist – einer der wesentlichen Punkte der Motivtechnik Wagners.

So ist das Gespräch auf den heiligen Speer gekommen, und damit tritt ein neues Motiv in den Vordergrund, das sich im Orchester mit großer Deutlichkeit vernehmen läßt: Es ist aus den letzten beiden Noten des zweiten Taktes und dem ganzen dritten Takt des Motivs Nr. 1 gebildet.

Auch ein weiteres Motiv taucht auf, das aus der langen Melodiefolge des ersten Motivs gebildet ist und dessen vierten Takt umfaßt. In Gurnemanz' Schilderung der damaligen Begebenheit tauchen nun immer weitere Motive auf, deren Bedeutung dem Hörer schon klar ist: das des »Zaubers« – also Kundrys in ihrer Rolle als zauberischer Verführerin – und ihr anderes, das »Verwandlungs-Motiv« (Nr. 7).

so schmählich über uns gebracht. – *(Zu Kundry.)*
He! Du! – Hör' mich und sag':
wo schweiftest damals du umher,
als unser Herr den Speer verlor?
(Kundry schweigt düster.)
Gurnemanz: Warum halfest du nur* damals nicht?
Kundry: Ich – helfe nie.
Vierter Knappe: Sie sagt's da selbst.
Dritter Knappe: Ist sie so treu, so kühn in Wehr,
so sende sie nach dem verlor'nen Speer!
Gurnemanz (düster):
Das ist ein andres:
jedem ist's verwehrt. –
(Mit großer Ergriffenheit.)
O, wunden-wundervoller
heiliger Speer!
Ich sah dich schwingen**
von unheiligster Hand! –
(In Erinnerung sich verlierend.)
Mit ihm bewehrt, Amfortas, allzukühner,
wer mochte dir es wehren
den Zaub'rer zu beheeren? –
Schon nah dem Schloß wird uns der Held entrückt:
ein furchtbar schönes Weib hat ihn entzückt:
in seinen Armen liegt er trunken,
der Speer ist ihm entsunken. –
Ein Todesschrei! – Ich stürm' herbei:
von dannen Klingsor lachend schwand,
den heil'gen Speer hatt' er entwandt.
Des Königs Flucht gab kämpfend ich Geleite;
doch eine Wunde brannt' ihm in der Seite:
die Wunde ist's, die nie sich schließen will.
(Der erste und zweite Knappe kommen vom See her zurück.)

* TV: »Nur« eingeschoben.
** TV: Dich sah ich schwingen.

Das Motiv des Amfortas (Nr. 8) ertönt, als zwei Knappen vom See mit der Meldung kommen, es gehe dem König vorübergehend besser.

Dann setzt Gurnemanz seine Erzählung aus der Vergangenheit fort. Als er die Gralsgründung durch Titurel erwähnt, erklingen sinngemäß die Motive der Liebe, der Gemeinschaft und des Grals (Nr. 1 und 3).

Bei der Schilderung Klingsors, des gescheiterten und dann abtrünnigen Gralsritters klingt nun dessen Motiv (Nr. 23) zum ersten Male auf.

Dritter Knappe: So kanntest du Klingsor?
Gurnemanz (zu den zurückkommenden beiden Knappen):
Wie geht's dem König?
Erster Knappe: Ihn frischt das Bad.
Zweiter Knappe: Dem Balsam wich das Weh.
Gurnemanz (für sich):
Die Wunde ist's, die nie sich schließen will! –
(Der dritte und vierte Knappe hatten sich zuletzt schon zu Gurnemanz' Füßen niedergesetzt; die beiden anderen gesellen sich jetzt gleicherweise zu ihnen unter dem großen Baum.)
Dritter Knappe: Doch, Väterchen, sag' und lehr' uns fein:
du kanntest Klingsor – wie mag das sein?
Gurnemanz: Titurel, der fromme Held,
der kannt' ihn wohl.
Denn ihm, da wilder Feinde List und Macht
des reinen Glaubens Reich bedrohten,
ihm neigten sich in heilig ernster Nacht
dereinst des Heilands selige Boten:
daraus er trank beim letzten Liebesmahle,
das Weihgefäß, die heilig edle Schale,
darein am Kreuz sein göttlich Blut auch floß,
dazu den Lanzenspeer, der dies vergoß –
der Zeugengüter höchstes Wundergut –
das gaben sie in uns'res Königs Hut.
Dem Heiltum baute er das Heiligtum.
Die seinem Dienst ihr zugesindet
auf Pfaden, die kein Sünder findet,
ihr wißt, daß nur dem Reinen
vergönnt ist, sich zu einen
den Brüdern, die zu höchsten Rettungswerken
des Grales* Wunderkräfte stärken.
Drum blieb es dem, nach dem ihr fragt, verwehrt,
Klingsorn, wie hart ihn Müh' auch drob beschwert
Jenseits im Tale war er eingesiedelt;
darüberhin liegt üpp'ges Heidenland:
unkund blieb mir, was dorten er gesündigt;

* TV: Eingeschoben »heil'ge«.

Gurnemanz' ausgedehnte »Rückblende« auf vergangene Zeiten gipfelt in der Prophezeiung, die Amfortas in der Stunde tiefster Not empfing: die Rettung käme durch »einen reinen Toren«, der »durch Mitleid wissend« geworden sei:

(Notenbeispiel S. 34)

doch wollt' er büßen nun, ja heilig werden.
Ohnmächtig, in sich selbst die Sünde zu ertöten,
an sich legt' er die Frevlerhand,
die nun, dem Grale zugewandt,
verachtungsvoll des' Hüter von sich stieß.
Darob die Wut nun Klingsorn unterwies,
wie seines schmähl'chen Opfers Tat
ihm gäbe zu bösem Zauber Rat;
den fand er nun. –
Die Wüste schuf er sich zum Wonnegarten,
drin wachsen teuflisch holde Frauen;
dort will des Grales Ritter er erwarten
zu böser Lust und Höllengrauen:
wen er verlockt, hat er erworben;
schon viele hat er uns verdorben.
Da Titurel, in hohen Alters Mühen,
dem Sohn* die Herrschaft hier verliehen:
Amfortas ließ es da nicht ruh'n,
der Zauberplag' Einhalt zu tun.
Das wißt ihr, wie es dort** sich fand:
der Speer ist nun in Klingsors Hand;
kann er selbst Heilige mit dem verwunden,
den Gral auch wähnt er fest schon uns entwunden.

Vierter Knappe:
Vor allem nun: der Speer kehr' uns zurück!

Dritter Knappe:
Ha, wer ihn brächt', ihm wär's zu Ruhm und Glück!

Gurnemanz: Vor dem verwaisten Heiligtum
in brünst'gem Beten lag Amfortas,
ein Rettungszeichen bang erflehend:
ein sel'ger Schimmer da entfloß dem Grale, *(leise)*
ein heilig Traumgesicht
nun deutlich zu ihm spricht
(immer leiser)
durch hell erschauter Worte*** Zeichen, Male:

* TV: dem Sohne nun die Herrschaft . . .
** TV: Anstelle von »dort« steht »da«.
*** TV: Anstelle von »Worte« auch »Wunder«.

(10)

Die einprägsame Tonartenfolge – das harmonische mehr als das melodische Element – wird vom Hörer zutiefst empfunden. Ergriffen wiederholen die Knappen die Prophezeiung, die lange anhaltend immer leiser verklingt.

Hörner, Holzbläser, Tremolo und harte Akzente der Streicher deuten unmittelbar darauf einen völligen Stimmungswechsel an. Große Erregung unterbricht die Waldesstille und Gurnemanz' Erinnerungen: Parsifals Motiv taucht erstmals auf, zuerst nur mit den Anfangstönen, die aber in ihrer Prägnanz sehr deutlich erkennbar sind; danach, als Parsifal hereingeführt wird und sich zur Tötung des Schwans bekennt, in ganzer Ausdehnung:

(Notenbeispiel S. 36)

(Sehr leise.)
»Durch Mitleid wissend,
der reine Tor;
harre sein,
den ich erkor.«
Die vier Knappen (in großer Ergriffenheit):
»Durch Mitleid wissend,
der reine Tor –«

(Vom See her vernimmt man plötzlich Geschrei und das Rufen der Ritter und Knappen.)
(Gurnemanz und die vier Knappen fahren auf und wenden sich erschrocken um.)
Knappen und Ritter: Weh! – Weh! – Hoho!
Auf! – Wer ist der Frevler?
(Ein wilder Schwan flattert matten Fluges vom See daher; die Knappen und Ritter folgen ihm nach auf die Szene.)
Gurnemanz (währenddem): Was gibt's?
Vierter Knappe: Dort!
Dritter Knappe: Hier!
Zweiter Knappe: Ein Schwan!
Vierter Knappe: Ein wilder Schwan!

(11)

Der junge Parsifal steht vor uns –, der wild durch die Welt stürmende, frohe, mutige, seiner Taten in Wahrheit unbewußte, kaum zur Rechenschaft zu ziehende Parsifal.

Eindringlich beginnt nun Gurnemanz, Parsifal die Schwere seiner mutwillig begangenen Tat klarzumachen. Nahten ihm im heil'gen Walde die Tiere nicht alle zutraulich und freundlich? Das Orchester malt eine äußerst melodische Phrase zu diesen Worten, die auch Gurnemanz' Stimme mit ungewöhnlich zärtlichem Ausdruck singt:

(12)

Dritter Knappe: Er ist verwundet.
Alle Ritter und Knappen: Ha! Wehe! Wehe!
Gurnemanz: Wer schoß den Schwan?
(Der Schwan sinkt, nach mühsamem Fluge, matt zu Boden; der zweite Ritter zieht ihm den Pfeil aus der Brust.)
Erster Ritter: Der König grüßte ihn als gutes Zeichen,
als überm See* kreiste der Schwan:
da flog ein Pfeil –
Knappen und Ritter (Parsifal hereinführend):
Der war's! Der schoß!
(Auf Parsifals Bogen weisend.)
Dies der Bogen!
Zweiter Ritter (den Pfeil aufweisend):
Hier der Pfeil, den seinen gleich.
Gurnemanz (zu Parsifal):
Bist du's, der diesen Schwan erlegte?
Parsifal: Gewiß! Im Fluge treff' ich, was fliegt.
Gurnemanz:
Du tatest das? Und bangt' es dich nicht vor der Tat?
Knappen und Ritter: Strafe den Frevler!
Gurnemanz: Unerhörtes Werk!
Du konntest morden, hier im heil'gen Walde,
des stiller Friede dich umfing?
Des Haines Tiere nahten dir nicht zahm,
grüßten dich freundlich und fromm?
Aus den Zweigen, was sangen die Vöglein dir?
Was tat dir der treue Schwan?
Sein Weibchen zu suchen flog der auf,
mit ihm zu kreisen über dem See,
den so er herrlich weihte zum** Bad.
Dem stauntest du nicht? Dich lockt' es nur
zu wild kindischem Bogengeschoß?
Er war uns hold: was ist er nun dir?
Hier – schau her! – hier trafst du ihn,

* TV: »dort« eingeschoben.
** TV: Eingeschoben: »heilenden«.

Bei diesen Worten fährt Parsifal bereuend auf; sie treffen bei ihm auf eine Saite, die noch nie berührt wurde: das Mitleid. Die Streicher jagen aufwärts, während er seinen Bogen zerbricht, die Hörner und andere Bläser setzen mit seinem Motiv ein, aber schon die Harmonie des zweiten Takts ist aus heldischem, schmetterndem Dur in einen wie gequält klingenden, »verminderten« Akkord gewandelt. Das Motiv bricht ab, als gälte es jetzt nicht mehr – wieder ein typisches Beispiel für Wagners »motivische Arbeit«: Die Motive sind nichts Feststehendes, sie werden nach wechselnden Stimmungen variiert und dem jeweiligen Seelen- oder Lebenszustand angepaßt, den es zu schildern gilt.

Reste des Motivs klingen auf, wenn Parsifal nach seiner Kindheit und Jugend befragt wird: Sie zerlegen es, als erlebten wir die Entstehung seiner Persönlichkeit; da er sich an nichts mehr erinnert, bildet Wagner stark modulierende Phrasen im Orchester, die gewissermaßen »Unwissenheit« ausdrücken könnten:

(13)

Eine zarte Tonfolge formt sich, als Parsifal von seiner Mutter erzählt: Nun wird, was vorher nach jugendlicher Unsicherheit klang, zur zärtlichen, von den Bratschen gespielten

da starrt noch das Blut, matt hängen die Flügel,
das Schneegefieder dunkel befleckt –
gebrochen das Aug', siehst du den Blick?
(Parsifal hat Gurnemanz mit wachsender Ergriffenheit zugehört: jetzt zerbricht er seinen Bogen und schleudert die Pfeile von sich.)

Gurnemanz: Wirst deiner Sündentat du inne?
(Parsifal führt die Hand über die Augen.)

Gurnemanz: Sag, Knab', erkennst du deine große Schuld?
Wie konntest du sie begeh'n?

Parsifal: Ich wußte sie nicht.

Gurnemanz: Wo bist du her?

Parsifal: Das weiß ich nicht.

Gurnemanz: Wer ist dein Vater?

Parsifal: Das weiß ich nicht.

Gurnemanz: Wer sandte dich dieses Weges?

Parsifal: Das weiß ich nicht.

Gurnemanz: Dein Name denn?

Parsifal: Ich hatte viele,
doch weiß ich ihrer keinen mehr.

Gurnemanz: Das weißt du alles nicht?
(Für sich.) So dumm wie den
erfand bisher ich Kundry nur. –
(Zu den Knappen, deren sich immer mehr versammelt haben.) Jetzt geht!
Versäumt den König im Bade nicht! – Helft!

(Die Knappen heben den toten Schwan ehrerbietig auf eine Bahre von frischen Zweigen und entfernen sich mit ihm dann nach dem See zu. – Schließlich bleiben Gurnemanz, Parsifal und – abseits – Kundry allein zurück.)

Gurnemanz (wendet sich wieder zu Parsifal):
Nun sag! Nichts weiß du, was ich dich frage:
jetzt meld', was du weißt;
denn etwas mußt du doch wissen.

Parsifal: Ich hab eine Mutter; Herzeleide sie heißt:

Muttermelodie, also fast zu einem Motiv Herzeleides, das allerdings schnell wieder verklingt, als Parsifal sich nun der Taten seiner jungen Tage erinnert: »Im Wald und auf wilder Aue . . .«: Da kehrt, nun leiser von den Hörnern intoniert als zuvor, das kecke, frische, zupackende Parsifalsmotiv wieder (Nr. 11), doch wird es im vierten Takt umgestaltet zu größerer Weichheit und nimmt erst wieder den ursprünglichen Charakter an, als Parsifal seinen Satz vollendet: ». . . die wilden Adler zu verscheuchen«.

Kundry ist mit hastigen Worten eingefallen, mit einer schneidenden Dissonanz beendet sie ihre Rede: Kurz wird ihr Motiv (Nr. 7) gebracht und geht in Parsifals lebhafte Schilderung seines Erlebnisses mit den Rittern über, in dauernder (dem Thema Nr. 6 verwandter) Steigerung wächst das Orchester noch einmal zum vollen Parsifalsmotiv (Nr. 11) empor: Es ist die Erinnerung an die strahlenden Ritter, die ihn von Heim und Mutter fort in die Welt lockten.

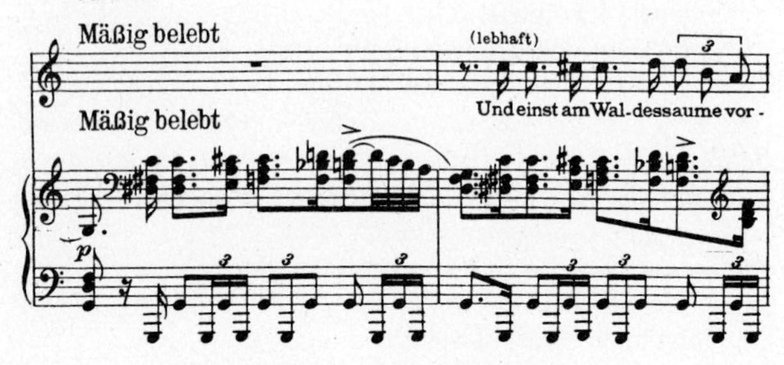

(Fortsetzung des Notenbeispiels S. 42)

im Wald und auf wilder Aue waren wir heim.
Gurnemanz: Wer gab dir den Bogen?
Parsifal: Den schuf ich mir selbst,
vom Forst die wilden Adler zu verscheuchen*.
Gurnemanz: Doch adelig scheinst du selbst und hochgeboren:
warum nicht ließ deine Mutter
bessere Waffen dich lehren?
(Parsifal schweigt.)
Kundry (welche während der Erzählung des Gurnemanz von Amfortas' Schicksal oft in wütender Unruhe heftig sich umgewendet hatte, nun aber, immer in der Waldecke gelagert, den Blick scharf auf Parsifal gerichtet hat, ruft jetzt, da Parsifal schweigt, mit rauher Stimme daher):
Den Vaterlosen gebar die Mutter,
als im Kampf erschlagen Gamuret;
vor gleichem frühen Heldentod
den Sohn zu wahren, waffenfremd
in Öden erzog sie ihn zum Toren –
die Törin! *(Sie lacht.)*
Parsifal (der mit jäher Aufmerksamkeit zugehört, lebhaft):
Ja! Und einst am Waldessaume vorbei,

* In der Partitur: wegzuscheuchen.

P.
bei, auf schö - nen Tie - ren sitzend, kamen glänzende
P.
Män-ner; ih - nen wollt ich gleichen: sie
p
cresc.
P.
lachten und jagten da - von. Nun
f
sf
p.
P.
lief ich nach, doch konnt ich sie nicht er - reichen;
cresc.

(14)

auf schönen Tieren sitzend,
kamen glänzende Männer;
ihnen wollt' ich gleichen:
sie lachten und jagten davon.
Nun lief ich nach, doch konnt' ich sie nicht erreichen.
Durch Wildnisse kam ich, bergauf, talab;
oft ward es Nacht, dann wieder Tag:
mein Bogen mußte mir frommen
gegen Wild und große Männer . . .

Kundry (hat sich erhoben und ist zu den Männern getreten; eifrig):
Ja, Schächer und Riesen traf seine Kraft:
den freislichen Knaben lernten sie fürchten.*

Parsifal (verwundert): Wer fürchtet mich? Sag!

Kundry: Die Bösen.

Parsifal: Die mich bedrohten, waren sie bös?
(Gurnemanz lacht.)

Parsifal: Wer ist gut?

* TV: fürchten sie alle.

Herzeleides zarte Tonfolge klingt auf, verstummt aber sofort unter dem Kundrys, die Parsifal in rauhen Worten und Tönen den Tod seiner Mutter mitteilt. Wütend springt Parsifal ihr an die Kehle.

Sein Motiv wird fortissimo, aber verzerrt angedeutet, es geht in wilder Orchestererregung unter. Parsifal bricht zusammen, in seine Erstarrung bläst die Baßklarinette eine sehr zarte Reminiszenz an das Herzeleidemotiv.

Abwandlungen des Kundrymotivs beherrschen das Orchester, als diese eilt, um Wasser für Parsifal zu schöpfen. Eine Anspielung auf das Gralsthema erklingt, als Gurnemanz des Grals Gebot erwähnt, Böses mit Gutem zu vergelten. Dann verbindet Wagner die beiden Kundry-Themen miteinander: das der Büßerin und das der Zauberin. Kundry verlangt es nach Schlaf, aber dieser Schlaf bedeutet für sie zugleich Verwandlung –, gegen die sie sich wehrt, der sie aber verfallen ist durch den Fluch, der sie bindet –, bedeutet Klingsor, dessen Motiv in das Orchester verwoben ist.

Gurnemanz (wieder ernst):
Deine Mutter, der du entlaufen
und die um dich sich nun härmt und grämt.
Kundry: Zu End' ihr Gram: seine Mutter ist tot.
Parsifal (in furchtbarem Schrecken):
Tot? – Meine Mutter? – Wer sagt's?
Kundry: Ich ritt vorbei und sah sie sterben:
dich Toren hieß sie mich grüßen.
(Parsifal springt wütend auf Kundry zu und faßt sie bei der Kehle.)
Gurnemanz (hält ihn zurück):
Verrückter Knabe! Wieder Gewalt?
(Nachdem Gurnemanz Kundry befreit, steht Parsifal lange wie erstarrt.)
Was tat dir das Weib? Es sagte wahr;
denn nie lügt Kundry, doch sah sie viel.
Parsifal (gerät in heftiges Zittern):
Ich verschmachte! –
(Kundry ist sogleich, als sie Parsifals Zustand gewahrte, nach einem Waldquell geeilt, bringt jetzt Wasser in einem Horne, besprengt damit zunächst Parsifal und reicht ihm dann zu trinken.)
Gurnemanz: So recht! So nach des Grales Gnade:
das Böse bannt, wer's mit Gutem vergilt.
Kundry (düster): Nie tu ich Gutes; – nur Ruhe will ich.
(Sie wendet sich traurig ab, und während Gurnemanz sich väterlich um Parsifal bemüht, schleppt sie sich, von beiden unbeachtet, einem Waldgebüsch zu.)
nur Ruhe!* ach, der Müden! –
Schlafen! – Oh, daß mich keiner wecke!
(Scheu auffahrend)
Nein! Nicht schlafen! – Grausen faßt mich!
(Sie verfällt in heftiges Zittern; dann läßt sie die Arme matt sinken.)
Machtlose Wehr! Die Zeit ist da.
(Vom See her gewahrt man Bewegung und endlich den

* TV: »Ruhe« eingeschoben.

In langsamem, feierlichem Rhythmus kehrt der König in seine Burg zurück, die Violoncelli drücken den lastend schreitenden Gang seines Zuges aus, zarte Geigen und Bratschen beginnen, das Glockenmotiv des Grals anzudeuten:

(15)

Es geht in das Gralsmotiv über, aber das Läuten der Glocken wird nun nicht mehr verstummen: Es durchläuft die verschiedensten Instrumente, wird Wandlungen und Modulationen unterworfen, während nun Gurnemanz und Parsifal ihre Wanderung zum Gralstempel unternehmen:

(Fortsetzung des Notenbeispiels S. 48)

im Hintergrund sich heimwendenden Zug der Ritter und Knappen mit der Sänfte des Amfortas.)
Schlafen – schlafen – ich muß.
(Sie sinkt hinter dem Gebüsch zusammen und bleibt von jetzt an unbemerkt.)
Gurnemanz: Vom Bade kehrt der König heim;
hoch steht die Sonne:
nun laß zum frommen Mahle mich dich geleiten;
denn bist du rein,
wird nun der Gral dich tränken und speisen.
(Er hat Parsifals Arm sich sanft um den Nacken gelegt und dessen Leib mit seinem eigenen Arme umschlungen; so geleitet er ihn bei sehr allmählichem Schreiten. – Hier hat die unmerkliche Verwandlung der Bühne bereits begonnen.)
Parsifal: Wer ist der Gral?
Gurnemanz: Das sagt sich nicht;
doch bist du selbst zu ihm erkoren,
bleibt dir die Kunde unverloren. –
Und sieh'!
Mich dünkt, daß ich dich recht erkannt:
kein Weg führt zu ihm durch das Land,
und niemand könnte ihn beschreiten,
den er nicht selber möcht' geleiten.
Parsifal: Ich schreite kaum,
doch wähn' ich mich schon weit.
Gurnemanz: Du siehst, mein Sohn,
zum Raum wird hier die Zeit.

(16)

Die »Verwandlungsmusik« ist von besonderer Bedeutung: musikalisch, szenisch, dramatisch, psychologisch, ja wenn man will sogar philosophisch (»zum Raum ward hier die Zeit«). (Wagner selbst hat geschildert, welche Mühe ihm die Anpassung dieser Musik an das sich verwandelnde Bühnenbild machte und wie er für die szenischen Erfordernisse noch mehrere Minuten Musik dazukomponieren mußte.)
Das großartige Tonstück gipfelt in dem Einsatz der (hinter der Bühne gespielten) sechs Posaunen, die das »Liebesmotiv« oder »Gemeinschafts-«, auch »Kommunionsmotiv« (Nr. 1) blasen. Und schließlich wird das schon so lange vorher angedeutete Glockenmotiv (Nr. 15, 16) nun wirklich von Glocken übernommen, die es eine Zeitlang allein spielen:

(17)

Dann setzen leise, zu Gurnemanz' ersten Worten nach der fast unbemerkt geschehenen Verwandlung, die Streicher in hellem C-Dur in gleicher Melodie ein. Sie steigern sich, unter Einsatz des gesamten Orchesters und in gewaltigem Crescendo mit dem Gralsthema (Nr. 3) zu einem donnernden Höhepunkt orchestraler Stärke unter Einschluß des feierlichen Glockengeläutes der Gralsburg:

(Notenbeispiel S. 50)

(Allmählich, während Gurnemanz und Parsifal zu schreiten scheinen, hat sich die Szene bereits immer merklicher verwandelt; es verschwindet so der Wald, und in Felsenwänden öffnet sich ein Torweg, welcher die beiden jetzt einschließt.)

(Durch aufsteigende gemauerte Gänge führend, hat die Szene sich vollständig verwandelt. Gurnemanz und Parsifal treten jetzt in den mächtigen Saal der Gralsburg ein.)

Gurnemanz: Nun achte wohl und laß mich sehn:
bist du ein Tor und rein,
welch Wissen dir auch mag beschieden sein. –

(18)

Der Tempel hat sich vor dem Beschauer geöffnet. Rittergruppen betreten in langsamem Schritt und feierlichem Gesang den Raum. Das Orchester webt ein neues Motiv, das aus dem Glockengeläut zu entstehen scheint und von einigen Instrumenten weiter geführt wird, während andere darüber eine neue Melodie entwickeln (die – wohl zufällig – stark an »Die Meistersinger von Nürnberg« erinnert):

(19)

(Szene: Säulenhalle mit Kuppelgewölbe, den Speiseraum überdeckend. Auf beiden Seiten des Hintergrundes werden die Türen geöffnet: von rechts schreiten die Ritter des Grales herein und reihen sich um die Speisetafeln.)

Die Gralsritter: Zum letzten Liebesmahle
gerüstet Tag für Tag,

(Ein Zug von Knappen durchschreitet schnelleren Schrittes die Szene nach hinten zu.)

gleich ob zum letzten Male
es heut uns letzen mag,

(Ein zweiter Zug von Knappen durchschreitet den Saal.)

wer guter Tat sich freut,
ihm wird das Mahl erneut:
der Labung darf er nahn,
die hehrste Gab' empfahn.

(Die versammelten Ritter stellen sich an den Speisetafeln auf.

Leuchtend erstrahlt das Gralsthema, während Amfortas hereingetragen wird; fast zu strahlend, wenn man den Zustand der Brüderschaft bedenkt, in den sie seit der Verwundung des Königs und dem Verlust des heiligen Speers geraten ist. Der Gesang der Ritter wird abgelöst durch den der Jünglinge (helle, junge Männer- und Knabenstimmen aus der Mitte der Kuppel).

Immer wieder erscheint das Geläut der Gralsglocken kontrapunktisch in alle Motive verflochten, bis das Orchester ganz aussetzt und ein vierstimmiger Knabenchor aus der Höhe der Kuppel a cappella mit dem Glaubensmotiv (Nr. 4) einsetzt:

(20)

Geigen führen den Gesang weiter, ein Horn deutet noch einmal das Glockenmotiv leise an.

In die dann entstehende Stille wird, ohne Begleitung, die Stimme Titurels – wie aus dem Grabe – hörbar; eine dumpfe Pauke läßt dreimal seine bangen Fragen schaurig verhallen.

Hier wird von Knappen und dienenden Brüdern durch die entgegengesetzte Türe Amfortas auf einer Sänfte hereingetragen; vor ihm schreiten die vier Knappen, welche den verhängten Schrein des Grales tragen. Dieser Zug begibt sich nach der Mitte des Hintergrundes, wo ein erhöhtes Ruhebett aufgerichtet steht, auf welches Amfortas von der Sänfte herab niedergelassen wird; hiervor steht ein länglicher Steintisch, auf welchen die Knaben den verhängten Gralsschrein hinstellen.)

Stimmen der Jünglinge (aus der mittleren Höhe der Kuppel vernehmbar): Den sündigen Welten,
mit tausend Schmerzen,
wie einst sein Blut geflossen –
dem Erlösungshelden
sei nun mit freudigem Herzen
mein Blut vergossen.
Der Leib, den er zur Sühn' uns bot,
er lebt in uns durch seinen Tod.

Knabenstimmen (aus der äußersten Höhe der Kuppel):
Der Glaube lebt;
die Taube schwebt,
des Heilands holder Bote.
Der für euch fließt,
des Weines genießt
und nehmt vom Lebensbrote!

(Nachdem alle ihre Stelle eingenommen haben und ein allgemeiner Stillstand eingetreten war, vernimmt man vom tiefsten Hintergrunde her aus einer gewölbten Nische hinter dem Ruhebette des Amfortas die Stimme des alten Titurel wie aus einem Grabe heraufdringend.)

Titurel: Mein Sohn Amfortas, bist du am Amt?
(Langes Schweigen.)
Soll ich den Gral heut noch erschau'n und leben?

Mit schmerzlichem Ausbruch erwidert Amfortas. Seine Klagegesänge weisen von Anfang an eine überaus starke Verwendung der Chromatik auf; und Chromatik verkörpert – wer wüßte das besser als der Komponist von »Tristan und Isolde«? – Schmerz, Leid, Verzweiflung. Nochmals entgegnet Titurel. Und dann, mit langen Noten, die den Beginn des Gralsmotivs andeuten, führt das Orchester, schnell beschleunigend, erregt zum neuen, langen Ausbruch Amfortas':

(21)

Hier hat Wagner das romantische, dramatische Rezitativ zu seiner wahrscheinlich stärksten Ausbildung gebracht. Die Deklamation ist überaus ausdrucksvoll gestaltet, die Instrumentation abwechslungsreich und doch zumeist so »durchsichtig«, daß der Text auf weite Strecken verständlich bleiben kann (wenn der Sänger die notwendige Gestaltungskraft und Diktion aufweist). Natürlich ist der Orchesterpart immer wieder von Motiven durchsetzt (Liebesmotiv in Gestalt 1 oder 2, Amfortasmotiv, Gralsmotiv usw.), die teils gänzlich, teils nur andeutungsweise erscheinen.

(Langes Schweigen.)
Muß ich sterben, vom Retter ungeleitet?
Amfortas (im Ausbruche qualvoller Verzweiflung sich halb aufrichtend): Wehe! Wehe mir der Qual! –
Mein Vater, oh! noch einmal
verrichte du das Amt!
Lebe, leb' und laß mich sterben!
Titurel: Im Grabe leb' ich durch des Heilands Huld:
zu schwach doch bin ich, ihm zu dienen.
Du büß' im Dienste deine Schuld! –
Enthüllet den Gral!

Amfortas (gegen die Knaben sich erhebend):
Nein! Laßt ihn unenthüllt – Oh! –
Daß keiner, keiner diese Qual ermißt,
die mir der Anblick weckt, der euch entzückt! –
Was ist die Wunde, ihrer Schmerzen Wut,
gegen die Not, die Höllenpein,
zu diesem Amt – verdammt zu sein! –
Wehvolles Erbe, dem ich verfallen,
ich, einz'ger Sünder unter allen,
des höchsten Heiligtums zu pflegen,
auf Reine herabzuflehen seinen Segen!
Oh, Strafe, Strafe ohnegleichen
des – ach! – gekränkten Gnadenreichen! –
Nach ihm, nach seinem Weihegruße
muß sehnlich mich's verlangen;
aus tiefster Seele Heilesbuße
zu ihm muß ich gelangen. –
Die Stunde naht:
ein Lichtstrahl senkt sich auf das heilige Werk;
die Hülle fällt. *(Vor sich hinstarrend.)*

Ein bis hier noch nicht voll ausgebautes Motiv wird auf dem Höhepunkt von Amfortas' Klage zu größter Intensität erweitert.

Des Weihgefäßes göttlicher Gehalt
erglüht mit leuchtender Gewalt;
durchzückt von seligsten Genusses Schmerz,
des heiligsten Blutes Quell
fühl' ich sich gießen in mein Herz.
Des eignen sündigen Blutes Gewell'
in wahnsinniger Flucht
muß mir zurück dann fließen,
in die Welt der Sündensucht
mit wilder Scheu sich ergießen;
von neuem sprengt es das Tor,
daraus es nun strömt hervor,
hier durch die Wunde, der seinen gleich,
geschlagen von desselben Speeres Streich,
der dort dem Erlöser die Wunde stach,
aus der mit blut'gen Tränen
der Göttliche weint' ob der Menschheit Schmach
in Mitleids heiligem Sehnen –
und aus der nun mir, an heiligster Stelle,
dem Pfleger göttlichster Güter,
des Erlösungsbalsams Hüter,
das heiße Sündenblut entquillt,
ewig erneut aus des Sehnens Quelle,
das, ach, keine Büßung je mir stillt!
Erbarmen! Erbarmen!
Du Allerbarmer! Ach, Erbarmen!
Nimm mir mein Erbe,
schließe die Wunde,
daß heilig ich sterbe,
rein Dir gesunde!
(Er sinkt wie bewußtlos zurück.)

Wir betrachten es zwar als nicht entscheidend, jedem der »Leitmotive« Wagners eine eng umrissene, klar gefaßte Definition zu geben, aber halten es für ein legitimes Interesse des Komponisten, Gedankengängen nachzuspüren: Dieses schmerzliche, aus absteigender Chromatik entwickelte Motiv kann mit dem Leiden des Amfortas – in übertragenem Sinne vielleicht sogar mit dem von Jesus am Kreuz – identifiziert werden, mit höchster Qual, die zwar auch physischem, vor allem aber seelischem Schmerz entspringt, mit dem heißen Flehen um Erbarmen, um Erlösung. Es ist also ein »Leidmotiv«, ein »Schmerzmotiv«, ein »Klagemotiv«, ein »Erlösungssehnsuchtsmotiv«.

Die Stimmen aus der Kuppel antworten der ergreifenden Klage: das Prophezeiungsmotiv erklingt (Nr. 10), a cappella gesungen.

Bei Titurels erneuter Aufforderung, den Gral zu enthüllen, stimmt das Orchester pianissimo dessen Motiv (Nr. 3) an. Nun kann Amfortas sich nicht länger weigern. Sein Kampf mit sich selbst, sein schwerer Entschluß werden durch einen langen, erregenden, aber überaus leisen Paukenwirbel und stockende Violoncello-Phrasen untermalt, zuletzt mit dem wie von überirdischen Stimmen gesungenen Liebesmotiv (Nr. 1) aus der Höhe, dessen Text (»Nehmet hin meinen Leib ...«) Wagner für König Ludwig zur Erklärung des Vorspiels verwendet hatte.

Knaben und Jünglinge (aus der mittleren Höhe):
»Durch Mitleid wissend,
der reine Tor:
harre sein',
den ich erkor.«
Tenor: Der mitleidvoll reine Tor:
harre sein!
Die Ritter: So ward es dir verhiessen:*
harre getrost;
des Amtes walte heut!
Titurel: Enthüllet den Gral!
(Amfortas erhebt sich langsam und mühevoll.)
(Die Knaben nehmen die Decke vom goldnen Schreine, entnehmen ihm eine antike Kristallschale, von welcher sie ebenfalls eine Verhüllung hinwegnehmen, und setzen diese vor Amfortas hin.)
Stimmen (aus der Höhe): Nehmet hin meinen Leib,
nehmet hin mein Blut
um unsrer Liebe willen!

* TV: verkündet

Die nun folgende mystische Szene ist mit höchster Instrumentationskunst in eine unwirkliche Stimmung getaucht. Das Motiv Nr. 1 geht in das Klagemotiv (Nr. 22) über; die heilige Handlung, die auf der Bühne vor sich geht – die dem Höhepunkt der katholischen Messe entspricht – soll in Klang und Bild die äußerste Intensität erlangen, eine mystische Weihestimmung von stärkster Kraft.

Die Dämmerung, die das Leuchten des Grals besonders hervortreten ließ, weicht immer mehr, und das Orchester untermalt zart und in weichen Übergängen die Rückkehr aus der mystischen Versenkung, die Gralsglocken beginnen wieder zu läuten, die Chöre werden deutlich »irdischer«, besingen die durch den Wein und das Brot beim »Liebesmahl«, Abendmahl gespendete Kraft als Zukunftshoffnung des Grals in seinen weltlichen Aufgaben.

(Während Amfortas andachtsvoll in stummem Gebete zu dem Kelche sich neigt, verbreitet sich eine immer dichtere Dämmerung über die Halle.)

(Eintritt der vollsten Dunkelheit.)

Knaben (aus der Höhe): Nehmet hin mein Blut,
nehmet hin meinen Leib,
auf daß ihr mein gedenkt.

(Hier dringt ein blendender Lichtstrahl von oben auf die Kristallschale herab; diese erglüht sodann in leuchtender Purpurfarbe, alles sanft bestrahlend. Amfortas, mit verklärter Miene, erhebt den »Gral« hoch und schwenkt ihn sanft nach allen Seiten, worauf er damit Brot und Wein segnet. Alles ist auf den Knien.)

Titurel: O heilige Wonne!
Wie hell grüßt uns heute der Herr!

(Amfortas setzt den »Gral« wieder nieder, welcher nun, während die tiefe Dämmerung wieder entweicht, immer mehr erblaßt: hierauf schließen die Knaben das Gefäß wieder in den Schrein und bedecken diesen wie zuvor. – Hier tritt die frühere Tageshelle wieder ein.)

Knabenstimmen (aus der Höhe):
Wein und Brot des letzten Mahles
wandelt' einst der Herr des Grales
durch des Mitleids Liebesmacht
in das Blut, das er vergoß,
in den Leib, den dar er bracht'.

(Die vier Knaben, nachdem sie den Schrein verschlossen, nehmen nun die zwei Weinkrüge sowie die zwei Brotkörbe, welche Amfortas zuvor durch das Schwenken des Gralskelches über sie gesegnet hatte, von dem Altartische, verteilen das Brot an die Ritter und füllen die vor ihnen stehenden Becher mit Wein. Die Ritter lassen sich zum Mahle nieder, so auch Gurnemanz, welcher einen Platz neben sich leer hält und Parsifal durch ein Zeichen zur Teilnehmung am Mahle einlädt: Parsifal bleibt aber starr und stumm, wie gänzlich entrückt, zur Seite stehen.)

Im Orchester setzt sich immer stärker das Glaubensmotiv (Nr. 4) durch. Es mischt sich mit dem Glockenmotiv, dem Leidensmotiv des Amfortas' und anderen, während die Ritter den Tempel verlassen.

Jünglingsstimmen (aus der mittleren Höhe der Kuppel):
Blut und Leib der heil'gen Gabe*
wandelt heut zu eurer Labe
sel'ger Tröstung Liebesgeist
in den Wein, der euch nun floß,
in das Brot, das heut' ihr speist.
Die Ritter (erste Hälfte): Nehmet vom Brot,
wandelt es kühn
in Leibes Kraft und Stärke;
treu bis zum Tod;
fest jedem Müh'n,
zu wirken des Heilands Werke.
Die Ritter (zweite Hälfte, dann die erste Hälfte einfallend):
Nehmet vom Wein,
wandelt ihn neu
zu Lebens feurigem Blute,
froh im Verein,
brudergetreu
zu kämpfen mit seligem Mute.
Alle Ritter: Selig im Glauben!
Selig in Lieb' und Glauben!
Jünglinge (aus mittlerer Höhe): Selig in Liebe!
Knaben (aus oberster Höhe): Selig im Glauben!

(Während des Mahles, an welchem er nicht teilnahm, ist Amfortas aus seiner begeisterungsvollen Erhebung allmählich wieder herabgesunken: er neigt das Haupt und hält die Hand auf die Wunde. Die Knaben nähern sich ihm; ihre Bewegungen deuten auf das erneute Bluten der Wunde; sie pflegen Amfortas, geleiten ihn wieder auf die Sänfte und, während alle sich zum Aufbruch rüsten, tragen sie, in der Ordnung wie sie kamen, Amfortas und den heiligen Schrein wieder von dannen. Die Ritter ordnen sich ebenfalls wieder zum feierlichen Zuge und verlassen langsam den Saal. Verminderte Tageshelle tritt ein. Knappen ziehen wieder schnelleren Schrittes durch die Halle. – Die letzten Ritter und Knappen haben den

* TV: Anstatt »heil'gen Gabe« steht »Opfergabe«.

In das letzte Läuten der Glocken mischt sich Gurnemanz' unmutige Stimme; ihr widerspricht das Englischhorn, das leise das Erlösungsmotiv andeutet: Wiederum erfährt der Hörer mehr, als die handelnden Personen auf der Bühne wissen. Denn Gurnemanz glaubt, sich geirrt zu haben, als er in Parsifal den Erlöser des Amfortas, den Retter des Grals zu sehen meinte, während die Motivtechnik deutlich nochmals auf diese Möglichkeit hindeutet.

Auf die Frage, ob Parsifal verstanden habe, was er sah, erklingt im Orchester, sehr sanft in den Streichern, das Schmerzensmotiv des Amfortas. Doch Parsifal hat nicht, hat nichts verstanden, wohl aber etwas Schmerzliches gefühlt. Gurnemanz weist ihn ärgerlich aus dem Saal. Daß er in ihm nun nichts weiter als einen törichten Jungen sieht, beweist wiederum das Orchester: Es läßt noch einmal das Parsifal-Thema aufklingen, das Motiv, das so etwas wie das blinde Durch-die-Welt-Stürmen bedeutet, das unbewußte, zu höherem Streben unfähige Leben der Masse. Aber während der Junge völlig verwirrt das Heiligtum verläßt, fügen die Bratschen des Orchesters die Bruchstücke des Verheißungs-, des Prophezeiungsthemas zusammen. Eine unsichtbare Stimme aus der Höhe formt das Motiv noch einmal bedeutungsvoll: »Durch Mitleid wissend, der reine Tor ...« Mit dem leise in fernen Singstimmen verklingenden Gralsthema schließt, unter kaum noch wahrnehmbarem Glockengeläut und leisesten Bläserakkorden, der inhaltsschwere erste Akt: voll Hoffnung, trotz allem. In hellem, wie vom Himmel strahlendem C-Dur.

Saal verlassen: die Türen werden geschlossen. Parsifal hatte bei dem vorangegangenen stärksten Klagerufe des Amfortas eine heftige Bewegung nach dem Herzen gemacht, welches er krampfhaft eine Zeitlang gefaßt hielt; jetzt steht er noch wie erstarrt, regungslos da. Gurnemanz tritt mißmutig an Parsifal heran und rüttelt ihn am Arme.)

Gurnemanz: Was stehst du noch da?

Weißt du, was du sahst?
(Parsifal faßt sich krampfhaft am Herzen und schüttelt dann ein wenig mit dem Haupte.)

Gurnemanz (sehr ärgerlich): Du bist doch eben nur ein Tor!
(Er öffnet eine schmale Seitentür.)
Dort hinaus, deinem Wege zu!
Doch rät dir Gurnemanz:
laß du hier künftig die Schwäne in Ruh
und suche dir, Gänser, die Gans!

(Er stößt Parsifal hinaus, schlägt mürrisch hinter ihm die Türe stark zu und folgt dann den Rittern.)

Eine Altstimme (aus der Höhe): »Durch Mitleid wissend, der reine Tor.«

Sopran, Alt und einige Tenöre (aus der mittleren und höchsten Höhe): Selig im Glauben!
(Glocken auf dem Theater.)

(Der Vorhang schließt sich auf dem letzten Takte mit der Fermate.)

Ein völlig verändertes Klangbild leitet den zweiten Akt ein. In erregten Streicherbewegungen bildet sich das Klingsormotiv heraus;

(23)

es wird vom »Zaubermotiv« (auch Kundrymotiv, Nr. 9) abgelöst, das sich in gegenläufigen Bewegungen der tiefen Streicher sowie der tiefen Bläser (aufwärts!) und der hohen Streicher (abwärts!) zu neuen gewaltigen Höhepunkten steigert.

(24)

Das Rasen des vollen Orchesters hält lange an: In ihm spiegeln sich – so dürfen wir annehmen – Klingsors alte Enttäuschung, sein Haß gegen alles, was mit dem Gral in Verbindung steht, sein stolzer Übermut im Bewußtsein seiner Zaubermacht, seine Erwartung des neuen Feindes, den er in Par-

ZWEITER AUFZUG

VORSPIEL

sifal herannahen sieht, seine Bereitschaft, die mächtigste seiner Waffen, die Verführung durch Kundry, zu mobilisieren. Beim Öffnen des Vorhangs ist die orchestrale Erregung abgeflaut. Klingsor beobachtet nun lauernd im Zauberspiegel das Herannahen eines Ritters (Parsifals), wozu Bußklarinette und Klarinette Bruchstücke aus dem Zaubermotiv andeuten.

Bei Erwähnung des »Toren«, der »kindisch jauchzend« naht, erklingt, leise wie aus der Ferne und in Teilstücke zerlegt, das Parsifalthema in den Hörnern. Wieder weiß der Hörer mehr und früher: Noch ist Parsifals Name nicht gefallen, noch ist der nahende Ritter nicht sichtbar, da wird im Orchester schon seine Identität klargestellt.

Zauber- und Kundrymotiv verbinden sich, steigern sich, als Klingsor nun Anstalten trifft, die in weiter Ferne Schlafende zu wecken und neuerlich seinem Bann zu unterwerfen. Bei der eigentlichen Beschwörungszeremonie verwendet Wagner verschiedenste, interessante Stilelemente: lange, durch das Tremolo der Streicher wie irrisierende Akkordketten, verminderte Intervalle (die seit Webers Wolfsschluchtszene im »Freischütz« ein Lieblingsrequisit der Romantik sind), sowie an auffallenden Stellen den »Tritonus«, den schwer zu intonierenden, erregenden, im Mittelalter als »teuflisch« bezeichneten Tonabstand der übermäßigen Quarte oder verminderten Quinte (z. B. C-Fis = C-Ges). Erwähnenswert vielleicht noch das ebenfalls hier vorkommende Intervall der übermässigen Sekunde (z. B. B-Cis), das dem europäischen Ohr »morgenländisch« klingt; unterstreicht Wagner so die (denkbare) Herkunft Kundrys, auf die auch ihre »Wiedergeburten« schließen ließen?

Klingsors Zauberschloß

Im inneren Verließe eines nach oben offenen Turmes. Seitenstufen führen nach dem Zinnenrande der Turmmauer; Finsternis in der Tiefe, nach welcher es von dem Mauervorsprunge, den der Bühnenboden darstellt, hinabführt. Zauberwerkzeuge und nekromantische Vorrichtungen.

Klingsor auf dem Mauervorsprunge zur Seite, vor einem Metallspiegel sitzend.

Klingsor: Die Zeit ist da. –
Schon lockt mein Zauberschloß den Toren,
den, kindisch jauchzend, fern ich nahen seh. –
Im Todesschlafe hält der Fluch sie fest,
der ich den Krampf zu lösen weiß. –
Auf denn! Ans Werk!

(Er steigt, der Mitte zu, etwas tiefer hinab und entzündet dort Räucherwerk, welches alsbald den Hintergrund mit einem bläulichen Dampfe erfüllt. Dann setzt er sich wieder vor die Zauberwerkzeuge und ruft mit geheimnisvollen Gebärden nach dem Abgrunde:)

Herauf! Herauf! Zu mir!
Dein Meister ruft dich Namenlose,
Urteufelin, Höllenrose!
Herodias warst du, und was noch?
Gundryggia dort, Kundry hier:
Hieher! Hieher denn! Kundry!
Dein Meister ruft: herauf!

Zu einer aus dem Zaubermotiv gewonnenen Violinmelodie steigt »in bläulichem Lichte« Kundry wie aus der Erde herauf, eine der Violine entgegenlaufende Klarinettenmelodie begleitet ihr langsames Erwachen,

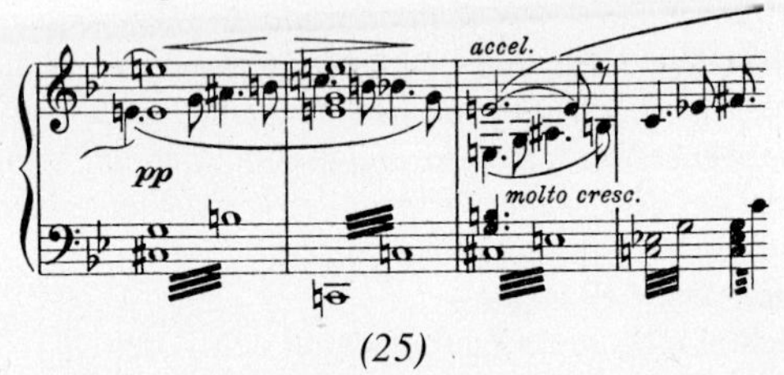

(25)

ein greller Ausbruch des nahezu kompletten Orchesters den noch viel grelleren, durchdringenderen Schrei Kundrys. Ihre ersten stammelnden Sätze begleiten Andeutungen des Zaubermotivs in verschiedenen Instrumenten, so als kämpfe sie noch gegen das Wirksamwerden von Klingsors Zauber an; aber auch ihr »Büßerinmotiv« klingt auf: Sie sehnt sich, trotz oder gerade wegen Klingsors Hohn, in die reinere Luft des Grals zurück, der sie nun gewaltsam, durch den Fluch, dem sie untertan ist, entrissen wird. Als Klingsor ihr ankündigt, daß es »heute den Gefährlichsten zu bestehen gelte«, erklingt im Orchester, von einem Solohorn geblasen, das Prophezeiungsmotiv, dessen Übersetzung in Worte bekanntlich lautet: »Durch Mitleid wissend . . .«, womit nur Parsifal gemeint sein kann.

(In dem bläulichen Lichte steigt Kundrys Gestalt herauf. Sie scheint schlafend. – Sie macht die Bewegung einer Erwachenden. – Sie stößt einen gräßlichen Schrei aus.)

Klingsor: Erwachst du? Ha!
Meinem Banne wieder
verfallen* heut zur rechten Zeit.

(Kundry läßt ein Klagegeheul, von größter Heftigkeit bis zu bangem Wimmern sich abstufend, vernehmen.)

Klingsor: Sag, wo triebst du dich wieder umher?
Pfui! Dort bei dem Rittergesipp,
wo wie ein Vieh du dich halten läßt!
Gefällt dir's bei mir nicht besser?
Als ihren Meister du mir gefangen –
haha – den reinen Hüter des Grales –
was jagte dich da wieder fort?

Kundry (rauh und abgebrochen, wie im Versuche, wieder Sprache zu gewinnen):
Ach! – Ach!
Tiefe Nacht! –
Wahnsinn! – Oh! – Wut! –
Ach! – Jammer! –
Schlaf – Schlaf –
tiefer Schlaf! – Tod!

Klingsor: Da weckte dich ein andrer? He?

Kundry (wie zuvor):
Ja! – Mein Fluch! –
Oh! – Sehnen – Sehnen! –

Klingsor: Haha! – dort nach den keuschen Rittern?

Kundry: Da – da – dient' ich.

Klingsor: Ja, ja! Den Schaden zu vergüten,
den du ihnen böslich gebracht?

* TV: Verfielst du.

Die Diskussion zwischen Meister und Werkzeug, Klingsor und Kundry, erreicht hohe Grade der Heftigkeit. Das Amfortasmotiv wird angedeutet, als Klingsor des besiegten Gralskönigs spottet. Mit sehr bewegtem Orchester wird dann Kundrys Aufbegehren gegen Klingsor untermalt. Doch schließlich zwingt er sie wieder unter seinen Bann. Er sieht im Zauberspiegel Parsifal nahen, den sein Motiv im Orchester ankündigt.

Sie helfen dir nicht:
feil sind sie alle,
biet ich den rechten Preis;
der festeste fällt,
sinkt er dir in die Arme;
und so verfällt er dem Speer,
den ihrem Meister selbst ich entwandt. –
Den Gefährlichsten gilt's nun heut' zu bestehn:
ihn schirmt der Torheit Schild.

Kundry: Ich – will nicht! Oh! – Oh!
Klingsor: Wohl willst du, denn du mußt.
Kundry: Du – kannst mich – nicht – halten.
Klingsor: Aber dich fassen.
Kundry: Du?
Klingsor: Dein Meister.
Kundry: Aus welcher Macht?
Klingsor: Ha! Weil einzig an mir
deine Macht – nichts vermag.
Kundry (grell lachend): Haha! – Bist du keusch?
Klingsor (wütend):
Was frägst du das, verfluchtes Weib? –
Furchtbare Not! –
So lacht nun der Teufel mein,
daß einst ich nach dem Heiligen rang?
Furchtbare Not!
Ungebändigten Sehnens Pein,
schrecklichster Triebe Höllendrang,
den ich zum Todesschweigen mir zwang –
lacht und höhnt er nun laut
durch dich, des Teufels Braut? –
Hüte dich!
Hohn und Verachtung büßte schon einer:
der Stolze, stark in Heiligkeit,
der einst mich von sich stieß:
sein Stamm verfiel mir,
unerlöst
soll der Heiligen Hüter mir schmachten;
und bald – so wähn' ich –

Ein starker Hornruf beordert Klingsors Ritter zu dem Wall des Zaubergartens, den Parsifal soeben ersteigt.

Die folgende Szene, von bewegten Rhythmen fast ohne Motivbildung untermalt, schildert, von Klingsors Standort aus den dem Zuschauer noch unsichtbaren Kampf. Die Mannen Klingsors werden von Parsifal leicht überwunden und in die Flucht getrieben. Parsifals Thema erstrahlt in Holzbläsern und Trompeten. Es gibt, bevor es ein zweites Mal im Triumph erklingt, einem mehrfachen Aufzucken der ersten Noten des »Prophezeiungsmotivs« Raum, über dessen Bedeutung an dieser Stelle man verschiedene Mutmaßungen anstellen kann: Bedeutet Parsifals Eindringen in den Zaubergarten nach seinem Sieg über die Wächter einen wichtigen Schritt auf seinem Weg zum Gral? Soll der Hörer ahnen, daß ohne diesen »Umweg« der Gral ihm unerreichbar bliebe, da er nur durch Kundrys Kuß, der ihm hier bevorsteht, zur blitzartigen Erkenntnis

hüt' ich mir selbst den Gral. ––
Haha!
Gefiel er dir wohl, Amfortas, der Held,
den ich zur Wonne dir gesellt?

Kundry: Oh! – Jammer! – Jammer!
Schwach auch er! – Schwach – alle!
Meinem Fluche mit mir
alle verfallen! –
Oh, ewiger Schlaf,
einziges Heil,
wie – wie dich gewinnen?

Klingsor: Ha! Wer dir trotzte, löste dich frei:
versuch's mit dem Knaben, der naht!

Kundry: Ich – will nicht!

Klingsor (steigt hastig auf die Tormauer):
Jetzt schon erklimmt er die Burg.

Kundry: Oh! Wehe! Wehe!
Erwachte ich darum?
Muß ich? – Muß?

Klingsor (hinabblickend):
Ha! – Er ist schön, der Knabe!

Kundry: Oh! – Oh! – Wehe mir! –

Klingsor (stößt, nach außen gewandt, in ein Horn):
Ho! Ihr Wächter! Ho! Ritter!
Helden! – Auf! – Feinde nah!
Ha! Wie zur Mauer sie stürmen,
die betörten Eigenholde,
zum Schutz ihres schönen Geteufels! –
So! Mutig! Mutig! –
Haha! Der fürchtet sich nicht:
dem Helden Ferris entwand er die Waffe;
die führt er nun freislich wider den Schwarm.

(Kundry gerät in unheimliches ekstatisches Lachen bis zu krampfhaftem Wehegeschrei.)

Klingsor: Wie übel den Tölpeln der Eifer gedeiht!
Dem schlug er den Arm, jenem den Schenkel.

(Kundry schreit auf und verschwindet.)

Klingsor: Haha! – Sie weichen. Sie fliehen.

seiner Aufgabe kommen kann? In derartigen Andeutungen liegt das wahrhaft Faszinierende an Wagners motivischer Arbeit, die vielerlei Verborgenes offenlegt, aber kaum leicht zu verstehen ist. Klingsor bezieht sich auf diese Andeutung: »... was auch Weissagung dich wies, zu jung und dumm fielst du in meine Gewalt ...«. Er weiß also sowohl um die Prophezeiung (»Durch Mitleid wissend ...«) wie auch darum, daß Gurnemanz in diesem Jüngling den vorausgesagten Retter zu sehen glaubte: ein Wissen, von dem Parsifal selbst keine Ahnung hat.

Das Zauberschloß versinkt, ein tropischer Garten breitet sich vor dem eindringenden Parsifal aus. Die Musik nimmt einen anderen Charakter an; sie zitiert zu Anfang noch mehrfach Parsifals kriegerisches Motiv, das aber angesichts der Lieblichkeit der herbeieilenden Mädchen bald sanfteren Tönen weichen wird.

(Das bläuliche Licht ist erloschen: volle Finsternis in der Tiefe, wogegen glänzende Himmelsbläue über der Mauer.)
Seine Wunde trägt jeder nach heim!
Wie das ich euch gönne!
Möge denn so
das ganze Rittergezücht
unter sich selber sich würgen!
Ha! Wie stolz er nun steht auf der Zinne!
Wie lachen ihm die Rosen der Wangen,
da kindisch erstaunt
in den einsamen Garten er blickt!
(Er wendet sich nach der Tiefe des Hintergrundes um.)
He! Kundry! *(Da er sie nicht erblickt.)*
Wie? Schon am Werk? –
Haha! Den Zauber wußt' ich wohl,
der immer dich wieder zum Dienst mir gesellt!
(Sich wieder nach außen wendend.)
Du da, kindischer Sproß,
was auch
Weissagung dich wies,
zu jung und dumm
fielst du in meine Gewalt:
die Reinheit dir entrissen,
bleibst mir du zugewiesen!
(Er versinkt schnell mit dem ganzen Turme; zugleich steigt der Zaubergarten auf und erfüllt die Bühne gänzlich. Tropische Vegetation, üppigste Blumenpracht; nach dem Hintergrunde zu Abgrenzung durch die Zinne der Burgmauer, an welche sich seitwärts Vorsprünge des Schloßbaues selbst, arabischen reichen Stiles, mit Terrassen anlehnen.)
(Auf der Mauer steht Parsifal, staunend in den Garten hinabblickend. – Von allen Seiten her, zuerst aus dem Garten, dann aus dem Palaste, stürzen wirr durcheinander, einzeln, dann zugleich immer mehrere schöne Mädchen herein: sie sind mit flüchtig übergeworfenen, zartfarbigen Schleiern verhüllt, wie soeben aus dem Schlafe aufgeschreckt.)
5. und 6. Mädchen: Hier! Hier war das Tosen!
2. und 3. Mädchen: Hier! Hier war das Tosen!

Zu Beginn erscheinen die »Blumenmädchen« noch als feindlich, doch ihr Staunen vor dem Helden, der ihre Liebsten schlug, geht immer offener in Bewunderung über, die Musik wird zarter und sinnlicher.

1. und 4. Mädchen: Waffen!
Chor, 2. und 5. Mädchen: Wilde Rüfe!
Chor: Wer ist der Frevler?
3. und 6. Mädchen: Wehe!
1. und 4. Mädchen: Wer ist der Frevler?
2., 3., 4., 5., 6. Mädchen: Wo ist der Frevler?
Chor: Auf zur Rache!
1. Mädchen: Mein Geliebter verwundet!
4. Mädchen: Wo find ich den meinen?
2. Mädchen: Ich erwachte alleine!
Chor: Wohin entflohn sie?
4. Mädchen: Wo ist mein Geliebter?
3. Mädchen: Wo find ich den meinen?
5. Mädchen: Ich erwachte alleine!
Chor: Wo sind unsre Liebsten?
1. Mädchen: Oh! Weh, ach, wehe!
Chor: Drinnen im Saale!
1. und 4. Mädchen: Wehe! Wehe!
Chor: Wir sah'n sie im Saale.
Wir sah'n sie mit blutender Wunde.
Auf zur Hilfe!
2., 3., 5., 6. Mädchen und Chor: Wer ist unser Feind?
(Sie gewahren Parsifal und zeigen auf ihn.)
Alle Mädchen: Da steht er!
Chor: Seht ihn dort! Da steht er! Wo? Dort!
3., 6., 2., 5. Mädchen: Ich sah's!
1. Mädchen: Meines Ferris Schwert in seiner Hand!
Chor: Ich sah's! Der stürmte die Burg!
2. Mädchen: Meines Liebsten Blut hab ich erkannt!
6. Mädchen: Ich hörte des Meisters Horn.
3. und 5. Mädchen: Ja, wir hörten sein Horn!
1., 4., 6. Mädchen: Mein Held lief herzu.
2. und 3. Mädchen: Sie kamen alle herzu.
Chor: Sie alle kamen, doch jeden empfing seine Wehr.
Weh! Weh ihm, der sie uns schlug!
4., 5., 6. Mädchen: Weh! Weh!
2. Mädchen und Teil von Chor: Der schlug meinen Liebsten.
1. Mädchen und Teil von Chor: Mir traf er den Freund.

Im Übergang von der anfänglichen Spannung zur jetzigen Gelöstheit wandelt sich Parsifals Motiv: Es nimmt an Härte und Entschlossenheit ab, wird nicht mehr zu Ende geführt, so als beginne sein zu Trotz und Kampf gerüsteter Mut einer frohen Heiterkeit zu weichen.

5. Mädchen und Teil von Chor: Noch blutet die Waffe.
4. Mädchen und Teil von Chor: Meines Liebsten Feind!
Alle: Weh! Ach wehe!
Chor: Du dort! Was schufst du uns solche Not?
3., 6.Mädchen: Du dort! O! Welche Not!
Alle: Verwünscht, verwünscht sollst du sein!
(Parsifal springt tiefer in den Garten herab.)
(Die Mädchen weichen jäh zurück. Jetzt hält er voll Verwunderung an.)
Alle: Ha, Kühner!
1., 4., 5. Mädchen: Wagst du zu nahn?
2., 3., 6. Mädchen: Was schlugst du unsre Geliebten?
Parsifal: Ihr schönen Kinder, mußt' ich sie nicht schlagen?
Zu euch, ihr Holden, ja wehrten sie mir den Weg.
4. Mädchen: Zu uns wolltest du?
1. Mädchen: Sahst du uns schon?
Parsifal: Noch nie sah ich solch zieres Geschlecht:
nenn' ich euch schön, dünkt euch das recht?
2. Mädchen: So willst du uns wohl nicht schlagen?
5. Mädchen: Willst uns nicht schlagen?
Parsifal: Das möcht ich nicht.
4. Mädchen: Doch Schaden schufst du uns so vielen.
2., 3., 5., 6. Mädchen: Großen und vielen!
1. und 4. Mädchen: Du schlugest unsre Gespielen!
2., 3., 5., 6. Mädchen und Chor: Wer spielt nun mit uns?
(Die Mädchen sind von Verwunderung in Heiterkeit übergegangen und brechen jetzt in lustiges Gelächter aus. Während Parsifal immer näher zu den aufgeregten Gruppen tritt, entweichen unmerklich das 1., 2. und 3. Mädchen und der erste Chor hinter den Blumenhag, um ihren Blumenschmuck zu vollenden.)
Parsifal: Das tu ich gern.
Soli und Chor der 2. Gruppe:
Bist du uns hold, so bleib nicht fern von uns.
4. Mädchen: Und willst du uns nicht schelten –
5. Mädchen: – wir werden dir's entgelten.
4. Mädchen: Wir spielen nicht um Gold.
6. Mädchen: Wir spielen nicht um Gold.

Der zuvor heldische Rhythmus gewinnt an Anmut, geht fast unbemerkt in ein wiegendes, graziöses, schmeichelndes Zeitmaß über:

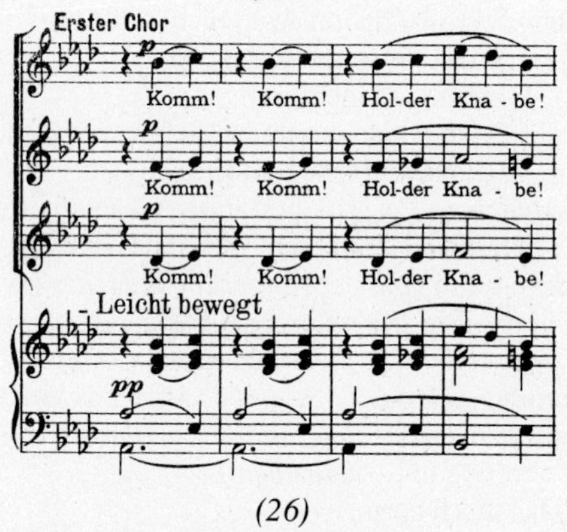

(26)

Inmitten der ihn umdrängenden Mädchen steht Parsifal, »heiter und ruhig«, ohne die gefährliche Absicht dieses »Spiels« zu durchschauen. Der ihn umschwebende Reigen hat eine neue Melodie entwickelt, die nun von den Geigen des Orchesters übernommen wird:

(Notenbeispiel S. 84)

5. Mädchen: Wir spielen nicht um Gold.
4. Mädchen: Wir spielen um Minnesold.
5. Mädchen: Willst auf Trost du uns sinnen –
4. Mädchen: – sollst den du uns abgewinnen!
(Die Mädchen der ersten Gruppe und des ersten Chors kommen, in ihren Blumengewändern selbst als Blumen erscheinend, zurück und stürzen sich auf Parsifal.)
2. Mädchen: Lasset den Knaben!
1. Mädchen: Er gehöret mir!
3. Mädchen: Nein!
2. Mädchen: Nein!
Chor der 1. Gruppe: Nein, mir!
4., 5., 6. Mädchen und Chor der 2. Gruppe:
Ha, die Falschen!
Sie schmückten heimlich sich!
(Während die Zurückgekommenen sich um Parsifal drängen, verlassen die Mädchen der zweiten Gruppe und des zweiten Chors hastig die Szene, um sich ebenfalls zu schmücken.)
Die Mädchen der 1. Gruppe (während sie, wie in anmutigem Kinderspiele, in abwechselndem Reigen um Parsifal sich drehen): Komm, komm, holder Knabe!
1. Mädchen: Komm, o holder Knabe!
Die übrigen Mädchen: Laß mich dir blühen!
Dir zu Wonn' und Labe
gilt mein minniges Mühen.
1. Mädchen: Komm, holder Knabe!
(Die zweite Gruppe und der zweite Chor kommen, ebenfalls geschmückt, zurück und gesellen sich dem Spiele.)
2., 3., 5. und 6. Mädchen: Holder Knabe!
Chor: Komm, holder Knabe!
1. und 4. Mädchen: Laß mich dir erblühen!
Alle: Dir zu Wonn' und Labe
gilt unser minniges Mühen!

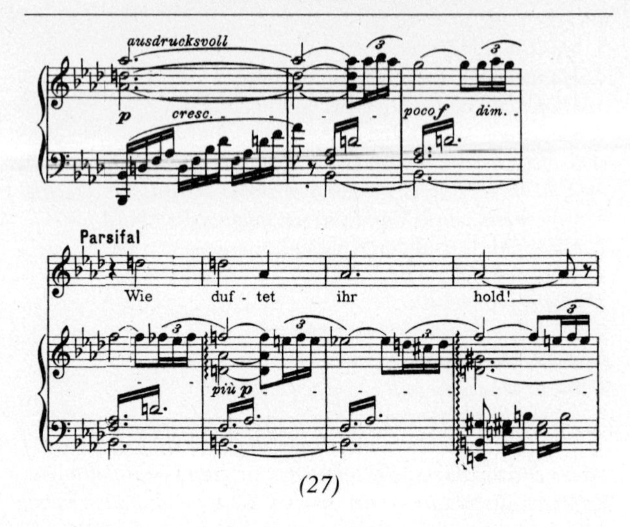

(27)

Die sinnliche Kraft der Musik wird immer ausgeprägter, je enger die Mädchen Parsifal umkreisen und beginnen, sich an ihn zu drängen, an ihn zu schmiegen. (Die Szene erinnert musikalisch an die erste des Venusbergs in »Tannhäuser« – besonders in dessen zweiter, der »Pariser« Fassung –, in der Wagner ebenfalls eine Atmosphäre schwüler Erotik beschrieb).

Hier beginnt Parsifals zuerst sanfter Widerstand. Sein Motiv ruft ihn gewissermaßen zur Besinnung, aber die Wendung nach Moll sowie weitere Variationen beweisen, daß doch ir-

Parsifal (heiter, ruhig in der Mitte der Mädchen):
Wie duftet ihr hold!
Seid ihr denn Blumen?
1. Mädchen: Des Gartens Zier –
4. Mädchen: – und duftende Geister!
1. und 4. Mädchen: Im Lenz pflückt uns der Meister.
2. und 5. Mädchen: Wir wachsen hier –
1. und 4. Mädchen: – in Sommer und Sonne –
1., 2., 4., 5. Mädchen: – für dich erblühend in Wonne!
3. und 6. Mädchen: Nun sei uns freund und hold!
Erster Chor: Nun sei freund uns und hold!
2. und 5. Mädchen: Nicht karge den Blumen den Sold!
2. Chor: Nicht karge den Sold!
Mädchen: Kannst du uns nicht minnen,
Chor: Kannst du uns nicht lieben und minnen,
Alle: Wir welken und sterben dahinnen.
Chor: Komm, holder Knabe!
4. Mädchen: An deinen Busen nimm mich!
Chor: Laß mich dir erblühen!
1. Mädchen: Die Stirn laß mich dir kühlen!
2. Mädchen: Laß mich die Wange dir fühlen!
5. Mädchen: Den Mund laß mich dir küssen.
1. Mädchen: Nein, ich! Die Schönste bin ich!
2. Mädchen: Nein! Ich bin die Schönste!
1., 3., 5. Mädchen: Ich bin schöner!
4. Mädchen: Nein! Ich dufte süßer!
1. und 2. Mädchen: Nein, ich!
3., 5., 6. Mädchen: Ich!
Chor: Ich! Ja, ich!
Parsifal (ihrer anmutigen Zudringlichkeit sanft wehrend):
Ihr wild holdes Blumengedränge,
soll ich mit euch spielen, entlaßt mich der Enge!

gendwelche Zweifel sich in sein früheres ungestümes Wesen gemischt haben müssen.

So geht der werbende Tanz der Mädchen um Parsifal fort, jede sucht sich ihm aufzudrängen, die Musik verweilt im wiegenden Dreivierteltakt.

Und wieder ist es sein Motiv, das ihn zum Widerstand mahnt. Kaum hat er sie, nun energischer, zurückgedrängt, da ertönt, mit einem packenden Akkord, eine Stimme von höchster Ausdruckskraft: Kundry ruft ihn, und sie ruft ihn mit dem Namen – zum ersten Male fällt er im ganzen Werk–, den er, seit die Mutter in fernen Tagen ihn so genannt, nie mehr gehört hat:

4. Mädchen: Was zankest du?
Parsifal: Weil ihr euch streitet.
1. Mädchen: Wir streiten nur um dich.
5. Mädchen: Wir streiten nur um dich.
Parsifal: Das meidet!
2. Mädchen: Du laß von ihm; sieh, er will mich!
3. Mädchen: Mich lieber!
6. Mädchen: Nein mich!
5. Mädchen: Nein, lieber will er mich!
4. Mädchen: Du wehrest mich von dir?
1. Mädchen: Du scheuchest mich fort?
2., 3. und 6. Mädchen: Du wehrest mir?
1. Chor: Wie, bist du feige vor Frauen?
4., 5. und 6. Mädchen: Magst dich nicht getrauen?
2. Halbchor: Magst dich nicht getrauen?
1. Mädchen: Wie schlimm bist du Zager und Kalter!
1. Halbchor: Wie schlimm!
4. Mädchen: Wie schlimm bist du Zager und Kalter!
2. Halbchor: So zag?
1. Mädchen: Die Blumen läßt du umbuhlen den Falter?
Chor: So zag und kalt!
2. und 3. Mädchen: Wie ist er zag!
5. und 6. Mädchen: Wie ist er kalt!
1. Halbchor: Auf! Weichet dem Toren!
1., 2., 3. Mädchen: Wir geben ihn verloren.
2. Halbchor: Doch sei er uns erkoren!
1. Halbchor: Nein, uns!
4., 5., 6. Mädchen: Nein, mir gehört er an!
2. Halbchor: Nein, uns gehöret er!
1. Halbchor: Nein, uns gehöret er!
Alle: Auch mir! Ja, mir! Ja, uns!
Parsifal (halb ärgerlich die Mädchen abscheuchend):
Laßt ab! Ihr fangt mich nicht!
(Er will fliehen, als er aus einem Blumenhage Kundrys Stimme vernimmt und betroffen stillsteht.)

Nun, auf Kundrys Anruf, beginnt die entscheidende Szene des Werkes. War bisher in gewissem Sinne alles nur Vorbereitung und wird im dritten Akt die Handlung der selbstverständlich gewordenen Lösung zudrängen, so liegt hier, in dieser Kernszene zwischen Parsifal und Kundry, das entscheidende Element, ja der ausschlaggebende Augenblick der Wendung im Charakter und im Schicksal des »reinen Toren«, der nun den wichtigsten Teil der Prophezeiung zu erfüllen hat: »durch Mitleid wissend« zu werden.

Die Mädchen entfernen sich, immer noch in einem wiegenden Takt und unter Gesängen, die zwischen Spiel, Scherz, leisem Bedauern, aber auch einer guten Dosis Ironie liegen.

Kundry: Parsifal! – Weile!
(Die Mädchen sind bei dem Vernehmen der Stimme Kundrys erschrocken und haben sich alsbald von Parsifal zurückgehalten.)
Parsifal: Parsifal . . .?
So nannte träumend mich einst die Mutter. –
Kundry (allmählich sichtbar werdend):
Hier weile! Parsifal! –
Dich grüßet Wonne und Heil zumal. –
Ihr kindischen Buhlen, weichet von ihm;
früh welkende Blumen,
nicht euch ward er zum Spiele bestellt!
Geht heim, pfleget der Wunden:
einsam erharrt euch mancher Held.
(Die Mädchen entfernen sich zaghaft und widerstrebend von Parsifal und ziehen sich allmählich nach dem Schlosse zurück.)
4. Mädchen: Dich zu lassen!
6. Mädchen: Dich zu meiden!
5. Mädchen: Dich zu meiden!
3. Mädchen: Oh, wie wehe!
1. Mädchen: Oh, wehe!
2. Mädchen: Oh! Wehe der Pein!
Chor: Oh, wehe!
1., 2., 3. Mädchen:
Von allen möchten gern wir scheiden,
mit dir allein zu sein.
4., 5., 6. Mädchen: Mit dir allein zu sein.
2. und 5. Mädchen: Leb wohl!
Chor: Leb wohl, leb wohl!
1. und 4. Mädchen: Leb wohl!
Alle: Leb wohl, du Holder, du Stolzer, du – Tor!
(Mit dem letzten sind die Mädchen unter Gelächter im Schlosse verschwunden.)

Parsifal bleibt mit Kundry allein, das Prophezeiungsmotiv leitet bezeichnenderweise die Szene zwischen ihnen ein –, denn in ihrem Verlauf wird Parsifal »welthellsichtig« werden (wie Kundry es ausdrückt).

Parsifal, erstaunt über den Namen, mit dem Kundry ihn rief, erfährt aus ihrem Mund Dinge über den Vater, die er nicht gewußt hat: Gamuret benannte, im Morgenlande sterbend, so den fernen, noch ungeborenen Sohn. Wagner bildet hier ein neues, sehr ausdrucksvolles Motiv, das, von der Klarinette angestimmt (die Wagner, laut dem Augenzeugen Felix Mottl, »ganz traumhaft zart« verlangte), eine aufsteigende Septime (D-C) als Merkmal enthält und diese gleich darauf in der Singstimme wiederholt:

(29)

Dem völlig überraschten, ergriffenen Parsifal hat Kundry noch vieles aus seiner Vergangenheit zu erzählen:

(30)

Wie verzaubert lauscht Parsifal. Ob er nicht das alles nur träumt? Hat er den Blumengarten, die lieblichen Mädchen

Parsifal: Dies alles – hab' ich nun geträumt?
(Er sieht sich schüchtern nach der Seite hin um, von welcher die Stimme kam. Dort ist jetzt, durch Enthüllung des Blumenhages, ein jugendliches Weib von höchster Schönheit – Kundry, in durchaus verwandelter Gestalt – auf einem Blumenlager, in leicht verhüllender, phantastischer Kleidung, annähernd arabischen Stiles – sichtbar geworden.)
Parsifal (noch ferne stehend):
Riefest du mich Namenlosen?
Kundry: Dich nannt' ich, tör'ger Reiner,
»Fal parsi«,
Dich, reinen Toren: »Parsifal«.
So rief, als in arab'schem Land er verschied,
dein Vater Gamuret dem Sohne zu,
den er, im Mutterschoß verschlossen,
mit diesem Namen sterbend grüßte.
Ihn dir zu künden, harrt' ich deiner hier:
was zog dich her, wenn nicht der Kunde Wunsch?
Parsifal: Nie sah ich, nie träumte mir, was jetzt
ich schau und was mit Bangen mich erfüllt. –
Entblühtest du auch diesem Blumenhaine?
Kundry: Nein, Parsifal, du tör'ger Reiner!
Fern – fern – ist meine Heimat.
Daß du mich fändest, verweilte ich nur hier.
Von weither kam ich, wo ich viel ersah.
Ich sah das Kind an seiner Mutter Brust,
sein erstes Lallen lacht mir noch im Ohr;
das Leid im Herzen,
wie lachte da auch Herzeleide,
als ihren Schmerzen
zujauchzte ihrer Augen Weide!
Gebettet sanft auf weichen Moosen,
den hold geschläfert sie mit Kosen,
dem, bang in Sorgen,
den Schlummer bewacht' der Mutter Sehnen,
den weckt' am Morgen
der heiße Tau der Muttertränen.
Nur Weinen war sie, Schmerzgebaren

wirklich erlebt oder hält ihn ein holder Traum umfangen? Nun lauscht er atemlos dieser seltsamen, unbekannten, wunderbar schönen Frau, die seinen Vater im Morgenlande sterben, seine Mutter ihn im Abendlande gebären, ihn davonlaufen und die Mutter im Gram sterben sah. Die Kunde überwältigt ihn – wie damals, als er sie von den Lippen des zerlumpten, demütigen Dienstweibes im Gralsgebiet erstmals vernahm –, er bricht in tiefen Schmerz aus, klagt sich selbst an. Kundry bietet ihm Trost: ihre Liebe. Doch Parsifals Gedanken weilen immer noch bei der Mutter. Wie konnte er sie nur vergessen!

um deines Vaters Lieb' und Tod:
vor gleicher Not dich zu bewahren,
galt ihr als höchster Pflicht Gebot.
Den Waffen fern, der Männer Kampf und Wüten,
wollte sie still dich bergen und behüten.
Nur Sorgen war sie, ach! und Bangen:
nie sollte Kunde zu dir hergelangen.
Hörst du nicht noch ihrer Klage Ruf,
wann spät und fern du geweilt?
Hei! Was ihr das Lust und Lachen schuf,
wann sie suchend dann dich ereilt;
wann dann ihr Arm dich wütend umschlang,
ward dir es wohl gar beim Küssen bang?
Doch ihr Wehe du nicht vernahmst,
nicht ihrer Schmerzen Toben,
als endlich du nicht wieder kamst
und deine Spur verstoben!
Sie harrte Nächt' und Tage,
bis ihr verstummt' die Klage,
der Gram ihr zehrte den Schmerz,
um stillen Tod sie warb:
ihr brach das Leid das Herz,
und – Herzeleide – starb.

Parsifal (immer ernsthafter, endlich furchtbar betroffen, sinkt, schmerzlich überwältigt, zu Kundrys Füßen nieder):
Wehe! Wehe! Was tat ich? Wo war ich?
Mutter! Süße, holde Mutter!
Dein Sohn, dein Sohn mußte dich morden!
O Tor! Blöder, taumelnder Tor!
Wo irrtest du hin, ihrer vergessend –
deiner, deiner vergessend?
Traute, teuerste Mutter!

Kundry: War dir fremd noch der Schmerz,
des Trostes Süße
labte nie auch dein Herz;
das Wehe, das dich reut,

Sehr leise, sehr langsam steigt im Orchester (vom Englischhorn geblasen, dann vom Horn übernommen, den beiden vielleicht ausdrucksvollsten Solisten des Klangkörpers) das Motiv vom Leiden des Amfortas auf (Nr. 22): »Was alles vergaß ich wohl noch?« singt Parsifal bedeutungsvoll. Kundry will ihn von solchen Gedanken ablenken, will ihm ihre Liebe geben; ihr Geständnis, ihr Bitten um seine Umarmung klingen echt. Kommen sie aus ihrem Herzen, oder spielt sie die ihr von Klingsor aufgetragene Verführungsrolle, um Parsifal das gleiche Schicksal zu bereiten, das Amfortas in ihren Armen erlebte? Eine äußerst schwierige Frage, die wohl nur mit »sowohl-als-auch« beantwortet werden könnte. Sie sucht die Vereinigung mit Parsifal, um durch ihn der Erlösung teilhaftig zu werden, die ein »Heiland« ihr bringen könnte und die sie bei Amfortas vergeblich erstrebte. Zugleich wünscht sie den Fall dieses Mannes, den sie nun vor sich hat; denn ihr Fluch zwingt sie, alle Männer zu vernichten, die ihr begegnen. Sie begehrt ihn in ihrer vollblütigen Weiblichkeit, aber ahnt zugleich in seiner Abwehr ihre zutiefst ersehnte Erlösung. Widerstrebendste Gefühle beleben also diese komplexe Figur, und so komplex und vieldeutig ist auch die Musik, die Wagner ihr gegeben hat. Wir nähern uns dem Höhepunkt des Dramas: Kundry neigt sich über Parsifal, um ihm »als Muttersegens letzten Gruß, der Liebe ersten Kuß« auf den Mund zu drücken:

(Fortsetzung des Notenbeispiels S. 96)

die Not nun büße
im Trost, den Liebe dir beut!

Parsifal (im Trübsinn immer tiefer sich sinken lassend):
Die Mutter, die Mutter konnt' ich vergessen!
Ha! Was alles vergaß ich wohl noch?
Wes war ich je noch eingedenk?
Nur dumpfe Torheit lebt in mir!

Kundry (immer noch in liegender Stellung, beugt sich über Parsifals Haupt, faßt sanft seine Stirne und schlingt traulich ihren Arm um seinen Nacken):
Bekenntnis
wird Schuld in Reue enden,
Erkenntnis
in Sinn die Torheit wenden.
Die Liebe lerne kennen,
die Gamuret umschloß,
als Herzeleids Entbrennen
ihn sengend überfloß!
Die Leib und Leben
einst dir gegeben,
der Tod und Torheit weichen muß,
sie beut
dir heut –
als Muttersegens letzten Gruß
der Liebe – ersten Kuß.

(Sie hat ihr Haupt völlig über das seinige geneigt und heftet nun ihre Lippen zu einem langen Kusse auf seinen Mund.)

(31)

Da fährt Parsifal jäh auf: Eine grauenhafte Vision überfällt ihn im gleichen Augenblick. Das Orchester, das soeben das Zaubermotiv erklingen ließ (als Zeichen dafür, daß Kundrys Kuß doch nicht »echt« ist, sondern Teil der von ihr gespielten Rolle?), hämmert beschleunigend und mit wilder Heftigkeit eine Kette von dissonierenden Akkorden. Und Parsifal schreit auf:

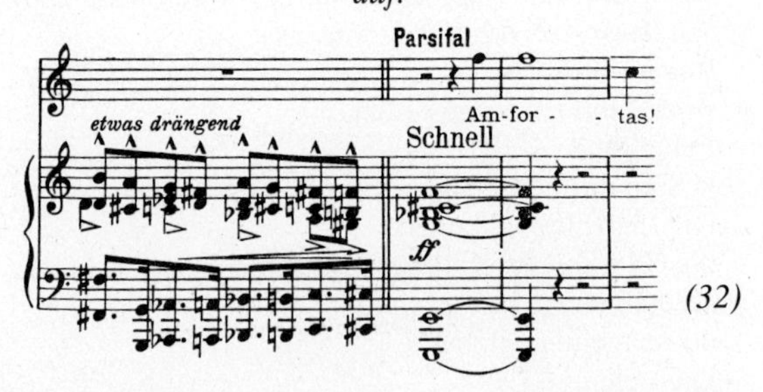

(32)

Die Wunde des leidenden Amfortas scheint ihn selbst nun versengend zu brennen. Er sieht sie bluten, wie er sie einst vor Jahren im Tempel bluten sah. Und das leidvolle Antlitz des gemarterten Gralskönigs steht vor ihm. Die Visionen jagen einander, werden durch sinnliche Bilder zerrissen, sammeln sich aber wieder. Parsifal kämpft den Kampf seines Lebens. Das Orchester in anhaltend jagenden Rhythmen und Motivzerstückelungen läßt Parsifal, der bis dahin eine fast passive Rolle gespielt, zu gewaltigen Ausbrüchen des Schmerzes, der Zweifel, der heranreifenden Entscheidungen gelangen. Und in tiefstem Flehen bricht er überwältigt in den Leidensschrei des Amfortas aus:

(Notenbeispiel S. 98)

Parsifal (fährt plötzlich mit einer Gebärde des höchsten Schreckens auf: seine Haltung drückt eine furchtbare Veränderung aus; er stemmt seine Hände gewaltsam gegen das Herz, wie um einen zerreißenden Schmerz zu bewältigen):
Amfortas! ––
Die Wunde! – Die Wunde! –
Sie brennt in meinem Herzen. –
Oh, Klage! Klage!
Furchtbare Klage!
Aus tiefstem Herzen schreit sie mir auf.
Oh! – Oh! –
Elender! Jammervollster!
Die Wunde seh' ich bluten: –
nun blutet sie in mir! –
Hier – hier!
Nein! Nein! Nicht die Wunde ist es.
Fließe ihr Blut in Strömen dahin!
Hier! Hier im Herzen der Brand!
Das Sehnen, das furchtbare Sehnen,
das alle Sinne mir faßt und zwingt!
Oh! – Qual der Liebe! –
Wie alles schauert, bebt und zuckt
in sündigem Verlangen! . . .

(Während Kundry in Schrecken und Verwunderung auf Parsifal hinstarrt, gerät dieser in völlige Entrücktheit; schauerlich leise.)

Es starrt der Blick dumpf auf das Heilsgefäß:
das heilge Blut erglüht;

(33)

Kundry aber hat Parsifals Wandlung, der sie erstaunt, ja schließlich bewundernd beigewohnt hat, nicht verstanden. Wieder versucht sie, sich ihm zu nähern. Doch Parsifal erkennt nun immer klarer: So, genau so war es, als Amfortas in diesen Hinterhalt fiel, den Zaubergarten betrat, von dem gleichen schönen Weib umgarnt wurde. Und er stößt Kundry heftig zurück.

Erlösungswonne, göttlich mild,
durchzittert weithin alle Seelen;
nur hier, im Herzen, will die Qual nicht weichen.
Des Heilands Klage* da vernehm' ich,
die Klage, ach! die Klage
um das entweihte Heiligtum:
»Erlöse, rette mich
aus schuldbefleckten Händen!«
So rief die Gottesklage
furchtbar laut mir in die Seele.
Und ich – der Tor, der Feige,
zu wilden Knabentaten floh ich hin!
(Er stürzt verzweiflungsvoll auf die Knie.)
Erlöser! Heiland! Herr der Huld!
Wie büß' ich Sünder meine Schuld?

Kundry (deren Erstaunen in leidenschaftliche Bewunderung übergegangen, sucht schüchtern sich Parsifal zu nähern): Gelobter Held! Entflieh dem Wahn!
Blick auf! Sei hold der Huldin Nah'n!

Parsifal (immer in gebeugter Stellung, starr zu Kundry aufblickend, während diese sich zu ihm neigt und die liebkosenden Bewegungen ausführt, die er mit dem Folgenden bezeichnet):
Ja, diese Stimme! So rief sie ihm; –
und diesen Blick, deutlich erkenn' ich ihn –
auch diesen, der ihm so friedlos lachte;
die Lippe – ja – so zuckte sie ihm,

* TV: Anstelle von »Klage« auch »Qualen«.

In höchster Leidenschaft klammert Kundry sich an ihre letzte Hoffnung, enthüllt vor Parsifal die tragische Verstrickung, in der sie lebt, erinnert sich des Heilands, den sie einst am Kreuze verlachte und dessen ersterbenden Blick sie nicht mehr von sich wenden kann. Sie sucht ihn nun von Welt zu Welt, von Zeitalter zu Zeitalter. Sie glaubte, ihm wieder begegnet zu sein, als sie Amfortas traf. Aber auch ihn verlachte sie, als er ihr sündig in die Arme sank. Und nun ist Parsifal ihre letzte Hoffnung, – eine einzige Stunde will sie ihm gehören, um dann, von seiner Umarmung entsündigt, erlöst zu sterben.

so neigte sich der Nacken –
so hob sich kühn das Haupt; –
so flatterten lachend die Locken –
so schlang um den Hals sich der Arm –
so schmeichelte weich die Wange!
Mit aller Schmerzen Qual im Bunde,
das Heil der Seele
entküßte ihm der Mund! –
Ha! – Dieser Kuß! –
Verderberin! Weiche von mir!
Ewig – ewig – von mir!
(Er hat sich allmählich erhoben und stößt Kundry von sich.)

Kundry (in höchster Leidenschaft):
Grausamer!
Fühlst du im Herzen
nur andrer Schmerzen,
so fühle jetzt auch die meinen!
Bist du Erlöser,
was bannt dich, Böser,
nicht mir auch zum Heil dich zu einen?
Seit Ewigkeiten – harre ich deiner,
des Heilands, ach! so spät!
Den einst ich kühn geschmäht. –
Oh! –
Kenntest du den Fluch,
der mich durch Schlaf und Wachen,
durch Tod und Leben,
Pein und Lachen,
zu neuem Leiden neu gestählt,
endlos durch das Dasein quält! –
Ich sah – ihn – ihn –
und – lachte . . .
da traf mich sein Blick. –
Nun such' ich ihn von Welt zu Welt,
ihm wieder zu begegnen.
In höchster Not
wähn' ich sein Auge schon nah,

Doch Parsifal ist sich seiner Sendung nun sehr klar geworden: Er weiß, daß er der Gralsrunde Rettung bringen muß, und an diese heilige Aufgabe glaubt er nun mit aller Kraft seines reinen Herzens. Das Orchester, das seine Wandlung mit einer dramatisch bewegten Untermalung begleitet hat, konzentriert sich zuletzt auf das Glaubensthema (Nr. 4), das die in ihm vorgegangene Verwandlung symbolisiert.

den Blick schon auf mir ruh'n.
Da kehrt mir das verfluchte Lachen wieder,
ein Sünder sinkt mir in die Arme!
Da lach' ich – lache –
kann nicht weinen,
nur schreien, wüten,
toben, rasen
in stets erneueter Wahnsinns Nacht,
aus der ich büßend kaum erwacht.
Den ich ersehnt in Todesschmachten,
den ich erkannt, den blöd Verlachten,
laß mich an seinem Busen weinen,
nur eine Stunde mich dir vereinen,
und, ob mich Gott und Welt verstößt,
in dir entsündigt sein und erlöst!

Parsifal: Auf* Ewigkeit
wärst du verdammt mit mir
für eine Stunde
Vergessens meiner Sendung
in deines Arms Umfangen! –
Auch dir bin ich zum Heil gesandt,
bleibst du dem Sehnen abgewandt.
Die Labung, die dein Leiden endet,
beut nicht der Quell, aus dem es fließt:
das Heil wird nimmer dir gespendet,
eh'** jener Quell sich dir nicht schließt.
Ein andres ist's – ein andres, ach!***
nach dem ich jammernd schmachten sah
die Brüder dort in grausen Nöten
den Leib sich quälen und ertöten.
Doch wer erkennt ihn klar und hell,
des einz'gen Heiles wahren Quell?
O Elend, aller Rettung Flucht!
O Weltenwahns Umnachten:

* TV: Anstelle von »auf« steht »in«.
** TV: Anstelle von »eh'« auch »wenn«.
*** TV: Anstelle von »andres« beide Male »andrer«.

Kundry bricht in Ekstase aus: So war es also ihr Kuß, der diesen Gesandten des Herrn »welthellsichtig« machte, ihn seine große Sendung erkennen ließ! Wagner begleitet diesen Ausbruch mit musikalischen Phrasen, die aus der Blumenmädchen-Szene stammen (Nr. 27). So sehr verkennt sie Parsifals Läuterung!

Und sie verkennt sie noch tiefer, als sie meint; wenn ihr Kuß ihn zu seiner Aufgabe geführt hätte, dann müßte ihre Liebesumarmung ihn in einen Gott verwandeln. Ihre Stimme, in die Wagner schon von Anfang an gewaltige Intervallsprünge geschrieben hatte, wird hier mit den schwersten Tonabständen konfrontiert, die es bis dahin in der Musik zu finden gab:

(Fortsetzung des Notenbeispiels S. 106)

in höchsten Heiles heißer Sucht
nach der Verdammnis Quell zu schmachten!

Kundry (in wilder Begeisterung):
So war es mein Kuß,
der welthellsichtig dich machte?

Mein volles Liebesumfangen
läßt dich dann Gottheit erlangen!
Die Welt erlöse, ist dies dein Amt: –

(34)

Endgültig weist Parsifal Kundry nun zurück: »Erlösung, Frevlerin, biet' ich auch dir ...« (wobei sein Motiv aufklingt, aber sofort in das des Grals übergeht). Das gleiche abermals, bei: »Lieb' und Erlösung soll dir werden ...«

schuf dich zum Gott die Stunde,
für sie laß mich ewig dann verdammt,
nie heile mir die Wunde.

Parsifal: Erlösung, Frevlerin, biet' ich auch dir.
Kundry (drängend):
Laß mich dich Göttlichen lieben,
Erlösung gabst du dann auch mir.
Parsifal: Lieb' und Erlösung soll dir werden*
zeigest du
zu Amfortas mir den Weg.

* TV: Anstelle von »werden« auch »lohnen«.

Kundry, in tödlich gekränktem Stolz, weist dieses Versprechen heftig von sich, wenn ihre Erlösung ohne die Umarmung des von ihr nun heiß begehrten Parsifal vor sich gehen soll, und sie versucht es ein letztes Mal, nun mit einer Erpressung: Nie werde sie ihm den Weg zur Gralsburg zeigen, wenn er ihren Wunsch nicht zuvor erfülle. Sie weiß, daß der Pfad nach Montsalvat (wie Wagner die Gralsburg genannt hat) äußerst schwierig zu finden, ja nahezu allen Menschen verwehrt ist; aber sie vergißt, daß er sich den »Erleuchteten«, »Eingeweihten« öffnet. Ihre Weigerung kann Parsifal nur vorübergehend aufhalten, nicht aber völlig in die Irre leiten.

Als Parsifal ihr neuerliches Rasen – vom Orchester wild erregt begleitet und erst allmählich in ein verzweifeltes Flehen übergehend – nun mit aller Energie in die Schranken weist, verflucht Kundry Parsifal und überantwortet ihn ihrem Meister.

Kundry (in Wut ausbrechend):
Nie – sollst du ihn finden!
Den Verfallnen, laß ihn verderben,
den Unsel'gen,
Schmachlüsternen,
den ich verlachte – lachte – lachte!
Haha! Ihn traf ja der eigne Speer!
Parsifal: Wer durft' ihn verwunden mit der heil'gen Wehr?
Kundry: Er – er –
der einst mein Lachen bestraft.
Sein Fluch – ha! – mir gibt er Kraft;
gegen dich selbst ruf ich die Wehr,
gibst du dem Sünder des Mitleids Ehr'! –
Ha! Wahnsinn! – *(Flehend.)*
Mitleid! Mitleid mit mir!
Nur eine Stunde mein –
nur eine Stunde dein –
und des Weges
sollst du geleitet sein!
(Sie will ihn umarmen. Er stößt sie heftig von sich.)
Parsifal: Vergeh, unseliges Weib!
Kundry (rafft sich mit wildem Wutrasen auf und ruft nach dem Hintergrunde zu):
Hilfe! Hilfe! Herbei!
Haltet den Frechen! Herbei!
Wehrt ihm die Wege!
Wehrt ihm die Pfade!
Und flöhest du von hier und fändest
alle Wege der Welt,
den Weg, den du suchst,
des Pfade sollst du nicht finden:
Denn Pfad' und Wege,
die dich mir entführen,
so verwünsch' ich sie dir:
Irre! Irre!
Mir so vertraut –
dich weih' ich ihm zum Geleit!

Klingsor erscheint und schleudert den heiligen Speer auf Parsifal. Ein Harfen-Glissando aufwärts drückt den Flug der Waffe aus. Sie trifft ihr Ziel nicht, über dem Haupte Parsifals bleibt sie in der Luft stehen.

Leise ertönt unter dichtem, erregendem Tremolo der Streicher das Gralsmotiv in den Hörnern. Parsifal ergreift den Speer und zeichnet mit ihm ein Kreuz in die Luft,

(35)

unter Donnergetöse und in einem Fortissimo-Ausbruch des Orchesters versinkt der Garten und wird zur starrenden Einöde. Noch in den vom Orchester bildhaft gemalten Zusammenbruch des Zaubers schreitet Parsifal davon. Er wendet sich, bei milder, versöhnlicher werdenden Klängen zurück zur zusammengebrochenen Kundry; seine Stimme drückt nun die ruhige Zuversicht des »Eingeweihten« aus, der seinen Weg vor sich sieht und dessen Glauben nicht mehr erschüttert werden kann. Unter ausdrucksvollen Bläserklängen schließt der Akt.

Klingsor (ist auf der Burgmauer herausgetreten und schwenkt eine Lanze gegen Parsifal):
Halt da! Dich bann' ich mit der rechten Wehr!
Den Toren stelle mir seines Meisters Speer!
(Er schleudert auf Parsifal den Speer, welcher über dessen Haupte schweben bleibt.)

Parsifal (erfaßt den Speer mit der Hand und hält ihn über seinem Haupte):
Mit diesem Zeichen bann' ich deinen Zauber:
wie die Wunde er schließe,
die mit ihm du schlugest,
in Trauer und Trümmer
stürz' er die trügende Pracht!
(Er hat den Speer im Zeichen des Kreuzes geschwungen: wie durch ein Erdbeben versinkt das Schloß. Der Garten ist schnell zur Einöde verdorrt; verwelkte Blumen verstreuen sich auf dem Boden.)
(Kundry ist schreiend zusammengesunken)
Parsifal (wendet sich von der Höhe der Mauertrümmer zu Kundry zurück): Du weißt –
wo du mich wiederfinden kannst! *(Er enteilt.)*
(Kundry hat sich ein wenig erhoben und nach ihm geblickt.)
(Der Vorhang schließt sich schnell.)

Mit einer von den Streichern vorgetragenen Trauermusik beginnt der dritte Akt. Das neue Motiv symbolisiert Titurels, des alten Gralsbegründers Tod:

(36)

Ein edles Stück Musik, in dessen weiteren Verlauf später die Bläser eingreifen und der schmerzlichen Stimmung kräftigere Akzente verleihen. Die stark gewordene Spannung löst sich allmählich, das Englischhorn vollzieht mit einer einzigen melodiösen Phrase den Übergang zur helleren Stimmung. Die Klarinette wiederholt sie und geht, wie aus ferner Erinnerung, in die Motive des Zaubers und Klingsors über, während der Vorhang über einem berückenden Frühlingsbild aufgeht: Hell und freundlich dehnt sich eine blumenübersäte Wiese. Die Andeutungen der trügerischen Schein- und Zauberwelt Klingsors, des schwülen Tropengartens der Sinnlichkeit sind verflogen, eine neue Melodie – vom Horn geblasen – scheint den stillen Frieden zu malen, das innige Vertrauen in Gott und Natur, die dem Beschauer hier entgegenleuchten:

(37)

Diese Tonfolge, manchmal als »Sühnemotiv« bezeichnet, wird diesem Namen in ihrer späteren Entwicklung gerecht.

DRITTER AUFZUG

VORSPIEL

Im Gebiete des Grals
Freie, anmutige Frühlingsgegend mit nach dem Hintergrunde zu sanft ansteigender Blumenaue. Den Vordergrund nimmt der Saum des Waldes ein, der sich nach rechts zu aufsteigendem Felsengrund ausdehnt. Im Vordergrunde, an der Waldseite, ein Quell; ihm gegenüber, etwas tiefer, eine schlichte Einsiedlerhütte, an einen Felsblock gelehnt. Frühester Morgen.
Gurnemanz, zum hohen Greise gealtert, als Einsiedler, nur in das Hemd des Gralsritters gekleidet, tritt aus der Hütte und lauscht.

Gurnemanz: Von dorther kam das Stöhnen.
So jammervoll klagt kein Wild,
und gewiß gar nicht am heiligsten Morgen heut. –

Unter lebhafter werdenden Klängen entdeckt Gurnemanz die unter Stöhnen unruhig schlafende Kundry und erweckt sie mit Mühe wieder zum Leben. Sie erwacht, kommt nur langsam zu sich, während im Orchester noch wirre Anklänge an Vergangenes die Vorgänge in ihrem Bewußtsein zu schildern scheinen.

Zuletzt schlägt sie zu den Tönen des Gralsmotivs vollends die Augen auf und stößt einen schrillen Schrei aus, zu dem das Orchester ihr wild abstürzendes Motiv (Nr. 7) spielt.
In Rezitativform, mit nur dünn instrumentiertem Orchester – um den Singstimmen Deutlichkeit und Beweglichkeit zu sichern – entwickelt sich der folgende Dialog. Allmählich bildet sich, von den Holzbläsern geführt, eine festere musikalische Grundlage heraus, die aus dem Liebesmotiv des Grals (Nr. 1) entwickelt erscheint.

(Dumpfes Stöhnen von Kundrys Stimme.)
Mich dünkt, ich kenne diesen Klageruf.
(Gurnemanz schreitet entschlossen einer Dornenhecke auf der Seite zu: diese ist gänzlich überwachsen; er reißt mit Gewalt das Gestrüpp auseinander, dann hält er plötzlich an.)
Ha! Sie – wieder da?
Das winterlich rauhe Gedörn'
hielt sie verdeckt: wie lang' schon?
Auf! – Kundry! – Auf!
Der Winter floh, und Lenz ist da!
(Er zieht Kundry, ganz erstarrt und leblos, aus dem Gebüsch hervor und trägt sie auf einen nahen Grashügel.)
Erwache, erwache dem Lenz!
Kalt und starr!
Diesmal hielt ich sie wohl für tot: –
doch war's ihr Stöhnen, was ich vernahm?
(Gurnemanz reibt der erstarrt vor ihm ausgestreckten Kundry stark die Hände und Schläfe und bemüht sich in allem, die Erstarrung von ihr weichen zu machen.
Endlich scheint das Leben in ihr zu erwachen. Sie erwacht völlig; als sie die Augen öffnet, stößt sie einen Schrei aus.)
(Kundry ist in rauhem Büßergewande, ähnlich wie im ersten Aufzuge, nur ist ihre Gesichtsfarbe bleicher; aus Miene und Haltung ist die Wildheit verschwunden. – Sie starrt lange Gurnemanz an. Dann erhebt sie sich, ordnet sich Kleidung und Haar und läßt sich sofort wie eine Magd zur Bedienung an.)
Gurnemanz: Du tolles Weib!
Hast du kein Wort für mich?
Ist dies der Dank,
daß dem Todesschlafe
noch einmal ich dich entweckt'?
Kundry (neigt langsam das Haupt; dann bringt sie, rauh und abgebrochen, hervor):
Dienen . . . Dienen! –

Hier hat ein Horn das Schmerzensmotiv des Amfortas (Nr. 22) leise hervorgehoben. Und nun setzt das Streicherensemble unendlich zart und lieblich mit dem Thema ein, das – entwickelt und zu vollem Klange ausgebreitet – ein wenig später das leuchtende Bild der im Mittagsschein liegenden Aue (»Karfreitagszauber«) ergeben wird.

Es wird von gemessenem, düsterem Paukenschlag unterbrochen: Vom Waldrand her naht ein Ritter mit geschlossenem Visier; die Musik läßt keinen Zweifel an seiner Identität, das Motiv Parsifals klingt pianissimo in Hörnern, Trompeten und Posaunen auf –, aber wie hat es sich gewandelt! Es wird gleich bei seinem zweiten Ruhepunkt zu einem schwermütig-sehnsüchtigen Akkord umgebogen und still absteigend zu Ende gebracht. Von seiner einstigen Keckheit, seinem unbewußten Übermut ist nichts übriggeblieben, nun spiegelt es die Gefühle des gereiften Parsifal, die tiefen Erkenntnisse, die Fähigkeit des Mitleidens, die Sehnsucht nach dem Gral, zu dem er strebt.

In rezitativischer Form, mit wenigen eingeworfenen Akkorden, spricht Gurnemanz den Fremdling an.

Gurnemanz (schüttelt den Kopf):
Das wird dich wenig mühn!
Auf Botschaft sendet sich's nicht mehr:
Kräuter und Wurzeln
findet ein jeder sich selbst,
wir lernten's im Walde vom Tier.
(Kundry hat sich währenddem umgesehen, gewahrt die Hütte und geht hinein.)
Gurnemanz (blickt ihr verwundert nach):
Wie anders schreitet sie als sonst!
Wirkte dies der heilige Tag?
Oh! Tag der Gnade ohnegleichen!
Gewiß zu ihrem Heile
durft' ich der Armen heut
den Todesschlaf verscheuchen.
(Kundry kommt wieder aus der Hütte, sie trägt einen Wasserkrug und geht damit zur Quelle. Während sie auf die Füllung wartet, blickt sie in den Wald und bemerkt dort in der Ferne einen Kommenden; sie wendet sich zu Gurnemanz, um ihn darauf hinzudeuten.)
Gurnemanz (in den Wald blickend):
Wer nahet dort dem heil'gen Quell
in düstrem Waffenschmucke?
Das ist der Brüder keiner.
(Kundry entfernt sich mit dem gefüllten Kruge langsam in die Hütte, wo sie sich zu schaffen macht.)
(Gurnemanz tritt staunend etwas beiseite, um den Ankommenden zu beobachten.)
(Parsifal tritt aus dem Walde auf. Er ist ganz in schwarzer Waffenrüstung: mit geschlossenem Helme und gesenktem Speer schreitet er, gebeugten Hauptes, träumerisch zögernd, langsam daher und setzt sich auf dem kleinen Rasenhügel am Quell nieder.)
Gurnemanz (nachdem er Parsifal staunend lange betrachtet, tritt nun näher zu ihm):
Heil dir, mein Gast!
Bist du verirrt, und soll ich dich weisen?
(Parsifal schüttelt sanft das Haupt.)

Bei seiner Erklärung, dieser befände sich »an geweihtem Ort« ertönt im Orchester das Gralsmotiv (Nr. 3), weich von den Streichern gespielt.

Bei der Erwähnung des Karfreitags erklingt, wiederum nur als zarteste Reminiszenz, eine Variante des Liebesmotivs (Nr. 1). Dann setzt Wagner das volle Orchester ein: Es malt in gewaltigem Crescendo auf langen Akkorden Parsifals Erschütterung bei der Enthüllung, auf Gralsgebiet gelangt zu sein, und dies am heiligsten Tage des Jahres:

(38)

Das Fortissimo dieser Erschütterung geht wieder in ausdrucksvolles Piano zurück, eine absteigende Tonfolge (Takt 4–6 von Nr. 38) schildert, wie Parsifal die Waffen abnimmt und sie still auf dem Rasen niederlegt.

Gurnemanz: Entbietest du mir keinen Gruß?

(Parsifal neigt das Haupt.)

Gurnemanz (unmutig): Hei! – Was? –
Wenn dein Gelübde
dich bindet, mir zu schweigen,
so mahnt das meine mich,
daß ich dir sage, was sich ziemt. –
Hier bist du an geweihtem Ort:
da zieht man nicht mit Waffen her,
geschloß'nen Helmes, Schild und Speer;
und heute gar! Weißt du denn nicht,
welch heil'ger Tag heut ist?

(Parsifal schüttelt mit dem Kopfe.)

Gurnemanz: Ja! Woher kommst du denn?
Bei welchen Heiden weiltest du,
zu wissen nicht, daß heute
der allerheiligste Karfreitag ist?

(Parsifal senkt das Haupt noch tiefer.)

Gurnemanz: Schnell ab die Waffen!
Kränke nicht den Herrn, der heute,
bar jeder Wehr, sein heilig Blut
der sündigen Welt zur Sühne bot!

(Parsifal erhebt sich nach einem abermaligen Schweigen, stößt den Speer vor sich in den Boden, legt Schild und Schwert davor nieder, öffnet den Helm, nimmt ihn vom Haupte und legt ihn zu den anderen Waffen, worauf er dann zu stummem Gebete vor dem Speer niederkniet.)

Gurnemanz ist aufmerksam geworden: Er beginnt den Fremdling zu erkennen. Das Parsifalmotiv in den Hörnern deutet sehr zart seine Gedanken an. Das Leidensmotiv des Amfortas erklingt, ebenfalls wie aus ferner Erinnerung, und dann mit starkem Ausdruck das Liebesmotiv des Grals (Nr. 1, danach in der Mollform von Nr. 2). Steigende Erregung bemächtigt sich Gurnemanz' und Kundrys, was im Orchester sehr klar ausgedrückt wird: Motive wogen durcheinander, am deutlichsten erkennbar das Leidensmotiv des Amfortas (Nr. 22). Hier dürfte angedeutet sein, daß dessen Schmerzen nun ihrem Ende entgegengehen.

Parsifal, der in stummem Gebet gekniet hat, erhebt sich nun, feierliche Akkorde des Gralsthemas (Nr. 3) leiten seine ersten Worte ein.

In bewegter Schilderung gibt Parsifal Kunde seiner Irrpfade, der Nöte und Kämpfe, die »ein wilder Fluch« ihn zu bestehen zwang. Wieder ist das Orchester äußerst tonmalerisch geworden und läßt das wirre Suchen, das immer wieder erfolgende Abirren und Wiederfinden plastisch vor dem Hörer erstehen. Das Gralsmotiv (Nr. 3) in festem Ausdruck begleitet Parsifals Worte vom heiligen Speer, den er mit sich führt. Es geht in das Grals-Liebesmotiv (Nr. 1) über, das Gurnemanz' entzückten Ausruf untermalt.

(Gurnemanz betrachtet ihn mit Staunen und Rührung. Er winkt Kundry herbei, welche soeben wieder aus der Hütte getreten ist.)

(Parsifal erhebt jetzt seinen Blick andachtsvoll zu der Lanzenspitze auf.)

Gurnemanz (leise zu Kundry): Erkennst du ihn?
Der ist's, der einst den Schwan erlegt.
(Kundry bestätigt mit einem leisen Kopfnicken.)
Gurnemanz: Gewiß, 's ist er,
der Tor, den ich zürnend von uns wies.
(Kundry blickt starr, doch ruhig, auf Parsifal.)
Gurnemanz: Ha! Welche Pfade fand er?
Der Speer – ich kenne ihn.
(In großer Ergriffenheit.)
Oh! – Heiligster Tag,
an* dem ich heut erwachen sollt'!
(Kundry hat ihr Gesicht abgewendet.)
Parsifal (erhebt sich langsam vom Gebete, blickt ruhig um sich, erkennt Gurnemanz und reicht diesem sanft die Hand zum Gruße):
Heil mir, daß ich dich wiederfinde!
Grunemanz: So kennst auch du mich noch?
Erkennst mich wieder,
den Gram und Not so tief gebeugt?
Wie kamst du heut? Woher?
Parsifal: Der Irrnis und der Leiden Pfade kam ich;
soll ich mich denen jetzt entwunden wähnen,
da dieses Waldes Rauschen
wieder ich vernehme,
dich guten Greisen neu begrüße?
Oder – irr' ich wieder?
Verändert dünkt mich alles.
Gurnemanz: So sag', zu wem den Weg du suchtest?
Parsifal: Zu ihm, des tiefe Klagen
ich törig staunend einst vernahm,
dem nun ich Heil zu bringen
mich auserlesen wähnen darf.

* TV: Anstelle von »an« steht »zu«.

Der hoffnungsfrohe Ton des alten Gralshüters nimmt beim Bericht über die gegenwärtige Lage der Gralsburg düstere Farben an: Die Todesmusik Titurels (Nr. 35) weitet sich – im gleichen edlen Streichersatz des Vorspiels zum 3. Akt – zum Symbol der tiefen Trauer, die in der Gralsburg herrscht und die, mehr noch als durch den Tod Titurels, durch die Weigerung des Amfortas gespeist wird, den Gral noch einmal zu enthüllen.

Doch – ach! –
Den Weg des Heiles nie zu finden,
in pfadlosen Irren
trieb ein wilder Fluch mich umher:
zahllose Nöte,
Kämpfe und Streite
zwangen mich ab vom Pfade,
wähnt' ich ihn recht schon erkannt.
Da mußte mich Verzweiflung fassen,
das Heiltum heil mir zu bergen,
um das zu hüten, das zu wahren
ich Wunden jeder Wehr mir gewann;
denn nicht ihn selber
durft' ich führen im Streite;
unentweiht
führ' ich ihn mir zur Seite,
den nun ich heim geleite,
der dort dir schimmert heil und hehr:
des Grales heil'gen Speer.

Gurnemanz (in höchstes Entzücken ausbrechend):
O Gnade! Höchstes Heil!
O Wunder! Heilig hehrstes Wunder! –
(Nachdem er sich etwas gefaßt, zu Parsifal.)
O Herr! War es ein Fluch,
der dich vom rechten Pfad vertrieb,
so glaub', er ist gewichen.
Hier bist du; dies des Grals Gebiet,
dein harret seine Ritterschaft.
Ach, sie bedarf des Heiles,
des Heiles, das du bringst! –
Seit dem Tage, den du hier geweilt,
die Trauer, so da kund dir ward,
das Bangen – wuchs zur höchsten Not.
Amfortas, gegen seiner Wunde,
seiner Seele Qual sich wehrend,
begehrt' in wütendem Trotze nun den Tod.
Kein Fleh'n, kein Elend seiner Ritter
bewog ihn mehr, des heil'gen Amts zu walten.

Parsifals verzweifelter Aufschrei erfährt eine ausdrucksstarke Orchesteruntermalung mit tiefsten Bläserakkorden (die seine Stimme mühelos hervortreten lassen) und anschließend erregtem Streicher-Tremolo, aus dem allmählich motivische Figuren einiger Bläser herausklingen.

Im Schrein verschlossen bleibt seit lang' der Gral:
so hofft sein sündenreu'ger Hüter,
da er nicht sterben kann,
wann je er ihn erschaut,
sein Ende zu erzwingen
und mit dem Leben seine Qual zu enden.
Die heil'ge Speisung bleibt uns nun versagt,
gemeine Atzung muß uns nähren;
darob versiegte uns'rer Helden Kraft.
Nie kommt uns Botschaft mehr,
noch Ruf zu heil'gen Kämpfen aus der Ferne;
bleich und elend wankt umher
die mut- und führerlose Ritterschaft.
In dieser Waldeck' barg ich selber mich,
des Todes still gewärtig,
dem schon mein alter Waffenherr verfiel.
Denn Titurel, mein heil'ger Held,
den nun des Grales Anblick nicht mehr labte,
er starb – ein Mensch wie alle!

Parsifal (vor großem Schmerz sich aufbäumend):
Und ich – ich bin's,
der all dies Elend schuf!
Ha! Welcher Sünden,
welches Frevels Schuld
muß dieses Torenhaupt
seit Ewigkeit belasten,
da keine Buße, keine Sühne
der Blindheit mich entwindet,
zur Rettung selbst ich auserkoren,
in Irrnis wild verloren
der Rettung letzter Pfad mir schwindet!
(Er droht ohnmächtig umzusinken.)

(Gurnemanz hält ihn aufrecht und läßt ihn zum Sitze auf den Rasenhügel nieder.)

(Kundry holt hastig ein Becken mit Wasser, um Parsifal zu besprengen.)

Gurnemanz (Kundry sanft abweisend):
Nicht so!

Hörner, Baßklarinette und Fagotte intonieren hier den Beginn einer weihevollen Melodie, die (Nr. 34) dann hohe Bedeutung erlangen wird. Sie geht hier bald in Rezitativ über, zu dem Gurnemanz und Kundry die Vorbereitungen zur (biblischen!) Waschung Parsifals treffen.

Feierlich erklingt Gurnemanz' Segensspruch:

Die heil'ge Quelle selbst
erquicke unsres Pilgers Bad.
Mir ahnt, ein hohes Werk
hab' er noch heut' zu wirken,
zu walten eines heil'gen Amtes:
so sei er fleckenrein,
und langer Irrfahrt Staub
soll nun von ihm gewaschen sein.

(Parsifal wird von den beiden sanft zum Rande des Quells gewendet. Während Kundry ihm die Beinschienen löst, nimmt Gurnemanz ihm den Brustharnisch ab.)

Parsifal (sanft und matt):

Werd heut' zu Amfortas ich noch geleitet?

Gurnemanz (während der Beschäftigung):

Gewißlich, unsrer harrt die hehre Burg:
die Totenfeier meines lieben Herrn,
sie ruft mich selbst dahin.
Den Gral noch einmal uns da zu enthüllen,
des lang' versäumten Amtes
noch einmal heut zu walten –
zur Heiligung des hehren Vaters,
der seines Sohnes Schuld erlag,
die der nun also büßen will –,
gelobt' Amfortas uns.

(Kundry badet ihm mit demutvollem Eifer die Füße. Parsifal blickt mit stiller Verwunderung auf sie.)

Parsifal (zu Kundry):

Du wuschest mir die Füße,
nun netze mir das Haupt der Freund.

Gurnemanz (schöpft mit der Hand aus dem Quell und besprengt Parsifals Haupt):

Gesegnet sei, du Reiner, durch das Reine!
So weiche jeder Schuld
Bekümmernis von dir!

(Während Gurnemanz feierlich das Wasser sprengt, zieht Kundry ein goldenes Fläschchen aus ihrem Busen und gießt seinen Inhalt auf Parsifals Füße aus; jetzt trocknet sie diese mit ihren schnell aufgelösten Haaren.)

Jetzt strebt die Handlung zu einem neuen Höhepunkt: Gurnemanz salbt Parsifal zum Gralskönig. Dazu erklingt dessen Thema (Nr. 11), aber nun wesentlich umgestaltet. Die Noten sind zwar die gleichen wie bei seinem ersten Auftauchen im morgendlichen Walde nahe dem See, aber nun hat Wagner durch um vielfach längeres Halten der Hauptnoten dem Motiv eine majestätische Größe hinzugefügt, die es zuvor nicht besaß. Es gipfelt im vom ganzen Orchester festlich strahlend gespielten Gralsmotiv (Nr. 3).

Langsam verebbt der orchestrale Glanz, und zu den weihevollen Klängen des Glaubensmotivs (Nr. 3, das hier sinngemäß zum klingenden Symbol der Taufe wird) nimmt der neue Gralskönig seine erste Handlung als solcher vor: Er tauft Kundry.

(40)

Parsifal (nimmt Kundry sanft das Fläschchen ab und reicht es Gurnemanz):
Du salbtest mir die Füße,
das Haupt nun salbe Titurels Genoß,
daß heute noch als König er mich grüße.

Gurnemanz (schüttet das Fläschchen vollends auf Parsifals Haupt aus, reibt dieses sanft und faltet dann die Hände darüber):
So ward es uns verheißen,
so segne ich dein Haupt,
als König dich zu grüßen.
Du – Reiner! –
Mitleidvoll Duldender,
heiltatvoll Wissender!
Wie des Erlösten Leiden du gelitten,
die letzte Last entnimm nun seinem Haupt.

Parsifal (schöpft unvermerkt Wasser aus dem Quell, neigt sich zu der vor ihm noch knienden Kundry und netzt ihr das Haupt):
Mein erstes Amt verricht' ich so:
die Taufe nimm
und glaub' an den Erlöser!

(Kundry senkt das Haupt zur Erde; sie scheint heftig zu weinen.)

Das Motiv fließt in das Glaubensmotiv (Nr. 4) über und dieses mit einer überaus ausdrucksvollen Geigenmelodie in die verklärteste Musik, die Wagner wahrscheinlich jemals schrieb: den »Karfreitagszauber«, zu dem Parsifal nun in überströmendem Glücksgefühl über die weite Wiese blickt, die in mittäglichem Lichte leuchtet:

(41)

Wagner vertraut die breit – über mehr als acht Takte – hingestreckte Melodie zuerst dem weichen, leicht melancholisch gefärbten Klang der Oboe an, von der sie eine Klarinette übernimmt, während ein Teil der Streicher ein Fundament webt, das sich weich hinzieht, wie die blumige Aue unter dem hellen Frühlingshimmel.

Parsifal (wendet sich um und blickt mit sanfter Entzückung auf Wald und Wiese, welche jetzt im Vormittagslichte leuchten):

Wie dünkt mich doch die Aue heut so schön! –
Wohl traf ich Wunderblumen an,
die bis zum Haupte süchtig mich umrankten;
doch sah ich nie so mild und zart
die Halme, Blüten und Blumen,
noch duftet' all so kindisch hold
und sprach so lieblich traut zu mir.

Gurnemanz: Das ist Karfreitagszauber, Herr!

Parsifal: O wehe des höchsten Schmerzentags!
Da sollte, wähn ich, was da blüht,
was atmet, lebt und wieder lebt,
nur trauern, ach und weinen!

Das Sühnemotiv – wir haben es »das innige Vertrauen in Gott und Natur« genannt – (Nr. 36) ertönt immer wieder, in unendlicher Ruhe, in himmlischem Frieden strömt die Musik voll Zärtlichkeit und Sonnenlicht dahin. Die Geigen gedenken des Liebesthemas des Grals (Nr. 2), das Englischhorn des Leidensmotivs (Nr. 22), das aber nun viel von seiner Schmerzlichkeit verloren hat. Alles ist wie gelöst, erlöst.

In seliger Verklärung geht die große Melodie zu Ende, hält allmählich inne und wird durch einen schweren, aber leisen Marschrhythmus abgelöst: Die Stunde ist da, in der Gurnemanz den neuen König in die Gralsburg geleiten will.

Hinter der Bühne sind die Gralsglocken hörbar geworden, feierlich wird Parsifals – nun königliches – Motiv von den tiefen Blechbläsern intoniert, und wieder, wie schon im ersten Akt, beginnen Gurnemanz und Parsifal, dieses Mal von Kundry begleitet, zu schreiten. Der Rhythmus von Violoncelli und Bässen geleitet sie in feierlichem Zuge, während die Szenerie sich unter ihrem schreitenden Gang wandelt.

Gurnemanz: Du siehst, das ist nicht so.
Des Sünders Reuetränen sind es,
die heut' mit heil'gem Tau
beträufen Flur und Au:
der ließ sie so gedeihen.
Nun freut sich alle Kreatur
auf des Erlösers holder Spur,
will ihr Gebet ihm weihen.
Ihn selbst am Kreuze kann sie nicht erschauen:
da blickt sie zum erlösten Menschen auf;
der fühlt sich frei von Sündenlast und Grauen,
durch Gottes Liebesopfer rein und heil.
Das merkt nun Halm und Blume auf den Auen,
daß heut' des Menschen Fuß sie nicht zertritt,
doch wohl, wie Gott mit himmlischer Geduld
sich sein erbarmt' und für ihn litt,
der Mensch auch heut in frommer Huld
sie schont mit sanftem Schritt.
Das dankt dann alle Kreatur,
was all da blüht und bald erstirbt,
da die entsündigte Natur
heut ihren Unschuldstag erwirbt.
(Kundry hat langsam wieder das Haupt erhoben und blickt feuchten Auges, ernst und ruhig bittend zu Parsifal auf.)
Parsifal: Ich sah sie welken, die einst mir lachten:
ob heut' sie nach Erlösung schmachten? –
Auch deine Träne ward zum Segenstaue:
du weinest – sieh! es lacht die Aue.
(Er küßt sie sanft auf die Stirne.)
(Fernes Glockengeläute, sehr allmählich anschwellend.)
Gurnemanz: Mittag. –
Die Stund' ist da.
Gestatte, Herr, daß dein Knecht dich geleite! –
(Gurnemanz hat seinen Gralsrittermantel herbeigeholt; er und Kundry bekleiden Parsifal damit. Parsifal ergreift feierlich den Speer und folgt mit Kundry dem langsam geleitenden Gurnemanz. – Die Gegend verwandelt sich sehr allmählich, ähnlicherweise wie im ersten Aufzuge, nur von rechts nach

VWM III

Es ist wieder ein großartiges Zwischenspiel, das fast den Charakter eines sinfonischen Gedichts annimmt, zu betäubender Wucht ansteigt – es ist ja ein Siegeszug! – und zuletzt, ohne seinen Marschcharakter auch nur einen Augenblick aufzugeben, in die Chöre der Gralsritter überleitet, als die Verwandlung wieder, wie im ersten Akt, voll in die Gralsburg mündet. Marschrhythmus und Glockenklang untermalen auch noch den Trauerzug, der die Leiche Titurels bringt, sowie das Hereintragen der Bahre des Amfortas, die dem verhüllten Gralsgefäß folgt.

links. Nachdem die drei eine Zeitlang sichtbar geblieben, verschwinden sie gänzlich, als der Wald sich immer mehr verliert und dagegen Felsengewölbe näher rücken.
In gewölbten Gängen stets anwachsend vernehmbares Geläute.
Es öffnen sich die Felsenwände, und die große Gralshalle, wie im ersten Aufzuge, nur ohne die Speisetafeln, stellt sich wieder dar. Düstere Beleuchtung. Von der einen Seite ziehen die Titurels Leiche im Sarge tragenden Ritter herein, von der andern Seite die Amfortas im Siechbett geleitenden, vor diesem der verhüllte Schrein mit dem Grale.)

Erster Zug (mit Amfortas):
Geleiten wir im bergenden Schrein
den Gral zum heiligen Amte,
wen berget ihr im düst'ren Schrein
und führt ihr trauernd daher?

Zweiter Zug (mit Titurels Leiche, während beide Züge aneinander vorbeischreiten):
Es birgt den Helden der Trauerschrein,
er birgt die heilige Kraft;
der Gott einst selbst zur Pflege sich gab:
Titurel führen wir her.

Erster Zug: Wer hat ihn gefällt, der, in Gottes Hut,
Gott selbst einst beschirmte?

Zweiter Zug: Ihn fällte des Alters siegende Last,
da den Gral er nicht mehr erschaute.

Erster Zug:
Wer wehrt ihm des Grales Huld zu erschauen?

Zweiter Zug:
Den dort ihr geleitet, der sündige Hüter.

Erster Zug:
Wir geleiten ihn heut', weil heut' noch einmal
zum letzten Male –
will des Amtes er walten.
Ach, zum letztenmal!

(Amfortas ist auf das Ruhebett hinter dem Gralstische niedergelassen, der Sarg davor niedergesetzt worden. Die Ritter wenden sich mit dem Folgenden an Amfortas.)

Erst des Amfortas schmerzlicher Aufschrei läßt die Glocken verhallen und bringt den unaufhörlich schreitenden Rhythmus zum Stillstand.

Der marschmäßige Glockenrhythmus hat wieder eingesetzt, das Orchester und die gestaffelten Choreinsätze beleben die Musik zu hoher Dramatik.

Sämtliche Ritter:
Wehe! Du Hüter des Grals!
Ach, zum letztenmal,
sei deines Amts gemahnt!
Zum letztenmal! Zum letztenmal!
Amfortas (sich matt ein wenig aufrichtend):
Ja, Wehe! Wehe! Weh' über mich! –
So ruf ich willig mit euch.
Williger nähm' ich von euch den Tod,
der Sünde mildeste Sühne!
(Der Sarg wird geöffnet. Beim Anblick der Leiche Titurels bricht alles in einen jähen Wehruf aus.)
Amfortas (von seinem Lager sich hoch aufrichtend, zu der Leiche gewendet):
Mein Vater!
Hochgesegneter der Helden!
Du Reinster, dem einst die Engel sich neigten!
Der einzig ich sterben wollt',
dir – gab ich den Tod!
Oh! Der du jetzt in göttlichem Glanz
den Erlöser selbst erschaust,
erflehe von ihm, daß sein heiliges Blut,
wenn noch einmal heut* sein Segen
die Brüder soll erquicken,
wie ihnen neues Leben
mir endlich spende – den Tod!
Tod! – Sterben!
Einz'ge Gnade!
Die schreckliche Wunde, das Gift, ersterbe,
das es zernagt, erstarre das Herz!
Mein Vater! Dich – ruf ich,
rufe du ihm es zu:
Erlöser, gib meinem Sohne Ruh!
Die Ritter (drängen sich näher an Amfortas heran):
Enthüllet den Gral!**

* TV: Anstelle von »heut« steht »jetzt«.
** TV: Anstelle von »Gral« auch »Schrein«.

Die steigert sich noch bei Amfortas' Weigerung, den Gral zu enthüllen, noch einmal »ins Leben zurückzukehren«.

Inmitten der allgemeinen Verwirrung, die durch die höchste Verzweiflung des Amfortas hervorgerufen und vom Orchester in ununterbrochener Bewegung gesteigert wird, erklingt plötzlich, leise, aber bestimmt beginnend und in den hohen Holzbläsern wie zu einer Vision gesteigert, das Gralsmotiv: Parsifal, den heiligen Speer vor sich her tragend, hat die Mitte erreicht, wo alle ihn erblicken. Mit der Speeresspitze berührt er den Körper des Amfortas, dessen Motiv (Nr. 8) noch einmal von den Violoncelli gespielt ertönt, von der Oboe übernommen wird, um dann in den Celli endgültig zu verlöschen.

Walte des Amtes!
Dich mahnet dein Vater:
Du mußt, du mußt!

Amfortas (springt in wütender Verzweiflung auf und stürzt sich unter die zurückweichenden Ritter):
Nein! – Nicht mehr! – Ha! –
Schon fühl ich den Tod mich umnachten,
und noch einmal sollt' ich ins Leben zurück?
Wahnsinnige!
Wer will mich zwingen zu leben?
Könnt ihr doch Tod mir nur geben!
(Er reißt sich das Gewand auf.)
Hier bin ich – die offne Wunde hier!
Das mich vergiftet, hier fließt mein Blut.
Heraus die Waffe! Taucht eure Schwerter
tief – tief* bis ans Heft!
Auf! Ihr Helden!
Tötet den Sünder mit seiner Qual,
von selbst dann leuchtet euch wohl der Gral!

(Alle sind scheu vor Amfortas gewichen, welcher in furchtbarer Ekstase einsam steht. –)

(Parsifal ist, von Gurnemanz und Kundry begleitet, unvermerkt unter den Rittern erschienen, tritt jetzt hervor und streckt den Speer aus, mit dessen Spitze er Amfortas' Seite berührt.)

Parsifal: Nur eine Waffe taugt: –
die Wunde schließt
der Speer nur, der sie schlug.

(Amfortas' Miene leuchtet in heiliger Entzückung auf; er scheint vor großer Ergriffenheit zu schwanken; Gurnemanz stützt ihn.)

Sei heil, entsündigt und entsühnt,**
denn ich verwalte nun dein Amt.
Gesegnet sei dein Leiden,
das Mitleids höchste Kraft

* TV: Nach »tief« wird »hinein« eingeschoben.
** TV: gesühnt.

Nun erstrahlt, königlich wie noch nie, Parsifals Motiv (Nr. 11) und gibt seiner ersehnten, erlösenden Ankündigung Raum:

(42)

(wobei in der dritten Trompete das Liebesmotiv des Grals in der Mollvariante – Nr. 2 – ertönt, wie aus dem Notenbeispiel ersichtlich ist).

Der Gral wird enthüllt, und die Harfe, die schon dem Wunder der Rückkehr des Speers einen mystischen Ton gab, rauscht jetzt in vollen Arpeggien zu dem von zwei Posaunen feierlich geblasenen Liebesthema (Nr. 1). Mit diesem vereint nun Wagner das Gralsmotiv (Nr. 3) und läßt auch das Glaubensmotiv (Nr. 4) erklingen, so daß diese drei der Grundthemen des Werkes, die im Vorspiel nacheinander auftraten, nun in enger Verschmelzung Augenblicke der höchsten Weihe hervorrufen.

Andächtige Chöre deuten das Prophezeiungsmotiv an (Nr. 10), während andere das Liebesmotiv des Grals (Nr. 1) intonieren.

Aus dem unsichtbaren Rund der Kuppel klingen zart hohe, weihevolle Stimmen. Das Orchester setzt in langsam schreitender Bewegung zu einem ausdrucksvollen Crescendo an, in dem Trompeten und Posaunen, von Harfen rauschend untermalt, einen letzten Höhepunkt erklimmen und langsam ins Nichts entschweben.

und reinsten Wissens Macht
dem zagen Toren gab.
(Er schreitet nach der Mitte, den Speer hoch vor sich erhebend.)
Den heil'gen Speer –
ich bring' ihn euch zurück!
(Alles blickt in höchster Entzückung auf den emporgehaltenen Speer, zu dessen Spitze aufschauend Parsifal in Begeisterung fortfährt.)
Oh! Welchen Wunders höchstes Glück! –
Der deine Wunde durfte schließen,
ihm seh' ich heil'ges Blut entfließen
in Sehnsucht nach dem verwandten Quelle,
der dort fließt in des Grales Welle!
Nicht soll der mehr verschlossen sein:
Enthüllet den Gral, öffnet den Schrein!
(Parsifal besteigt die Stufen des Weihtisches, entnimmt dem von den Knaben geöffneten Schreine den »Gral« und versenkt sich, unter stummem Gebete, kniend in seinen Anblick. Allmähliche sanfte Erleuchtung des »Grales«. Zunehmende Dämmerung in der Tiefe bei wachsendem Lichtscheine aus der Höhe.)

Stimmen aus der mittleren sowie der obersten Höhe, Knappen und Ritter:
Höchsten Heiles Wunder!
Erlösung dem Erlöser!
(Lichtstrahl: hellstes Erglühen des »Grales«. Aus der Kuppel schwebt eine weiße Taube herab und verweilt über Parsifals Haupt. Kundry sinkt, mit dem Blicke zu ihm auf, langsam vor Parsifal entseelt zu Boden. Amfortas und Gurnemanz huldigen kniend Parsifal, welcher den Gral segnend über die anbetende Ritterschaft schwingt.)
(Der Bühnenvorhang wird langsam geschlossen.)

Inhaltsangabe

ERSTER AUFZUG

Nach dem langen Vorspiel (ein Zeitgenosse hat zweimal dessen Dauer unter der Stabführung Wagners gemessen und ist auf 14½ Minuten gekommen) öffnet sich der Vorhang über einem Wald, der »schattig und ernst, doch nicht düster« sein soll, »eine Lichtung in der Mitte« besitzt, im Hintergrund »einen tiefer gelegenen Waldsee«, von dem aus »aufsteigend ein Weg zur Gralsburg« angenommen wird. Die allgemeine Angabe, die Handlung spiele im nördlichen Spanien, ließe an eine Landschaft des südlichen Pyrenäenabhangs denken, doch zeigen die Bühnenbilder, die seit Wagners Zeiten für diese Szenerie entworfen werden, zumeist eine Art mitteleuropäischen, ja sogar deutschen Waldes, mit hohen Stämmen, fast unsichtbaren Baumkronen.

Gurnemanz, ein alter Gralshüter, erwacht. Erste Morgenstrahlen fallen auf den Waldboden, von dem er sich nun beim Klang eines Weckrufes aus der nicht allzu fernen Gralsburg erhebt. Er weckt seinerseits zwei Jünglinge aus tiefem Schlaf und verrichtet mit ihnen das Morgengebet. Schnell wird es heller Tag, die Knappen sollen für das Bad des Gralskönigs Amfortas im nahen See sorgen.

Zwei Ritter schreiten dem Zuge des Königs voraus, besorgt fragt Gurnemanz sie nach dem Zustand des Herrschers: Hat das Heilkraut, das der Ritter Gawan aus fernem Lande für ihn mitbrachte, der schweren Wunde Linderung verschafft? Die Ritter verneinen: schlimmer noch als sonst quälten ihn die Schmerzen an diesem Morgen, darum befahl er so früh den Aufbruch ins Bad. Erschüttert nickt Gurnemanz; nur zu genau weiß er, daß es für Amfortas keine Besserung geben kann, es sei denn, eine seltsame Prophezeiung ginge in Erfüllung, doch nichts deutet auf eine baldige Heilung hin. Neugierig wollen die Ritter Näheres darüber von ihm erfahren, doch er winkt ab; es gälte jetzt, das Bad zu bereiten.

Aufgeregt beobachten die im Hintergrund stehenden Knappen eine wild daherjagende Reiterin, die abzuspringen und

Amfortas (José van Dam) und Gurnemanz (Kurt Moll) in einer Waldlichtung, am Ufer des Sees (I. Aufzug, Osterfestspiele Salzburg 1980)

sich zu nähern scheint. Kundry stürzt herbei, »hastig, fast taumelnd«, in »wilder Kleidung« und mit »flatterndem Haar«: eine rätselvolle Gestalt, die von Geheimnissen umwittert scheint. Mit letzter Kraft drückt sie Gurnemanz ein Gefäß in die Hand: Balsam. Woher? Fern aus Arabien. Dann sinkt sie wie leblos ins Gebüsch. Langsam nähert sich der Zug mit der Krankenbahre des Königs. Gurnemanz beobachtet ihn traurig: Der einst so stolze Held aus ruhmreichstem Geschlecht ist nun die jammervolle Beute seiner Wunde, die sich nicht schließen will. Amfortas wünscht zunächst, in der Morgenpracht des Waldes ein wenig zu ruhen »von wilder Schmerzensnacht«. Er fragt nach Gawan, einem seiner besten Ritter, und erfährt, daß dieser, als er die Wirkungslosigkeit des von ihm mühsam gewonnenen Heilmittels erkannte, zu neuerlicher Suche aufgebrochen ist. Amfortas zürnt; denn Gawan handelte ohne Erlaubnis. Doch sofort überwiegt die Sorge: Wenn der tapfere Ritter »in Klingsors Schlingen« fiele! Der Name des Zauberers ist ausgesprochen: Klingsor – ein ausgestoßener, ehemaliger

Gralsritter – lauert racheerfüllt an den Grenzen des Gralsgebietes, um dem Tempel seine Ritterschaft abspenstig zu machen. Einzelheiten werden hier nicht über ihn gesagt: Alle auf der Bühne Versammelten kennen, zum mindesten vom Hörensagen, diesen Todfeind.
Amfortas ermahnt sie: Es gälte jetzt nicht zu kämpfen – einen Kampf könnte er wohl als Schwerkranker nicht mehr führen –, sondern zu warten: Warten auf den geheimnisvollen Retter, der ihm verheißen wurde: »Durch Mitleid wissend – der reine Tor«. Ob damit der Tod gemeint sei? Gurnemanz unterbricht des Königs Sinnen, überreicht ihm das Gefäß, das Kundry brachte. Diese beobachtet scheu die Szene aus einiger Entfernung, vernimmt Amfortas' Dank, den sie abwehrt. Die Bahre wird wieder aufgenommen, der Zug zieht zum See weiter.
Die Knappen lassen sich auf hitzige Anklagen gegen Kundry ein, die ihnen nichts entgegnet, aber Gurnemanz ergreift ihre Partei: »Schuf sie euch Schaden je?« Wer ist sofort bereit, fern kämpfenden Brüdern Kunde zu übermitteln, wer bringt, ehe die Ritter noch wissen, wohin sich zu wenden, Botschaften in unfaßbarer Eile? »Ihr nährt sie nicht, sie naht euch nie, nichts hat sie mit euch gemein, doch wenn's in Gefahr der Hilfe gilt, der Eifer führt sie schier durch die Luft ...« Gerade das aber ist es, was Kundry vielen Gralshütern Mißtrauen, ja uneingestandene Furcht einflößt: Wer ist sie, die von unlösbaren Geheimnissen Umgebene? Eine Heidin jedenfalls, ein Zauberweib. Nachdenklich weist Gurnemanz auch diesen Vorwurf zurück: »Eine Verwünschte mag sie sein. Hier lebt sie heut' – vielleicht erneut, zu büßen Schuld aus früh'rem Leben ...« Es ist ein eigenartiger Gedanke, den Gurnemanz hier ausspricht, der alte, treue Gralsritter: ein christlicher Gedanke? Hatte das alte, das Urchristentum aus älteren Religionen den Glauben der Wiedergeburt übernommen? Es wird mit Bezug auf Kundry noch mehrmals davon die Rede sein.
Gurnemanz geht noch weiter auf sie ein: Wenn Kundry lange fern dem Gralsgebiet weilt, pflegt ein Unglück über die Ritterschaft hereinzubrechen, erinnert er sich. Lange

schon kennt er sie, doch Titurel, der greise Gralsherrscher, der die Krone bereits seinem Sohn Amfortas übertrug, kennt sie noch länger. Er fand sie, »als er die Burg dort baute, schlafend, im Waldgestrüpp, erstarrt, leblos, wie tot«. Und so fand er selbst sie auch, kurz nachdem »das Unheil kaum geschehn«: Als Klingsor den Gralskönig Amfortas mit Hilfe einer »teuflisch schönen« Frau verführte, ihm den heiligen Speer entwand und ihm damit die Wunde beibrachte, gegen die alle Heilmittel der Welt wirkunglos zu sein scheinen. Gurnemanz wird nachdenklich. Sollte es einen Zusammenhang geben...? »Wo schweiftest damals du umher, als unser Herr den Speer verlor?« fragte er sie und, auf ihr Schweigen, dringlicher: »Warum halfest du nur damals nicht?« Düster stößt Kundry hervor: »Ich – helfe nie...« Ein Knappe legt nahe: »Ist sie so treu, so kühn in Wehr, so sende sie nach dem verlor'nen Speer!« Heftig, aber düster wehrt Gurnemanz ab: »Das ist ein andres –, jedem ist's verwehrt«, und damit rührt er an eines der (vielen) Geheimnisse des Werkes. Er versinkt in Gedanken, in Erinnerungen an jenen furchtbaren Tag, der die Gralsburg in nie wieder gutgemachtes Unglück stürzte: der heilige Speer in Feindeshand, Amfortas verwundet, dahinsiechend zwischen Leben und Tod, verdammt dazu, den Gral immer wieder vor der Ritterschaft enthüllen zu müssen und dadurch selbst neue Kräfte aus überirdischer Quelle zu erhalten und nicht sterben zu können, wie es sein einziger, tiefster Wunsch ist. Ergriffen, in höchster Spannung, lauschen die Knappen Gurnemanz. Dessen Gedanken gehen in immer weitere Fernen zurück: zu Titurel, der die Gralsburg baute, um dort die Heiligtümer, die einst Engel brachten, zu bewahren und zu bewachen: die Schale, den Gral, woraus der Heiland beim letzten Liebesmahle der Apostel trank und in die auch sein Blut am Kreuz floß, und den Lanzenspeer des Römers Longinus, der die Wunden am Körper des Heilands verursacht hatte. Seine Erinnerung geht zu den Anfängen des Ordens zurück, zu der Ritterschaft, die sich zu edelstem Dienst um den Gral scharte. Zu Klingsor, der aus diesem Kreis ausgeschlossen werden mußte, sich in Gralsnähe ansiedelte und nun rach-

süchtig einen Zaubergarten (»Wonnegarten«) errichtete. Hier warteten die schönsten Frauen auf durchziehende Gralsritter, um sie durch den Bruch ihres Keuschheitsgelubdes dem Gral abtrünnig werden zu lassen. Viele gingen in diese verführerisch aufgespannten Netze, bis eines Tages der junge König Amfortas beschloß, den Zauberer mit dem heiligen Speer zu bekriegen und zu vernichten. Doch gegen ihn, den Stärksten, führte Klingsor seine stärkste Waffe ins Feld: eine geheimnisvolle, unwiderstehliche Frau. Sie wurde zu Amfortas' Verderben. Der Speer war nun in Klingsors Besitz.
Seit dieser Zeit siecht der König dahin: Die Wunde, die ihm Klingsor mit dem heiligen Speer beigebracht hatte, schließt sich nicht mehr. Seinem inbrünstigen Beten antwortete einst ein überirdisches Klingen, eine Prophezeiung von unsichtbaren Stimmen: »Durch Mitleid wissend der reine Tor; harre sein, den ich erkor«. Aufs tiefste bewegt wiederholen die Knappen den Spruch, dessen Bedeutung sie nicht ahnen können: »Durch Mitleid wissend . . .«
Aus dem Walde, vom See her erklingen erregte Rufe: Ein über dem Wasser kreisender Schwan, den Amfortas als hoffnungsfrohes Zeichen gegrüßt, ist, von einem Pfeil durchbohrt, verwundet herabgestürzt und verendet. Schnell ist der Täter gefunden: Der Jüngling trägt noch den Bogen in der Hand, er sieht mit Verwunderung die Aufregung, die er verursacht. Mit frohem Stolz antwortet er auf Gurnemanz' Frage: »Gewiß! Im Fluge treff' ich, was fliegt!« Alle Umstehenden verlangen ungeduldig die Bestrafung des Übeltäters; doch Gurnemanz beginnt, ihn leise und eindringlich zum Bewußtsein des Frevels zu bringen, den er verübt: Waren ihm nicht im heiligen Haine alle Tiere zutraulich und freundlich begegnet? Was tat ihm der unschuldige Schwan, den er gemordet? Sichtlich berührt, dann immer bewegter, betrachtet der Jüngling das erstarrte Blut an der Wunde des Tieres, den gebrochenen Blick, auf den Gurnemanz ihn hinweist. Und dann, als käme ihm seine Tat plötzlich zu schauderndem Bewußtsein, zerbricht er seinen Bogen und schleudert ihn weit von sich. Auf die Frage: »Erkennst du deine

große Schuld?« antwortet er schlicht, aber aus tiefstem Herzen: »Ich wußte sie nicht.«
Das ist auch seine Antwort auf alle weiteren Fragen, die Gurnemanz ihm nun stellt: »Wo bist du her? Wer ist dein Vater? Wer sandte dich dieses Weges?« »Das weiß ich nicht«, ist alles, was der Jüngling hervorbringt. Ein letzter Versuch Gurnemanz': »Dein Name denn?« »Ich hatte viele, doch weiß ich ihrer keinen mehr ...« Der Alte wird jetzt ungeduldig, die Knappen entfernen sich und tragen ehrerbietig den toten Schwan auf einer Bahre von frischen Zweigen fort.
Gurnemanz wendet sich nochmals an den Fremden: wenn er schon nichts zu antworten habe auf alle seine Fragen, so möge er selbst erzählen, was er wisse. Der Jüngling erinnert sich seiner Mutter, Herzeleide, mit der er im Wald daheim war. Wer ihm den Bogen gab, will Gurnemanz wissen. Selbst habe er ihn gemacht, um die wilden Adler zu verscheuchen. Gurnemanz betrachtet ihn genauer: Adligen Blutes scheint er zu sein. Steigt hier schon der Gedanke auf, der bald eine starke Hoffnung in ihm wecken wird?
Kundry, die immer unruhiger dem Gespräch aus einer kleinen Entfernung gelauscht hat, bricht nun ihr Schweigen und antwortet anstatt seiner, heftig und als entsinne sie sich an etwas Schmerzliches: »Den Vaterlosen gebar die Mutter, als im Kampfe erschlagen Gamuret! Vor gleichem frühen Heldentod den Sohn zu bewahren, waffenfremd in Öden erzog sie ihn zum Toren ...« Aufmerksam hat der Knabe zugehört, als fiele ihm Vergessenes wieder ein. Und er setzt nun selbst die Erzählung Kundrys fort: wie einst am Waldessaume gepanzerte Reiter vorbeiritten, denen er nachlief, um es ihnen gleich zu tun; wie er sie aus den Augen verlor, aber auch den Pfad zurück nicht mehr fand, wie es Tag und Nacht wurde, und immer wieder Tag und Nacht, wie der Bogen ihm dienen mußte zur Nahrungssuche und zum Kampf. Kundry bestätigt es: Selbst Riesen lehrten den Knaben fürchten. Fürchten?, so fragt der verwundert: »Wer fürchtet mich?« »Die Bösen«, weiß Kundry. Der Jüngling will mehr wissen: »Die mich bedrohten, waren sie bös? Wer ist gut?«. Seine

Mutter sei es ohne Zweifel, der er entlaufen und die sich nun um ihn gräme, meint Gurnemanz. Doch Kundry fällt ein: »Zu End' ihr Gram: seine Mutter ist tot.« Wild fährt der Jüngling auf, packt Kundry an der Kehle, mit Mühe kann Gurnemanz ihn fortreißen: »Verrückter Knabe! Wieder Gewalt?« Der Jüngling kommt zu sich, nachdem er wie erstarrt stand; dann sinkt er nieder. Schnell labt Kundry ihn mit einem Trunk aus der nahen Quelle. Abermals weist sie jeden Dank, fast schroff, von sich. Ruhebedürftig zieht sie sich wieder ins Gebüsch zurück: »Schlafen, schlafen...«, aber ihr Schlaf ist nicht der gewöhnlicher Menschen, es kommt wie eine Verzauberung über sie; sie wird gleichermaßen entrückt, während ihr Körper wie leblos hinsinkt.
Vom See wird der König zurückgebracht, langsam tragen Knappen die von Rittern begleitete Sänfte waldaufwärts zur Gralsburg, von wo feierliche Glocken zur Mittagsandacht rufen. Immer deutlicher ist in Gurnemanz die Vision aufgetaucht, der Fremde könnte der vom Schicksal verheißene, in der Prophezeiung verkündete »reine Tor« sein, der Amfortas und den Gral zu erlösen bestimmt sei. Er beschließt, ihn zur Gralsburg mitzunehmen; umfaßt ihn sanft, und gemeinsam schreiten sie auf dem Pfade aufwärts. Neugierig der Jüngling, voller Spannung auf das vor ihm liegende Unbekannte; voll freudiger Hoffnung Gurnemanz, der den Retter zu geleiten glaubt.
Zum immer stärker werdenden Klang der Glocken wandern sie voran, schon liegt die Lichtung, aus der sie kamen, weit hinter ihnen. Parsifals Bemerkung: »Ich schreite kaum, doch wähn' ich mich schon weit ...« bestätigt Gurnemanz mit dem tiefgründigen Satz: »Du siehst, mein Sohn, zum Raum wird hier die Zeit...« Ihre Wanderung wird von einer merklichen Szenenwandlung begleitet: Mit dem anwachsenden Glockenklang aus der Gralsburg nähern die beiden sich dem Heiligtum, der dunkle Wald wird lichter, helle Mittagssonne liegt auf dem Tempel, den sie betreten und der seine weite Halle den von allen Seiten herbeiströmenden Gralsrittern öffnet. (Hier hat Wagners großartige Bühnenphantasie in gewissem Sinne die Aera des Films vorausgeahnt, der wohl

am idealsten imstande wäre, diese von erhaben weihevoller Musik begleitete Verwandlung voll und ganz zur Geltung zu bringen.)
Bei ihrem Eintritt in den Gralstempel hat Gurnemanz bedeutungsschwere Worte zu dem Fremden gesprochen: »Nun achte wohl, und laß mich sehn: bist du ein Tor und rein, welch Wissen dir auch mag beschieden sein«. Der große Raum füllt sich unter getragenen Gesängen, Chöre scheinen aus allen Richtungen zu dringen (wer will, kann hier Wagner als Vorläufer der Stereophonie ansehen): vom Boden her, von der halben Höhe der Kuppel; aus höchster Höhe, gleichsam vom Himmel, die Kinderstimmen. Amfortas wird hereingebracht, Knappen tragen ihm einen verhüllten Schrein voraus: den Gral. Lange währt dieser feierliche Einzug, bis alle Teilnehmer an der heiligen Zeremonie ihre Plätze erreicht haben. Aus dem tiefsten, im Dämmer liegenden Hintergrunde erklingt, »wie aus einem Grabe heraufdringend« des uralten Gralsbegründers Titurel Stimme: »Mein Sohn Amfortas, bist du am Amt?« Die Ermahnung seines Vaters, den Gral zu enthüllen, weckt in Amfortas wildeste Qualen. In einem furchtbaren Leidensausbruch versucht er, den Rittern seine Gefühle zu schildern, das unauslöschliche, entsetzliche Bewußtsein seiner Schuld; um Erbarmen fleht er zu Gott, um Tod, um ein Ende der übermenschlichen Qual. Titurel befiehlt noch einmal die Enthüllung der heiligen Schale. Der Schrein wird geöffnet, und der aus bewußtlosem Zusammenbruch erwachende Amfortas neigt sich demutsvoll darüber, entnimmt ihm den Gral und hebt ihn langsam, feierlich, unter rasenden Schmerzen in die Höhe. Mildes Licht strahlt von der rötlich schimmernden Schale aus, die Ritter sind in die Knie gesunken und richten ihre Blicke auf den Gral. Das Tageslicht ist verloschen, eine geheimnisvolle, mystische Dämmerung liegt über der weiten Runde. Amfortas schwenkt die heilige Schale über die Ritterschaft, senkt sie dann langsam, das Licht des Grals erlischt, die frühere Tageshelle breitet sich wieder über den Tempel aus. Die Ritter erheben sich, ordnen sich zu Zügen, verlassen den Raum. Gurnemanz hat, während die heiligen Gesänge noch lange

1. Akt, Gralsburg: Amfortas vor seinem Vater Titurel in einer Aufführung der Bayerischen Staatsoper am 15. 4. 1980.
(Bühnenbild: Günther Schneider-Siemssen)

ausklingen, den Blick immer wieder auf seinen jungen Begleiter gerichtet. Dieser hat sich ein einziges Mal, so als erleide er den Schmerzensausbruch Amfortas', ans Herz gegriffen. Nun steht er stumm und bewegungslos, während der König hinausgetragen wird. Ungeduldig tritt Gurnemanz zu ihm: ob er wisse, was er sah? Der Jüngling schüttelt langsam, wie in Gedanken, den Kopf. Da weist Gurnemanz ihn mit barschen Worten hinaus. Dann horcht er einen Augenblick auf: Aus der Höhe erklingt noch einmal die seltsame Prophezeiung. Der junge Fremde ist längst davongelaufen, als der Vorhang sich über dem ereignisreichen ersten Akt schließt.

ZWEITER AUFZUG

In die dem Gral entgegengesetzte Welt führt der zweite Akt. Klingsors Zauberreich tut sich auf. Er selbst sitzt vor einem Zauberspiegel, der ihm alles verrät, was rund um sein Schloß vorgeht. Er wartet: ein Ritter naht von fern. Klingsor weiß, wen er heute noch als Gegner zu bekämpfen haben wird. Da hilft ihm nur seine stärkste Waffe und so beschwört er Kundry herauf, die »Urteufelin«. Unter Zauberzeremonien ruft er sie, erweckt sie zum Leben, zu ihrem anderen Leben. Dann steigt ihre Gestalt »in bläulichem Lichte« empor, wie im Schlaf, aus unbekannten Tiefen. Sie stößt, als sie erwacht, »einen gräßlichen Schrei aus«; noch sträubt sie sich gegen das volle Erwachen, gegen die Aufgabe, die Klingsor ihr stellen wird – und die sie schon oft durchlebte, in immer anderen Existenzen, aber immer gleichen Situationen –, gegen das unwürdige Dasein, zu dem sie verdammt scheint. Klingsor erinnert sie höhnisch an den Tag, an dem sie Amfortas für ihn umstrickte, wehrlos machte, verzauberte. Ihr Auflehnen ist sinnlos; er ist der Meister, dem sie gehorchen muß. »Aus welcher Macht?«, fragt sie ihn in wilder Auflehnung. »Weil einzig an mir deine Macht nichts vermag«, erwidert er, aber in seinen Triumph mischt sich Wut, als sie auf seine Keuschheit anspielt. Hier liegt, gerade nur kurz erwähnt, ein Motiv angedeutet, das schon Gurnemanz im er-

sten Akt streifte: Klingsors Selbstentmannung, die Wagner in seinen Textentwürfen ausdrücklich betont und mit dem Streben nach Einhaltung der Keuschheitsgesetze des Grals begründet. Hier bricht Klingsor – ein einziges Mal – in Selbstanklagen und Verzweiflung aus, doch sie schlagen um in Drohungen gegen Kundry und schließlich in das Frohlokken über seinen baldigen Sieg, über den bevorstehenden Besitz des Grals, worauf aus Rachegelüsten und Zerstörungswahn sein einziges wahres Streben gerichtet ist. Kundry bäumt sich immer wieder auf, doch Klingsors Wille zwingt sie zum Gehorsam. Im Zauberspiegel sieht er das Nahen des jungen, schönen Ritters. Noch ist Kundrys Stunde nicht gekommen. Zuerst hetzt Klingsor die Wächter seines Schlosses auf den Fremden und beobachtet deren Kampf mit dem Eindringling. Schadenfroh sieht er ihrer Niederlage, ihrer Verwundung zu, endlich ihrer Flucht vor dem Schwert, das jener sicher und stark zu führen weiß: Es ist die Waffe des starken Ritters Ferris (bei Wolfram von Eschenbach »Feirefis« genannt), die der Fremde ihm im Kampfe entwand. Der hat nun, als er alle in die Flucht geschlagen, die den Zaubergarten umschließende Mauer erklommen. Dort steht er – immer im Blickfeld von Klingsors magischem Spiegel – und blickt verwundert in die tropische Pflanzenfülle, die sich vor ihm ausbreitet. Klingsor wendet sich zu Kundry, aber diese ist verschwunden. Nur zu gut weiß der Zauberer, daß sie in seiner Macht steht und auf den Fremden wartet, ja ihm entgegenfiebert: Weil sie sich nun ihrer Rolle als Teufelin wieder voll bewußt wurde oder weil sie von seiner Schönheit, seiner Liebesumarmung Erlösung erhofft?
Aus den dichten Hecken, den malerisch geschlungenen Büschen, aus den überall üppig sprießenden Blumen treten nun Mädchen hervor, Frauen von betörendem Liebreiz. Sie nähern sich dem Fremden wie ein aufgestörter Schwarm erschreckter Tiere, aber sich doch ihrer Reize bewußt. War er es, der ihre Liebsten schlug, der sie von ihrer Seite riß? Sie umdrängen ihn, aber ihre Feindseligkeit weicht schnell der Aufmerksamkeit, die sie dem Fremden schenken. Immer enger umkreist ihn der Reigen, immer verführerischer wer-

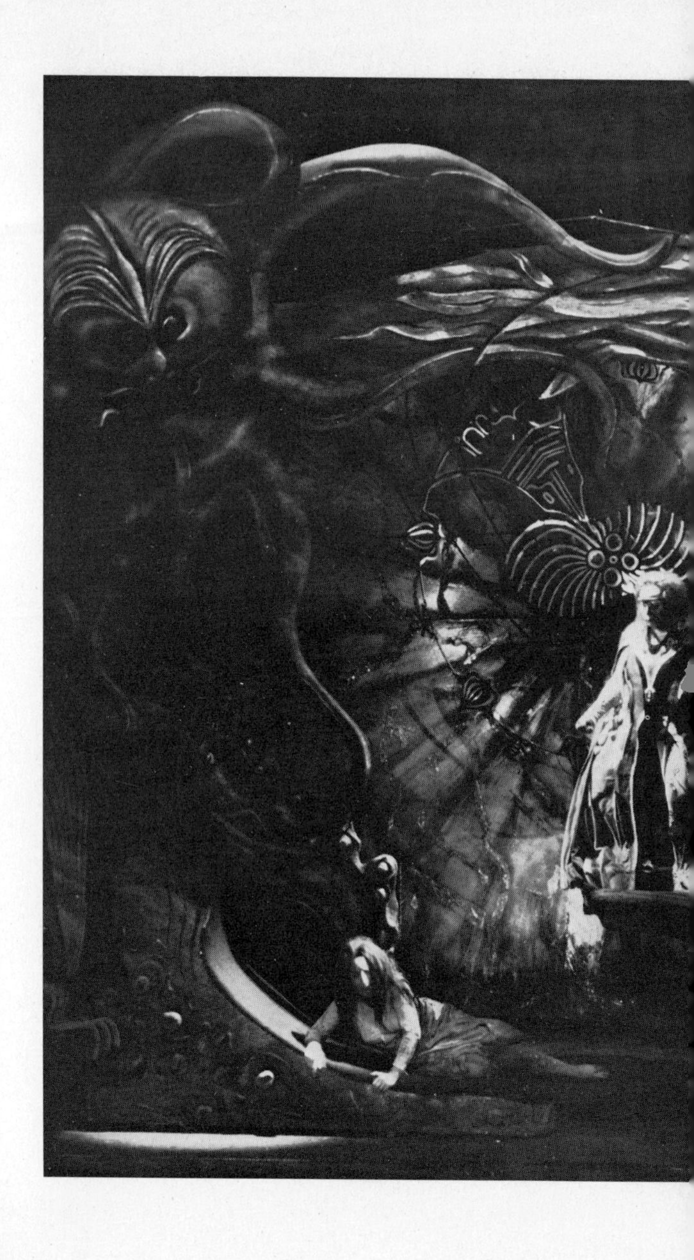

2. Akt, Das Tor zu Klingsors Zaubergarten.
Aus einer Aufführung der Bayerischen Staatsoper am 15. April 1973 mit dem Bühnenbild von Günther Schneider-Siemssen.
(Klingsor: Heinz Imdahl, Kundry: Hildegard Hillebrecht)

den die Bewegungen ihrer Körper. Ruhig steht der Fremde in ihrer Mitte, lächelnd ob so viel Lieblichkeit, die sich ihm immer stärker anbietet. Freundlich, aber unberührt läßt er sich umschwärmen, erwehrt sich sanft der sich an ihn drängenden Mädchen.
Schon scheint er den Garten verlassen zu wollen –, da bannt ihn eine Stimme, süßer, sinnlicher, bedeutungsvoller als alle. Und ein Name: Die unbekannte Stimme ruft ihn langsam, wohlklingend in den blumenüberblühten Garten: »Parsifal!« Nannte ihn so nicht einst die Mutter? Verwirrt bleibt er stehen –, ist er heimgekehrt? Er blickt wie träumend um sich: Da gewahrt er, im Hintergrund allmählich sichtbar werdend, eine wundervolle Frau, schöner als alles, was er je gesehen. Kundry tritt ruhig auf ihn zu. Die Blumenmädchen weichen zurück; es bedarf kaum noch Kundrys Wort, um sie zu entfernen. Parsifal ... Der Name hat den Fremden berührt wie ein Ruf aus einer anderen Welt. »Riefest du mich Namenlosen?«, wendet er sich, stockend noch und scheu, an die Frau, die sich ihm wie eine überirdische Erscheinung nähert. Und erhält Kunde von seiner Vergangenheit: vom Vater Gamuret, der vor der Geburt des Sohnes im fernen, arabischen Lande starb, von der Mutter, die ihn liebevoll aufzog, auf Moos bettete, unter Tränen in Schlaf wiegte, ihn fern dem kriegerischen Treiben der Welt erzog, aber ihn eines Tages doch an diese Welt verlor und an diesem Verlust starb. Parsifal hat ihr mit steigender Aufmerksamkeit zugehört, ist nun »furchtbar betroffen« zu Kundrys Füßen hingesunken: Wie konnte er seine Mutter morden, durch Verlassen, durch Vergessen! Ein brennender Schmerz lodert in ihm auf: »Was alles vergaß ich wohl noch?« Kundry hat sich neben ihn niedergelassen, umschlingt seinen Kopf mit zärtlicher Gebärde: Mutter? Geliebte? Noch geht beides in Parsifals wirren Gedanken ineinander über, Heimweh und Sehnsucht werden eins. Doch Kundry will ihn zur Liebe wecken, zur heißen Leidenschaft des Geschlechts, »wie sie Gamuret umschloß, als Herzeleides Entbrennen ihn sengend überfloß!« Sie hat ihren Kopf »völlig über den seinen geneigt und heftet nun ihre Lippen zu einem langen Kusse auf seinen

Blumenmädchen umringen Parsifal (James King) in Klingsors Zaubergarten.
2. Akt, Aufführung in der Bayerischen Staatsoper, München vom 15. April 1973 (Bühnenbild: Günther Schneider-Siemssen)

Mund«. Da fährt Parsifal plötzlich »mit einer Gebärde des höchsten Schreckens auf; seine Haltung drückt eine furchtbare Veränderung aus; er stemmt seine Hände gewaltsam gegen das Herz, wie um einen zerreißenden Schmerz zu bewältigen«. Der Höhepunkt des Dramas ist erreicht –, die entscheidende Wende (wie Wagner diesen Augenblick genannt hat). Ein einziger Schrei entringt sich des aufspringenden Parsifals Mund: »Amfortas!« Und dann zwei tiefe Schluchzer: »Die Wunde! Die Wunde!«
Wie ein ungeheures Erkennen geht es durch Parsifals Herz. Kundrys Kuß hat auf geheimnisvolle Weise jenen Augenblick in sein Gedächtnis zurückgerufen, den er einst nicht verstand: den düsteren Gralstempel, den leidenden König,

die Verheißung des Erlösers. Nun, da er sie erkannt hat, brennt Amfortas' Wunde in seinem eigenen Körper. Nun wird ihm, über alle irdische Liebe, die Liebe des Grals, des Heilands am Kreuz schmerzlich fühlbar, als heilige, höchste Aufgabe. Er stürzt auf die Knie vor der ungeheuren Vision, die ihn erfüllt; er zittert, bebt, vergeht fast in einem nicht zu benennenden, nie gekannten Gefühl. Kundry fühlt die gewaltige Veränderung, die in ihm vorgeht. Ihr »Erstaunen geht in leidenschaftliche Bewunderung über«, aber sie ist nicht fähig, sie voll zu erfassen. Für sie, die in dieser Existenz ganz Weib ist, Urweib mehr noch als Urteufelin, gibt es nur eine Möglichkeit, an Parsifals Ekstase teilzuhaben: durch die Liebesumarmung, die sie nun heftiger noch als vorher ersehnt. Parsifal aber ist »welthellsichtig« geworden: Klar blickt er in die Vergangenheit, sieht Amfortas an seiner Stelle, sieht Kundry ihn umarmen, küssen, mit ihren Locken bedecken, zum Vergessen seines Selbst und seiner Aufgabe bringen: »das Heil der Seele entküßte ihm der Mund!« Parsifal hat Kundry erkannt: Sie war es, nur sie kann es gewesen sein, die Amfortas den Gral vergessen ließ. Er stößt sie von sich, doch sie klammert sich in wachsender Verzweiflung an ihn, Leidenschaft tobt in ihr und zugleich das verworrene Gefühl, ihrem Erlöser gegenüberzustehen, den sie küssen und umarmen, den sie ganz in sich aufnehmen will, um endlich, um ganz erlöst zu werden.
Parsifal nähert sich ihr, die er heftig zurückgewiesen hatte. Mit wachsendem Mitleid hört er ihre entsetzliche Beichte: »... Fühlst du im Herzen nur andrer Schmerzen, so fühle jetzt auch die meinen! Bist du Erlöser, was bannt dich, Böser, nicht mir auch zum Heil dich zu einen? Seit Ewigkeiten – harre ich deiner, des Heilands – ach! so spät! Den einst ich kühn geschmäht. – Oh! Kenntest du den Fluch, der mich durch Schlaf und Wachen, durch Tod und Leben, Pein und Lachen, zu neuem Leiden neu gestählt, endlos durch das Dasein quält! – Ich sah ihn – ihn – und – lachte ... da traf mich sein Blick! – Nun such ich ihn von Welt zu Welt, ihm wieder zu begegnen. In höchster Not wähn' ich sein Auge schon nah, den Blick schon auf mir ruhn. Da kehrt mir das ver-

fluchte Lachen wieder, ein Sünder sinkt mir in die Arme!«
Wohl in keinem anderen Augenblick des Werkes ist Wagner so ganz er selbst wie hier: Kundry ist restlos sein Geschöpf, sein Eigen. Ihr Rasen in dieser Stunde entsprang einzig und allein seiner Phantasie, hierzu diente ihm kein Vorbild. Die Sünderin, die in einem früheren Leben Jesus gegenüberstand und ihn auf dem Weg zum Kreuz verlachte, und die ihn nun sucht, verzweifelt sucht, um durch ihn von ihrer Schuld entbunden, erlöst zu werden, die aber immer wieder nur Sünder trifft –, Sünder wie Amfortas. Und nun fleht sie Parsifal an: »Den ich ersehnt in Todesschmachten, den ich erkannt, den blöd Verlachten, laß mich an seinem Busen weinen, nur eine Stunde mich dir vereinen! . . .«
Doch in Parsifal ist sie einem anderen Manne begegnet: dem »Erlöser«, der sich, seiner Aufgabe bewußt geworden, jeder menschlichen Verstrickung oder Bindung fern halten muß: »Auf Ewigkeit wärst du verdammt mit mir, für eine Stunde Vergessens meiner Sendung in deines Arms Umfangen!«
Klar liegt sein Weg vor ihm. Aber immer noch klammert Kundry sich an die ihr einzig möglich erscheinende Form ihrer Erlösung: die der körperlichen Besitznahme in einer Liebesumarmung: »Laß mich dich Göttlichen lieben, Erlösung gabst du dann auch mir.« Parsifal bleibt fest. Nur eines noch will er von Kundry: den Weg zu Amfortas möge sie ihm zeigen, um auch selbst der Liebe und Erlösung teilhaftig zu werden, die zu bringen nun seine Bestimmung ist. Es ist nicht die Liebe, die Kundry meint, und in wilde Wut ausbrechend verweigert sie ihm das Geleit, verspottet sie Amfortas von neuem, bedroht sie Parsifal mit der gleichen Waffe, die jenen einst traf. Zum letzten Mal stößt Parsifal sie von sich. Kundry bricht in ungehemmtes Rasen aus, verwünscht die Pfade, damit Parsifal sie niemals fände, ersehnt das Umherirren, das hoffnungslose Nicht-Finden für ihn, der sie verschmähte. Und ruft mit letzter Kraft Klingsor, den Zauberer, herbei.
Auf der Mauer seines Schlosses erscheint er und schwingt den Speer gegen Parsifal. Die Lanze fliegt durch die Luft, aber sie trifft Parsifal nicht. Über seinem Kopf bleibt sie

schweben – den Gesegneten, Erwählten kann die heilige Waffe nicht verletzen. Parsifal ergreift sie und schwingt sie zum Zeichen des Kreuzes. Mit donnerähnlichem Getöse versinkt das Zauberschloß, der blühende Garten wird zur Einöde. Kundry ist zusammengebrochen, wie leblos zu Boden gesunken. Zu ihr wendet Parsifal sich noch einmal, bevor er mit festem Schritt davongeht. Mild und versöhnlich klingt seine Stimme an ihr Ohr: »Du weißt, wo du mich wiederfinden kannst!«

DRITTER AUFZUG

Zwischen dem zweiten und dem dritten Akt liegt eine längere Zeitspanne. Parsifal sucht den Gral, verirrt sich mehr als einmal auf unwegsamen, ausweglosen Pfaden, besteht Kämpfe, führt aber nie den heiligen Speer ins Treffen. Er hütet ihn mit gläubiger Inbrunst, sehnt sich, ihn zum Gral zurückzubringen, unentweiht, entsühnt.

Inzwischen ist es wieder einmal Frühling geworden. Aus seiner Einsiedlerhütte tritt der sehr alt gewordene Gurnemanz. Er hat ein Stöhnen gehört und geht ihm nach; er kennt diesen Klageruf. Wie oft schon hat er ihn vernommen? Es ist Kundry, erstarrt vor Kälte liegt sie in einem Gebüsch. Er trägt sie auf einen Rasenhügel nahe einer Quelle. Sorgsam reibt er ihr Schläfen und Hände, erweckt sie mit seinem frohen Gesang vom Lenz. Langsam kehrt Leben in sie zurück. Sie erhebt sich, dankt Gurnemanz mit einer kleinen Bewegung ihres Kopfes und will sich an die Arbeit machen: »Dienen ... dienen ...« Verwundert sieht Gurnemanz sie zur Hütte gehen: Anders ist ihr Schritt, anders ihre Haltung; alles Wilde, Trotzige scheint von ihr abgefallen. Wo mag sie gewesen sein, was muß sie erlebt haben? Gurnemanz sinnt dem Rätsel nach, das er nicht lösen kann. Wohlig umfangen ihn die milden Sonnenstrahlen nach langem harten Winter.

Aus dem Walde tritt eine Gestalt. Kundry erspäht sie und weist Gurnemanz auf sie hin. Dieser blickt dem Fremden ruhig, aber verwundert entgegen. Das kann keiner der Grals-

brüder sein: In dunkler Waffenkleidung mit herabgelassenem Helmvisier würde keiner von ihnen Gralsboden betreten, und noch dazu an diesem heiligen Tag: Es ist Karfreitag. Der Ritter kommt langsam näher und läßt sich, wie ermattet, an der Quelle nieder. Gurnemanz grüßt ihn und bietet ihm Hilfe an, falls er sich verirrt habe. Parsifal schüttelt stumm den Kopf. Gurnemanz ereifert sich: wenn ein Gelübde den Fremden binde, Schweigen zu wahren, so wolle er, Gurnemanz, ihm doch sagen, was sich ziemt. Woher er denn komme, bei welchen Heiden er geweilt, um nicht zu wissen, daß Karfreitag sei? Parsifal erhebt sich, legt Schwert und Schild ab, nimmt den Helm vom Kopf und kniet zum Gebet vor dem in den Boden gestoßenen Speer nieder.
Mit wachsender Bewegung beobachtet ihn Gurnemanz. Erinnerungen überkommen ihn; leise fragt er Kundry, ob sie den Fremden nicht erkenne? Er war es, der einst, vor vielen Jahren, den Schwan getötet... Kundry bestätigt es mit unmerklichem Kopfnicken. Sie blickt ruhig auf Parsifal –, erinnert sie sich auch der Vorfälle ihres »anderen« Lebens? Nichts verrät das in ihrer Haltung, ihren weitgeöffneten Augen, die einen neuen Zug von Zutrauen, von Glauben besitzen. Gurnemanz beobachtet sie nicht, Tränen treten ihm in die alten, müdgewordenen Augen: Er erblickt den heiligen Speer. Woher mag der Fremde kommen, auf welchen Pfaden fand und gewann er die Waffe, die er nun heimbringt? Parsifal hat sein Gebet beendet. Er tritt zu Gurnemanz, den er nun erkennt und mit sanften Worten begrüßt. Irrt er nicht wieder? Ist er endlich am Ziel? Zurückgekehrt nach Leiden und Wirren, Kämpfen und Nöten? Gurnemanz bestätigt es ihm: »O Herr! War es ein Fluch, der dich vom rechten Pfad vertrieb, so glaub', er ist gewichen. Hier bist du; dies des Grals Gebiet, dein harret seine Ritterschaft.« Und er schildert Parsifal die traurigen Geschehnisse seit jenem schon fernen Tage, an dem sie beide zur Gralsburg aufgestiegen waren: Das damalige »Bangen wuchs zur höchsten Not«, Amfortas, in tiefster Verzweiflung und nur den Tod herbeisehnend, hat den Gral seit langem nicht mehr enthüllt, Titurel ist vor wenigen Tagen gestorben. Keine Botschaft trifft

Entwurf zum 1. Bild des 3. Akts für die Uraufführung des Bühnenweihfestspiels »Parsifal« von Paul von Joukovsky, Bayreuther Festspielhaus, am 26. Juli 1882. Musikalische Leitung: Hermann Levi.

mehr aus der Ferne ein, kein Ruf zu heiligen Kämpfen führt die Ritter mehr aus der Burg. Bleich und elend wanken sie umher, führungslos, hoffnungslos.
Traurig hört Parsifal die erschütternde Schilderung des Verfalls, Schuldgefühle quälen ihn: Hätte er nicht schon damals erkennen müssen? Er droht umzusinken; Gurnemanz bettet ihn auf einen Rasenhügel, Kundry eilt zur Quelle, um Wasser zu schöpfen. Wie eine Erleuchtung kommt es über den alten Gralshüter: »Mir ahnt, ein hohes Werk hab' er noch heut' zu wirken, zu walten eines heil'gen Amtes: so sei er fleckenrein, und langer Irrfahrt Staub soll nun von ihm gewaschen sein!« Wie eine biblische Szene mutet das Folgende an. Sanft wäscht Kundry Parsifal die Füße. Und auf die Aufforderung Parsifals hin netzt Gurnemanz ihm feierlich das

Das 1. Bild des 3. Akts, die blühende Frühlingsaue, der »Karfreitagszauber«, in der Aufführung der Salzburger Festspiele 1980. Bühnenbild: G. Schneider-Siemssen; Regie: Herbert v. Karajan.

Haupt: »Gesegnet sei, du Reiner, durch das Reine!«. Dann salbt er ihn zum König: »So ward es uns verheißen, so segne ich dein Haupt ...«
Parsifal schöpft nun selbst Wasser aus der Quelle, neigt sich zu Kundry: »Mein erstes Amt verricht' ich so: Die Taufe nimm, und glaub' an den Erlöser!« Kundry ist erschüttert, sie bricht in heftiges, aber befreiendes Weinen aus.
Ruhig läßt Parsifal seine Blicke über die blühende Frühlingslandschaft gleiten. Ein unendlicher Zauber breitet sich über alles aus, spendet unsagbare Ruhe, verheißt Blühen und Glück, Befreiung von Winter, Bedrückung und Not. Der »Karfreitagszauber« (wie dieses lange, verklärte Musikstück genannt wird) senkt sich über Natur und Menschen.

Schlußszene in der Gralsburg, 3. Akt:
Parsifal hebt den Kelch empor, vom Licht des Grals beschienen.
Parsifal: James King, Amfortas: Dietrich Fischer-Dieskau, Kundry:
Hildegard Hillebrecht, Gurnemanz: Franz Crass in einer Aufführung der Bayerischen Staatsoper, München.

Voller Mittag liegt nun über der blumenbesäten Wiese. Die Stunde ist gekommen: Gurnemanz kleidet Parsifal in einen Gralsrittermantel und geht langsamen Schrittes voraus. Kundry folgt Parsifal, der den Speer feierlich vor sich herträgt. Und wieder, wie im ersten Akt, verwandelt die Szenerie sich bei offener Bühne, wieder schreiten sie wie damals –, aber wie anders ist nun alles geworden! Der Gralstempel empfängt sie, dieses Mal ungleich düsterer; Titurels Leiche wird hereingetragen, die Ritter strömen von allen Seiten herbei, aber ihr Schritt ist wie von Todesahnung gezeichnet. Und nicht anders naht die Bahre mit dem fast reglosen Amfortas, naht der verhüllte Gral. Titurels Sarg wird noch einmal geöffnet, die Ritterschaft bricht in Klagerufe aus. Sie wartet, daß Amfortas, wie er es versprochen, heute noch einmal, zum letzten Male, seines Amtes walte. Doch er bäumt sich in rasender Verzweiflung auf und weigert sich: Soll er, der nur den Tod ersehnt, noch einmal durch den Anblick des Grals in sein qualvolles, reuebeladenes Leben zurückkehren müssen? Er fleht die Ritter an, ihn zu töten: Wie »in furchtbarer Ekstase« steht Amfortas einsam, hält sich mühsam aufrecht, während alle entsetzt vor ihm zurückweichen.

Da ist Parsifal, von allen unbemerkt, durch den Raum geschritten, tritt vor und berührt nun die Wunde des Königs mit der Spitze des heiligen Speers: »Die Wunde schließt der Speer nur, der sie schlug.« Die Gesichtszüge des Verzweifelten verklären sich wie vor einer überirdischen Vision. Amfortas wankt, Gurnemanz stützt ihn und läßt ihn langsam auf sein Ruhebett niedergleiten. Der Ritterschaft hat sich höchste Erregung bemächtigt, die in steigende Begeisterung übergeht. Hochaufgerichtet steht Parsifal unter ihnen: »Den heil'gen Speer – ich bring ihn euch zurück!« Er steigt feierlich die Stufen des Weihtisches empor, entnimmt dem von den Knappen geöffneten Schrein den Gral, kniet nieder und verharrt in stummem Gebet, dem sich die Ritter anschließen. Dann hebt Parsifal die Schale hoch über alle: Sie beginnt zu leuchten, sie strahlt in weihevollem Licht und wirft ihren Schein durch den Raum, der sich wie mit einem neuen

Lebensgefühl zu füllen scheint. Chöre erklingen, inbrünstiger als je. Der neue König steht, vom Licht des Grals umflossen, wie in einer Aureole, die vom Heiligen Geist gespeist wird. Kundry ist, mit einem langen Blick auf Parsifal, entseelt, aber auch entsühnt und erlöst zu Boden gesunken. Gurnemanz kniet Parsifal am nächsten. Er hatte sich damals nicht geirrt: Parsifal war der ausersehene »reine Tor«. Er mußte aber erst »durch Mitleid wissend« werden, durch die Welt irren, ihre Kämpfe bestehen, ihre Verführungen überwinden, auf schweren Pfaden Reife erlangen, um zum ersehnten Erlöser werden zu können.

Zur Geschichte des »Parsifal«

Cosima, die letzte und wohl auch bedeutendste unter vielen und vielseitig interessanten Frauen aus *Wagners* Leben, brachte, als sie Ende der sechziger Jahre endlich an der Seite des geliebten Mannes zur Ruhe kam und es verstand, auch ihm Ruhe zu geben, das Diktat seiner Lebenserinnerungen zu Papier. So entstand »Mein Leben«, das die Jahre 1813 bis 1868 umfaßt, also den Zeitraum von der Geburt bis zur Uraufführung der »Meistersinger von Nürnberg«. Darin findet sich die erste Erwähnung von *Wagners* Kontakt mit dem Parsifal*-Thema, und zwar muß man bis in das Jahr 1845 zurückgehen, um darauf zu stoßen. Das bedeutet, daß auch bei diesem Werk, wie bei mehreren anderen, *Wagner* eine Idee jahrelang, jahrzehntelang mit sich trug, bis sie ihre volle Gestalt annahm.

Von 1845, dem Auftauchen des Gedankens, bis 1882, dem Jahr der Vollendung des »Bühnenweihfestspiels« und seiner Uraufführung, vergehen nicht weniger als 37 Jahre, – mehr als *Wagners* halbes Leben, und damit zwei Drittel seines schöpferischen Lebens. Man geht also nicht fehl, in seiner Beschäftigung mit dieser Idee – die vor allem die Gralsidee ist – einen wahren Mittelpunkt seines Denkens und Schaffens zu erblicken.

Wagner war 1845 schon mehr als zwei Jahre sächsischer Hofkapellmeister, wohnte in Dresden, zum ersten Male im Leben in behaglicheren Verhältnissen, und hatte begonnen, seine in Riga ungedeckter Schulden wegen gepfändete Bibliothek neu aufzubauen. Dabei kam seine Vorliebe für altdeutsche Themen stark zum Ausdruck. Er zeigt sie, ausgedehnt auf mittelalterliche Sagen mehrerer europäischer Völker, deutlich in allen seinen künftigen Werken: »Tannhäuser«, »Lohengrin«, »Ring des Nibelungen«, »Tristan und Isolde«, »Die Meistersinger von Nürnberg«, »Parsifal«.

* Bis 1877 benutzte R. Wagner die Schreibweise: »Parzival«, später dann »Parsifal«.

Im Sommer 1845 begab sich *Wagner* mit seiner Gattin *Minna* zur Erholung von den Strapazen einer Theatersaison in eines der nordböhmischen Bäder, die er bevorzugte: nach Marienbad (das heutige Mariánské Lázně in der Tschechoslowakei): »Ich hatte mir vorgenommen, mich der gemächlichsten Lebensweise, wie sie andrerseits für die sehr aufregende Kur unerläßlich ist, hinzugeben. Sorgsam hatte ich mir die Lektüre hierzu mitgenommen: die Gedichte Wolfram von Eschenbachs in den Bearbeitungen von Simrock und San Marte, damit im Zusammenhange das anonyme Epos vom ›Lohengrin‹ mit der großen Einleitung von Görres. Mit dem Buche unter dem Arm vergrub ich mich in die nahen Waldungen, um am Bach gelagert mit Titurel und Parzival in dem fremdartigen und doch so innig traulichen Gedichte Wolframs mich zu unterhalten«, lesen wir in »Mein Leben«.
»Tannhäuser« war abgeschlossen und wartete (im Oktober 1845) auf seine Dresdener Uraufführung. *Wagners* Gedanken waren mit dem »Lohengrin« beschäftigt, den er am 17. November d. J. einer Gruppe geladener Gäste vorliest, zu denen u. a. *Robert Schumann* gehört, der zwischen Verständnis und Abneigung *Wagner* gegenüber hin- und hergerissen wird. Und in dieser Dichtung rund um den geheimnisvollen Ritter Lohengrin kommen die beiden Themen vor, die mehr als dreißig Jahre später, ausgebaut und unendlich vertieft, sich zu seinem letzten Werk verdichten sollten: der Gral und Parsifal (den *Wagner* bis in das Jahr 1877 in der überlieferten Form »Parzival« schreibt). Mit beiden Themenkreisen – die eng zusammengehören – hat *Wagner* sich also schon in seiner Dresdener Zeit auseinandergesetzt; Lohengrin war ein Gralsritter. Im letzten Akt enthüllt er, vor dem König und allem Volk, vor allem aber vor Elsa, seiner Gattin, die mit ihrer Frage nach seiner Herkunft die Antwort wie seinen nun unvermeidlich gewordenen Abschied herbeizwang: »Vom Gral ward ich zu euch daher gesandt: mein Vater Parzival trägt seine Krone, sein Ritter ich – bin Lohengrin genannt.«
Gral, Gralsburg, Gralslegende: ein Themenkreis, der Euro-

pas Mittelalter tief bewegte. Daß er dann wiederum, fast ein Jahrtausend später, die Romantiker fesselte, ist aus deren Geisteshaltung und Gefühlswelt verständlich. *Richard Wagner* nahte sich ihm von mehreren Seiten. Ziemlich früh schon »entdeckte« er *Wolfram von Eschenbach,* den großen Dichter, der zugleich – was man lange nicht erkannte – ein hervorragender Historiker war. Er lebte von ungefähr 1165 bis 1220 oder ein wenig länger: Der »Parzival« dürfte sein Hauptwerk gewesen sein; aber man täte gut daran, sich auch mit seinen Fragmenten »Willehalm« und »Titurel« zu beschäftigen, wenn man sich mit Sagen und Legenden rund um den Gral befassen will. Im »Marienbader Sommer« (des Jahres 1845) stand *Richard Wagner Wolfram* noch durchaus positiv gegenüber: Wir fühlen es aus seiner Gestaltung dieser Persönlichkeit, die er in »Tannhäuser« zum profiliertesten Gegenspieler des Titelhelden machte, in einer Darstellung, der man großen Edelmut und ein warmfühlendes Herz nicht absprechen kann, wenn *Wagners* Liebe und Leidenschaft auch begreiflicherweise eher dem »Freigeist« Tannhäuser gehörte. Später erlosch *Wagners* Verehrung für *Wolfram* ziemlich abrupt, wie wir sehen werden. Doch in der Behandlung des »Parsifal« konnte er nicht auf ihn verzichten, auch wenn er eine Fülle von Schwächen an ihm entdeckte. Als *Wolfram* seinen »Parzival« schrieb, waren seit den Geschehnissen, die er schildert, schon ungefähr dreieinhalb Jahrhunderte vergangen. Wie konnte er über eine solche zeitliche Distanz hinweg Begebenheiten aus so ferner Zeit »wie in einem Geschichtsbuch« aufzeichnen (denn so ist »Parzival« abgefaßt)? *Wolfram* beruft sich auf einen gewissen *Kyot,* »den Provenzalen«, den man die längste Zeit und bis vor kurzem für eine vom Dichter erfundene Figur hielt. Heute neigen bedeutende Forscher dazu, an diesen Zeitgenossen Parzivals oder Percevals zu glauben (ja, ihn vielleicht mit dem hochinteressanten *Willehalm* zu identifizieren, der eine Schlüsselgestalt des 9. Jahrhunderts gewesen sein muß).

Was scheint nach den zeitgenössischen Berichten, die *Wolfram* auf irgendeinem Wege übernahm, über den historischen

Parzival festzustehen oder glaubhaft zu sein? Sein Vater Gamuret dürfte um 826 aus einem südlicher gelegenen Lande (Spanien?) an den Oberlauf des Rheins gezogen sein, wo er sich in Herzeloyde, eine Prinzessin aus »Gralsgeschlecht«, verliebte und sie (in Colmar?) heiratete. Er verblieb nicht lange an ihrer Seite, sondern brach zu einer Fahrt in den Orient auf, wie sie Ritter der damaligen Zeit – lange vor den Kreuzzügen – bereits unternahmen. Ihre Motive dürften wesentlich anderer Natur gewesen sein als die der späteren Kriegsheere, die das heilige Grab aus den Händen der »Ungläubigen« befreien wollten: Sie scheinen durch die Nachrichten von einer höheren Kultur angezogen worden zu sein. Gamuret kehrte nicht wieder; er soll bereits 827 im Kampfe gefallen sein. Indessen brachte seine Gattin Herzeloyde daheim einen Knaben zur Welt, den sie »Parzival« nannte. Ob noch der Vater diesen Namen vorgeschlagen hat, falls sein Kind ein Sohn werden würde, wissen wir nicht; auf jeden Fall deutet *Wagner* eine Ableitung dieses Namens aus dem arabisch-persischen »Fal parsi« (»reiner Tor«?) an. Herzeloyde erzog den (also möglicherweise 827 geborenen) Knaben liebevoll, aber fern dem Ritterhandwerk, da sie fürchtete, sie könnte ihn ebenso verlieren, wie sie den Gatten verlor. Parzival lief ihr, etwa vierzehnjährig (841?) davon, gelangte an den Hof des Königs Arthus, von wo er aber vertrieben wurde, raufte sich durch die Welt, bestand Abenteuer über Abenteuer und kehrte Jahre später (um 848?) zurück, um Gralskönig zu werden.

Die Gralslegende enthält eine christliche Grundlage. So faßt auch Wagner sie auf, selbst wenn ihm die Gestalt Kundrys – wie er sie empfindet – als dramatischer Gegenpol ein äußerst starkes unchristliches Element zu sein scheint. »Der Gral ist, nach meiner Auffassung, die Trinkschale des Abendmahles, in welcher Joseph von Arimathia das Blut des Heilands am Kreuze auffing«, heißt es in einem Briefe *Wagners* an *Mathilde Wesendonk* (vom 29. und 30. Mai 1859). Das entspricht sozusagen der »offiziellen Lesart«; eine Reliquie aus der Leidensgeschichte Jesu, zu der sich, vor allem in den Heldenliedern, den »chansons de geste«, die das Mit-

telalter so zahlreich wie fesselnd hervorbrachte, noch die Lanze gesellte, mit der Jesus am Kreuze verwundet wurde. Beide zusammen, Schale und Lanze, werden zu den Wahrzeichen der Gralslegende.
Es wäre faszinierend, dem Ursprung der Gralssage oder -legende nachzugehen, aber es würde uns zu weit von *Wagners* »Parsifal« fortführen. Es gibt eine Gralslehre im kosmischen Johannis-Christentum – das ja in der auf Patmos niedergelegten »Geheimlehre« der Apokalypse gipfelt –, deren vorchristlicher Ursprung festzustehen scheint. Was war der »Gral« damals? Reichen seine Wurzeln weit vor Christi Geburt in eine ferne, sehr ferne Vergangenheit zurück? Scharten sich seit jeher »Eingeweihte« rund um ein »heiliges« Objekt, das ihnen Kraft und Erleuchtung spendete? Bezieht *Goethes* Gedicht »Die Geheimnisse« sich darauf, wenn es uns die Runde von zwölf Männern vorführt, zu denen ein Dreizehnter stößt, der sie anführt, aber nach Erfüllung der Aufgabe wieder verschwindet? Das Gralsthema ist unerschöpflich, mehr kann hier nicht angedeutet werden. *Wagner* kannte zwei seiner Darstellungen: die *Wolframs* und eine andere des *Chrétien de Troyes.* Er wurde deutlich von der ersten beeinflußt; diese bildet auch zugleich den Einstieg in Erklärungen, die verschiedene »Geheimwissenschaften« suchen. Und so ist es erklärlich, wenn für manchen Beobachter immer wieder die Frage auftaucht: War *Wagner* ein »Eingeweihter«? Hat besonders sein »Parsifal« okkultistisches Gedankengut verarbeitet? Ist die Verbindung der Gralssage mit der ihn am stärksten fesselnden Kundry-Gestalt ein Werk seiner dichterischen Phantasie, seines schöpferischen Genies – oder gibt es da Zusammenhänge, die von der Wagner-Literatur äußerst selten angedeutet, geschweige denn gar untersucht werden? Nur in Büchern des »Okkultismus« der Rosenkreu(t)zer, der Anthroposophen und anderer Gruppen kommen solche Gedanken zur Sprache; und wir müssen den Leser, der sich für derartige Deutungen der Werke *Wagners* interessiert, auf den Weg solcher Lektüre weisen. Immerhin suchen wir in unser Buch alles aufzunehmen, was zum Verständnis des Werkes Wagners

notwendig erscheint, denn das – und nur das – ist unser Anliegen.
Seit der ersten Andeutung der Beschäftigung mit Titurel und Parzival im Jahre 1845 und seit der wenig später erfolgten »Lohengrin«-Dichtung sind viele Jahre vergangen. Und viele Ereignisse in *Wagners* stets bewegtem Leben: Er hat sich in Dresden, mehr ideologisch und geistig als praktisch oder kämpferisch, den Anarchisten unter *Bakunin* genähert. Er hat sich in immer deutlicheren Gegensatz zu seinen Vorgesetzten gebracht, und er hat schließlich, als auch in Sachsen, wie im größten Teil Europas, die revolutionären Unruhen ausbrachen, flüchten müssen. Während die Polizei ihm einen Steckbrief nachschickt – in dem ihn die wenig schmeichelhafte Personenbeschreibung fast mehr ärgert als seine Abstempelung zum Revolutionär, der er ja, wie er meint, eigentlich gar nicht ist –, flieht er zu *Liszt* nach Weimar und mit dessen sehr wirksamer Unterstützung – einem falschen Paß und Geld – in die Schweiz.
Im Jahre 1854 entwirft er in Zürich »Tristan und Isolde«, zu dessen Ausführung er allerdings erst drei Jahre später – und unter dem erregenden Liebeserlebnis mit *Mathilde Wesendonk* – kommt. In diese Skizze baut er die ihn innerlich stark beschäftigende Parsifal-Gestalt ein: Tristan soll auf seinem Krankenlager, das zu seinem Totenbett werden soll, den Besuch »des nach dem Gral umherirrenden Parzival« bekommen, eine etwas seltsame Verbindung (über die *Wagner* in »Mein Leben« berichtet), die dann bei der endgültigen Ausführung der Oper fallengelassen wird. Leider wissen wir nichts Näheres über *Wagners* diesbezügliche Idee. Hätte der nur noch seiner Geliebten entgegenfiebernde Tristan sich von Parsifals Heilsgedanken rund um den Gral aus seinen Fieberphantasien und Schmerzen erlösen lassen sollen? Kaum. Auf jeden Fall wäre Parsifal hier Nebenfigur gewesen – ob *Wagner* ihn dann später noch einmal in einem neuen Drama zur Hauptgestalt gemacht hätte?
Drei Jahre später faßt er dann diesen Gedanken. *Wagner* hat sich in »Mein Leben« des Frühjahrs 1857 erinnert: »Nun brach auch schönes Frühlingswetter herein; am Karfreitag

Richard Wagners »Asyl« neben der Villa Wesendonk im damaligen Zürcher Vorort Enge. Hier konnte er sich unbeschränkt seinem künstlerischen Schaffen hingeben.

erwachte ich zum ersten Male in diesem Hause bei vollem Sonnenschein: das Gärtchen war ergrünt, die Vögel sangen, und endlich konnte ich mich auf die Zinne des Häuschens setzen, um der langersehnten, verheißungsvollen Stille mich zu erfreuen. Hiervon erfüllt, sagte ich mir plötzlich, daß heute ja ›Karfreitag‹ sei, und entsann mich, wie bedeutungsvoll diese Mahnung mir schon einmal in *Wolframs* ›Parzival‹ aufgefallen war. Seit jenem Aufenthalte in Marienbad ... hatte ich mich nie wieder mit jenem Gedichte beschäftigt; jetzt trat sein idealer Gehalt in überwältigender Form an mich heran, und von dem Karfreitags-Gedanken aus konzipierte ich schnell ein ganzes Drama, welches ich, in drei Akte geteilt, sofort mit wenigen Zügen flüchtig skizzierte.«
Dieser Ursprung des »Parsifal« ist Hunderte von Malen nachgedruckt und erzählt worden. Doch die Herausgeber der großen Wagnerausgabe mit Dokumenten*, *Martin Geck*

* Richard Wagner, Sämtliche Werke, Verlag B. Schott's Söhne, Mainz, 1970.

und *Egon Voss,* legen hier ihr Veto ein: »Da der Karfreitag 1857 auf den 10. April fiel, so ergeben sich aus Wagners Darstellung Widersprüche. Ist die Konzeption des ›Parsifal‹ tatsächlich am Karfreitag erfolgt, so kann dies nicht ... in dem ›Asyl‹ auf dem ›Grünen Hügel‹ erfolgt sein«, – also nicht in dem vom Ehepaar *Wesendonk* zur Verfügung gestellten Hause, das in Zürichs damaligem Vorort Enge im weiten Park der von *Wesendonks* bewohnten Villa stand und das *Wagner* gern sein »Asyl auf dem grünen Hügel nannte«. Weiter: »Sind aber die Angaben über den Einzug in das ›Asyl‹ richtig, so kann die Konzeption nicht am Karfreitag erfolgt sein ... Am Karfreitag wohnte Wagner noch in der Mietwohnung am Zeltweg. Da auf sie aber die Erwähnung von ›Zinne‹ und ›Gärtchen‹ nicht zutrifft, ist wenig wahrscheinlich, daß er in seiner Erinnerung die beiden Wohnungen verwechselt hat. ›Parsifal‹ kann also nach *Wagners* Darstellung wohl im Asyl auf dem Grünen Hügel, nicht aber am Karfreitag konzipiert worden sein.«
Der Karfreitag ist im »Parsifal« mehr als eine Datumsangabe, er ist ein Symbol. *Wagner* läßt an diesem Tag Parsifal von langen Irrfahrten auf Gralsgebiet gelangen; er schildert den »höchsten Schmerzenstag«, der doch zugleich Tag der Hoffnung ist, er beschreibt die Frühlingsaue in ihrem milden Licht und gestaltet alles das zum »Karfreitagszauber« seines dritten »Parsifal«-Aktes. Ob *Wagner* diese Vision tatsächlich am Karfreitag hatte oder in seiner Erinnerung, elf Jahre später, auf diesen Tag datierte und ob er wirklich auf die »Zinne« seiner neuen Wohnstatt trat, um den Frühlingstag zu genießen, ist unwichtig geworden. Seine Karfreitagsmusik bildet, unabhängig von ihrem Ursprung, die verklärteste, die er jemals komponierte.
Die *Wagner*-Forschung registriert – wenn wir die Geschichte des »Parsifal« chronologisch weiter verfolgen – ein undatiertes Notenblatt, das er im Frühjahr oder Sommer 1858 mit einigen Zeilen an *Mathilde Wesendonk* schickte. Sein Text (»Wo find' ich dich, du heil'ger Gral, dich sucht voll Sehnsucht mein Herze«) läßt auf einen Zusammenhang mit der Parsifalgestalt schließen. Aber bereits in der Prosa-

skizze zu »Tristan und Isolde« kam diese nicht mehr vor, so daß dieses musikalische Thema, das *Wagner* hier aufzeichnet, um so rätselhafter wird, da es weder in diesem Drama noch im viel späteren »Parsifal« auftaucht. Am 2. März 1859 richtet *Wagner* von Venedig aus, wo er am 2. Akt des »Tristan« arbeitet, bis er, etwa drei Wochen später, nach Luzern aufbricht, folgende Zeilen an *Mathilde:* »... dichterische Entwürfe stellen sich wieder lebhaft vor mich hin. Der Parzival hat mich viel beschäftigt: namentlich geht mir eine eigentümliche Schöpfung, ein wunderbar weltdämonisches Weib (die Gralsbotin) immer lebendiger und fesselnder auf. Wenn ich diese Dichtung noch einmal zu Stande bringe, müßte ich damit etwas sehr Originelles liefern. Ich begreife nun gar nicht, wie lange ich noch leben soll, wenn ich all' meine Pläne noch einmal ausführen soll ...«
Und dann, am 29. und 30. Mai des gleichen Jahres läßt *Wagner* sich in einem sehr langen Brief an die gleiche Empfängerin überraschend eingehend über seinen Parsifal-Plan aus. Überraschend, denn um diese Zeit steckt er voll in der aufreibenden Arbeit am letzten Akt des »Tristan«. Er geht von diesem aus, aber die Beschäftigung mit dem leidenden Helden führt ihn wie mit zwingender Selbstverständlichkeit zu »Parsifal«. In einer klaren Vision sieht er Anfortas*, den verwundeten Gralskönig, vor sich und erkennt, daß dessen Schmerzen, verursacht durch »die Speerwunde und wohl noch eine andere«, die des Tristan im dritten Akt »mit einer undenklichen Steigerung« seien. Er ahnt schon, zwanzig Jahre vor der endgültigen Gestaltung des Dramas, die Sehnsucht, die Anfortas nach dem Anblick des Grals empfinden wird, der aber immer wieder seine Qualen verschlimmern muß, da er ihnen »Unsterblichkeit verleiht«. *Wagner* malt die Leiden des Anfortas in glühenden Bildern aus, um dann die Folgerung zu ziehen: »Und so etwas soll ich noch ausführen? und gar noch Musik dazu machen? Bedanke mich schönstens! Das kann machen, wer Lust hat; ich werde mir's bestens vom Halse halten!« Der burschikose Schluß nach

* Frühere Schreibweise für »Amfortas« (bis 1877).

der leidenschaftlichen Schilderung ist echter *Wagner:* Er ist bis ins Innerste von der Tragödie des Anfortas erfüllt, aber er will es nicht zu deutlich zeigen, will vielleicht sogar noch sich selbst einreden, derartige Qualen nicht – nach dem »Tristan« – ein zweites Mal schildern zu wollen. Nun wendet er sich gegen *Wolframs* Auffassung (den er ironisch »Meister Wolfram« nennt), um zu zeigen, wie leicht es sich dieser gemacht, wie er »vom eigentlichen Inhalt rein gar nichts verstanden« habe. Dann geht er der Frage der Gralssage nach, stellt fest, daß man »leider bemerkt, daß alle unsere christlichen Sagen« – so auch die vom Gral – »einen auswärtigen, heidnischen Ursprung haben«. *Wolfram von Eschenbach* wird weiter zerzaust, bis kaum etwas Gutes an ihm bleibt, »höchstens einzelne Schilderungen, in denen überhaupt die mittelalterlichen Dichter stark sind: da herrscht schön empfundene Anschaulichkeit. Aber ihr Ganzes bleibt immer wüst und dumm.«
Hier berührt *Wagner* einen Punkt, der zu den wichtigsten seines Schaffens gehört: die Verwendung der alten Legenden und ihre völlige Umgestaltung bei ihm, ja ihre wahre Singgebung durch ihn: »Was müßte ich nun mit dem Parzival Alles anfangen! Denn mit dem weiß Wolfram nun auch gar nichts: seine Verzweiflung an Gott ist albern und unmotiviert, noch ungenügender seine Bekehrung. Das mit der ›Frage‹ ist so ganz abgeschmackt und völlig bedeutungslos. Hier müßte ich also rein Alles erfinden. Und noch dazu hat's mit dem Parzival eine Schwierigkeit mehr. Er ist unerlässlich nötig als der ersehnte Erlöser des Anfortas: soll Anfortas aber in das wahre, ihm gebührende Licht gestellt werden, so wird er von so ungeheuer tragischem Interesse, daß es fast mehr als schwer wird, ein zweites Hauptinteresse gegen ihn aufkommen zu lassen, und doch müßte dieses Hauptinteresse sich dem Parzival zuwenden, wenn er nicht als kalt lassender Deus ex machina eben nur schließlich hinzutreten sollte. Somit ist Parzivals Entwicklung, seine erhabenste Läuterung, wenn auch prädestiniert durch sein ganzes sinniges, tief mitleidsvolles Naturell, wieder in den Vordergrund zu stellen. Und dazu kann ich mir keinen breiten Plan wäh-

len, wie er dem Wolfram zu Gebote stand: ich muß alles in drei Hauptsituationen von drastischem Gehalt so zusammendrängen, daß doch der tiefe und verzweigte Inhalt klar und deutlich hervortritt; denn so zu wirken und darzustellen, das ist nun einmal meine Kunst. Und – solch eine Arbeit sollte ich mir noch vornehmen? Gott soll mich bewahren! Heute nehme ich Abschied von diesem unsinnigen Vorhaben; das mag *Geibel** machen und *Liszt* mag's komponieren!«

Wieder das gleiche: eine tiefernste Untersuchung des wahren Gehalts eines solchen Stoffes, die klare Erkenntnis der herauszuarbeitenden Linien und Gedanken, – und dann die gewollt banale Abkehr davon, die alltägliche Versicherung, daß derartiges für ihn nicht in Frage käme. Obwohl er doch wahrscheinlich im Innersten schon danach brennt, es zu gestalten ...

Für den Betrachter des endgültigen »Parsifal«-Dramas treten in diesem Brief aus dem Jahre 1859 zahlreiche hochinteressante Einzelheiten zutage. *Wagner* weiß bereits, daß er den gewaltigen Stoff in drei Hauptszenen oder Akte gliedern müsse. Daß Parsifals Wandlung deren Hauptinhalt zu bilden habe, daß aber daneben die Gestalt des Anfortas das Hauptinteresse beanspruchen müssen wird, da dieser, als der wahrhaft Leidende am tragischsten veranlagt sei. Er weiß auch schon, woran Anfortas leidet: einerseits an der Speerwunde, die ein Abtrünniger – Klingsor – ihm mit dem heiligen Speer beibrachte, aber kaum weniger an der Reue über die unheilige Liebe, die er in den Armen des »teuflisch schönen Weibes«, Kundrys, genoß und über die er seine wahre Sendung im Dienste des Grals vergaß. Viele der wichtigsten Züge des zwanzig Jahre später zur Ausführung gelangenden Parsifal-Dramas sind damit visionär erschaut und festgelegt. Und doch wird während der langen Zeit, die bis zu seiner Gestaltung vergeht, noch vieles reifen müssen. Vor allem in der Gestalt Kundrys, die, je länger desto klarer, zu einer Lieblingsgestalt *Wagners* werden wird: durch ihre rätsel-

* Emanuel Geibel, deutscher Dichter (1815–1884).

volle Vieldeutigkeit, durch ihre übermenschliche Spannweite, die alle anderen Gestalten weit hinter sich läßt.
Ein Jahr später kommt *Wagner* wieder, abermals in einem Schreiben (vom August 1860) an *Mathilde Wesendonk* auf »Parsifal« zurück. Er berührt die Seelenwanderung – ohne die Kundry nicht verständlich sein wird – und fährt fort: »Viel ist wieder der Parzival in mir wach gewesen; ich sehe immer mehr und heller darin; wenn Alles einmal ganz reif in mir ist, muß die Ausführung dieser Dichtung ein unerhörter Genuß für mich werden. Aber da können noch gute Jahre darüber hingehen! Auch möchte ich's einmal bei der Dichtung allein bewenden lassen. Ich halte mir's fern, so lange ich kann, und beschäftige mich damit nur, wenn mir's mit aller Gewalt kommt! Dann läßt mich dieser wunderbare Zeugungsprozeß aber mein ganzes Elend vergessen. – Soll ich davon plaudern? Sagte ich Ihnen schon einmal, daß die fabelhaft wilde Gralsbotin ein und dasselbe Wesen mit dem verführerischen Weibe des zweiten Aktes sein soll? Seitdem mir dies aufgegangen, ist mir fast alles an diesem Stoffe klar geworden. Dies wunderbar grauenhafte Geschöpf, welches den Gralsrittern mit unermüdlichem Eifer sklavenhaft dient, die unerhörtesten Aufträge vollzieht, in einem Winkel liegt, und nur harrt, bis sie etwas Ungemeines, Mühevolles zu verrichten hat – verschwindet zu Zeiten ganz, man weiß nicht wie und wohin? – Dann plötzlich trifft man sie einmal wieder, furchtbar erschöpft, elend, bleich und grauenhaft: aber von Neuem unermüdlich, wie eine Hündin dem heiligen Grale dienend, vor dessen Rittern sie eine heimliche Verachtung blicken läßt: ihr Auge scheint immer den rechten zu suchen – sie täuschte sich schon – fand ihn aber nicht ... Als Parzival, der Dumme, in's Land kommt, kann sie den Blick nicht von ihm abwenden: wunderbares muß in ihr vorgehen; sie weiß es nicht, aber sie heftet sich an ihn. Ihm graust es – aber auch ihn zieht es an: er versteht nichts (Hier heißt's – Dichter, schaffe!) Nur die Ausführung kann hier sprechen! – Doch lassen Sie sich andeuten, und hören Sie so zu, wie Brünnhilde dem Wotan zuhörte. – Dieses Weib ist in einer unsäglichen Unruhe und Erregung ... Diesmal ist ihr Zu-

stand auf das höchste gespannt. Was geht in ihr vor? Hat sie Grauen vor einer abermaligen Flucht, möchte sie ihr enthoben sein? Hofft sie – ganz enden zu können? Was hofft sie von Parzival? ... Nun raten Sie, wer das wunderbar zauberische Weib ist, die Parzival in dem seltsamen Schlosse findet, wohin sein ritterlicher Mut ihn führt? Raten Sie, was da vorgeht, und wie das Alles wird. Heute sage ich Ihnen nicht mehr! –«

Man mag lächeln, wie da das wenig mehr als ein Jahr zurückliegende »Gott soll mich bewahren!« und »So etwas soll ich ausführen? – Bedanke mich schönstens!« in ein »Die Ausführung dieser Dichtung muß ein unerhörter Genuß für mich werden!« gewandelt erscheint; man soll Menschen nicht auf Äußerungen früherer Zeiten festnageln, das ist immer ungerecht, denn unter allen Wesen der Natur, die immer wieder Veränderungen unterworfen sind, ist der Mensch das wandelbarste. Und schon gar das Genie! Hingegen soll *Wagners* immer hellsichtigere Erkenntnis der Kundry-Figur festgehalten werden: die hat nun wahrlich nichts mehr mit *Wolfram* zu tun, hier schafft *Wagner* aus tiefstem Eigenen.

Auch in den folgenden Jahren taucht der Parsifal-Plan immer wieder auf. Ein Freund aus der Biebricher Zeit *(Wendelin Weissheimer)* berichtet viele Jahre nach *Wagners* Tod, daß dieser »in mitteilsamer Stimmung auch auf die nach Bewältigung der ›Meistersinger‹ und der ›Nibelungen‹ geplanten Werke zu sprechen kam und sehr ausführlich und schon sehr ins einzelne gehend seine Ideen über ›Parsifal‹ entwikkelt« habe.

Die nächste Nachricht über »Parsifal« liegt dann nach dem »Wunder«, der Berufung und Übersiedlung *Wagners* nach München, der Erlösung aus tief erniedrigenden Erfahrungen durch die Freundschaft und Liebe eines Monarchen: *Ludwigs II. von Bayern.* Die ersten Maitage des Jahres 1864 verändern *Wagners* Leben vollständig, und sehr wahrscheinlich den Lauf der Musikgeschichte. Aus den Hoffnungen auf künftige Werke, ihre Ausführung und Aufführung wird nun Gewißheit. Am 18. Mai 1864 bereits lesen wir in einem

Brief an *Mathilde Maier:* »Nächstes Frühjahr ›Tristan‹ mit Schnorr;* zum Herbst dann ›Meistersinger‹; in drei Jahren ›Nibelungen‹. Dann ›Sieger‹, endlich ›Parzival‹«. Die Daten werden nicht einzuhalten sein (das des »Tristan« wird stimmen: 10. Juni 1865; bis zu den »Meistersingern von Nürnberg« vergehen drei Jahre, bis zum »Ring des Nibelungen« nicht drei, sondern zwölf), aber die Planung und Vorschau auf das Lebenswerk bleibt imposant. Mit Ausnahme der »Sieger« werden alle anderen Pläne zur Ausführung gelangen.

Noch genauer präzisiert *Wagner* seine Projekte Anfang Januar 1865 »seinem« König gegenüber: »Mai und Juni 1865: ›Tristan und Isolde‹ im Residenztheater, vor einem eingeladenen Publikum, drei bis sechs Aufführungen ... Mai und Juni 1866: ›Tannhäuser‹ und ›Lohengrin‹. Vollständig umgearbeitet und vollkommen richtig dargestellt ... Schauplatz: Residenztheater oder unter besonders günstigen Umständen im großen Hoftheater. Hierzu ›Tristan‹ wiederholt. August 1867: ›Ring des Nibelungen‹. Im neugebauten Festtheater. August 1868: ›Ring des Nibelungen‹ – wiederholt. August 1869: Kleinerer Festtag: ›Meistersinger‹. Dazu vielleicht: Tannhäuser und Lohengrin. August 1870: ›Die Sieger‹. Hierzu die Meistersinger. August 1871: ›Tristan und Isolde‹. ›Sieger‹ ›Meistersinger‹. August 1872: ›Parzival‹. Mit Wiederholungen. August 1873: ›Ring des Nibelungen‹. Vorher: Tannhäuser, Lohengrin, Tristan. Nachher: Meistersinger, Sieger, Parzival. Dann – mögen Andre kommen!«

Wieder könnte einiges aus dieser Liste interessant zu kommentieren sein: vor allem wohl der Bau eines »Festtheaters«, an den *Ludwig II.* und *Wagner* sofort in München gehen wollen (er wird bekanntlich viele Jahre später und in Bayreuth erfolgen), und das um zehn Jahre zu früh angesetzte Datum des »Parsifal«. Trotzdem: bewundernswert die Voraussicht auf Werke, von denen zum Teil noch keine Note geschrieben, ja sogar keine Zeile gedichtet ist.

Am 26. August des gleichen Jahres 1865 trägt *Wagner* in ein

* Ludwig Schnorr von Carolsfeld, Tenor der Dresdener Hofoper, erster Tristan.

Tagebuch ein: »Wie wunderbar – der König verlangt sehnlich von Parzival zu hören.« Drei Tage später teilt er *Ludwig* mit: »... Ihre nie ruhende Huld legt mir die schöne Nötigung auf, Ihnen früher schon ein paar Zeilen zuzusenden, als ich wollte, um Ihnen eine Überraschung machen zu können. Ich bin darüber, weil Sie es so wünschen, zum ersten Mal meinen Plan zu ›Parzival‹ schriftlich aufzuzeichnen: obwohl ich seit meiner frühesten Bekanntschaft mit diesem Stoffe nie wieder die Quellen desselben zur Hand genommen habe, und auch jetzt noch vermeiden muß, mich anders als – eben diesmal – nur vorübergehend damit zu beschäftigen, schwillt mir doch der Gegenstand – selbst bei dieser Fassung – so reich und mächtig an, daß ich die Ausarbeitung nicht, wie ich Anfangs meinte, in etwa zwei Tagen beendigen kann. Ich brauche noch einige gute Vormittage: dann ist der Entwurf fertig, und der, für den er einzig bestimmt ist, empfängt die Arbeit dann sogleich.«
Doch schon am nächsten Tage, dem 30. August 1865, beendet *Wagner* den sehr ausführlichen und langen Text und setzt mit einem Stoßseufzer, wie sie ihm manchmal nach Abschluß einer schweren Arbeit entfahren (so am 6. August 1859, nachdem er den Schlußstrich unter »Tristan und Isolde« gezogen hatte) hinzu: »So! das war Hilfe in der Not!« Diesen Ausruf ändert er in der Kopie, die er einen Tag später, am 31. August 1865, an den König schickt, in die Worte um: »Ist es gut so?« Erstaunlich bleibt an diesem bereits in kleinste Einzelheiten gehenden Entwurf, daß *Wagner* siebzehn Jahre vor der Vollendung des »Parsifal« bereits eine sehr klare Vision des Dramas besitzt. Über einen Punkt allerdings wird er noch viel grübeln müssen: über die Wiedergewinnung des heiligen Speers, der sich in der Hand des Todfeindes Klingsor befindet und ohne den eine Erlösung Anfortas' und die Rettung des Grals und seiner Ritterschaft nicht denkbar ist. Bereits zwei Tage nach Beendigung des Entwurfs geht ihm dieser Punkt im Kopfe herum und er bringt ihn für *Cosima* zu Papier, mit mehreren gedanklichen Möglichkeiten, zwischen denen zu wählen er sie auffordert: »Was ist besser, Cos?«

Parzival.

Anfortas, der Hüter des Grales, siecht an einer unheilbaren Speerwunde, die er in einem geheimnissvollen Liebesabenteuer empfangen. Titurel, der hochbejahrte Gewinner des Grales, sein Vater, hat im höchsten Alter dem Sohne sein Amt, damit die Herrschaft über die Gralsburg Monsalvat, übergeben. Er muss dem Amte vorstehen, trotzdem er sich durch den begangenen Fehltritt dessen unwürdig fühlt, bis ein Würdigerer erscheint, es ihm abzunehmen. – Wer wird dieser Würdigere sein? Woher wird er kommen? Woran wird man ihn erkennen? – –

Der heilige Gral ist die crystallene Trinkschale, aus welcher einst der Heiland beim letzten Abendmahle trank und seinen Jüngern zu trinken reichte. Joseph von Arimathia fing in ihr das Blut auf, welches aus der Speerwunde des Erlösers am Kreuze herabfloss. Sie ward als heiligstes Heiligthum lange Zeit der sündigen Welt geheimnissvoll entrückt. Als in rauhester, feindseligster Zeit, endlich unter den Bedrängnissen durch die kriegerischen Ungläubigen, die heilige Noth des Christenthums am höchsten stieg, trieb die Sehnsucht, das wundervoll stärkende Heiligthum, von dem alte Kunde vorhanden war, gottbegeisterte, von heiliger Liebe ergriffene Helden, zum Aufsuchen des Gefässes, in welchem das Blut des Heilands („sang réal“, woraus „San Greal“, „Sanct Greal“, „der heilige Gral“ entstand) lebendig und göttlich belebend sich heilsbedürftigen Menschheit erhalten hatte. Dem Titurel und seinen Getreuen ist das Heiligthum vom [illegible] entdeckt und in Obhut übergeben worden. Er schaarte um sich die heilige Ritterschaft zum Dienste des Grales, baute in wildem, unnahbar entlegenem Gebirgswalde die Burg Monsalvat („mons salvationis“), die von Niemandem aufzufinden war, als wer zur Pflege des Grales sich würdig erwies. – Seine Wunderkraft bekundete das Heiligthum zunächst dadurch, dass es seine Hüter

Beginn des ›Ersten Prosaentwurfs‹ zu »Parsifal«, den Wagner für König Ludwig II. von Bayern im August 1865 handschriftlich niedergeschrieben hat.

Abermals drei Tage später, am 5. September 1865, bedankt *Ludwig II.* sich von Hohenschwangau aus für *Wagners* Entwurf zu »Parcival*«. Er ist aufs tiefste ergriffen, nennt des Freundes Kunst »heilig, reinste, erhabenste Religion«. Er durchdenkt ihn und fragt *Wagner* nach der Bedeutung von Kundrys Kuß: warum werde Parsifal dadurch seine göttliche Sendung klar? Und *Wagner* antwortet am 7. September mit einer Erklärung, die in ihrem Anfang keine ist: »... Das ist ein furchtbares Geheimnis, mein Geliebter! Die Schlange des Paradieses kennen Sie ja, und ihre lockende Verheißung ... Adam und Eva wurden ›wissend‹. Sie wurden ›der Sünde sich bewußt‹. An diesem Bewußtsein hatte das Menschengeschlecht zu büßen in Schmach und Elend, bis es durch Christus erlöst ward, der die Sünde der Menschheit auf sich nahm. Mein Teuerer, kann ich in so tiefsinnigen Materien anders als im Gleichnis, durch Vergleichung sprechen? Den inneren Sinn kann doch nur der Hellsehende sich selbst sagen. Adam – Eva: Christus. – Wie wäre es, wenn wir zu ihnen stellten: – ›Anfortas-Kundry: Parzival?‹ Doch mit großer Behutsamkeit! ...«

Bis hierher gibt *Wagner* dem König äußerst schwierige Rätsel auf: *Ludwig* liebt es allerdings, sich in die Gedankenwelt des Freundes zu versenken, den Schaffensprozeß nachzuvollziehen und immer tiefer in das Bewußtsein zu tauchen, er und *Wagner*, der König und der Künstler, besäßen eine gemeinsame, nur ihnen zugängliche, tief mystische Welt, aus der alle Profanen, alles Profane ausgeschlossen sei. So baut der Monarch seine Traumschlösser, so schafft der Dichter-Komponist seine Werke. Sind sie nicht selbst in einem tiefen Sinne Gralsritter?

Dann wird *Wagner* deutlicher, der Brief fährt fort: »Der Kuß, der Anfortas der Sünde verfallen läßt, er weckt in Parzival das volle Bewußtsein jener Sünde, nicht aber als die seinige, sondern die des jammervoll Leidenden, dessen Klagen er zuvor nur dumpf empfand, davon ihm nun aber, am eigenen Mitgefühl der Sünde, der Grund hell aufging: mit

* Schreibweise Ludwig II.

Blitzesschnelle sagte er sich gleichsam: ›ach! Das ist das Gift, an welchem Jener siecht, dessen Jammer ich bisher nicht verstand!‹ – So weiß er mehr als alle andren, namentlich auch als die gesamte Gralsritterschaft, welche doch immer nur meinte, Anfortas klage um der Speerwunde willen! Parzival blickt nun tiefer . . .«

Dieser Brief gehört zu den interessantesten, die *Wagner* schrieb. Er enthält den Schlüssel zu seinem Parsifal-Drama. Hat er die letzte Erkenntnis nicht erst in diesem Augenblick empfangen, da er sie vor dem König ausbreitet? Parsifals Hellsichtigkeit im Augenblick des Kusses führt zu seiner Macht über den Speer. Im Entwurf, den er wenige Tage vorher gesandt hatte, entwindet Parsifal den heiligen Speer irgendeinem der Ritter, die nun auf Klingsors, des Zauberers, Geheiß auf ihn stürzen; von da angefangen aber gewinnt er die Sicherheit, daß Klingsor selbst es sein müsse, der Stärkste der Feinde, der ihn mit dieser Waffe angreife. Denn dieser Waffe wohnt immer noch, auch »in unheiligster Hand« (wie es in der endgültigen Fassung des Dramas heißen wird), eine gewaltige Kraft inne; des *Longinus** Speer, der einst Christus am Kreuz verwundete, ist immer noch – durch den Glauben der Christenheit – mehr als die Schwerter und Lanzen, mit denen Klingsors Ritter, die abtrünnigen Gralsritter, auf Parsifal eingedrungen waren und deren er sich nahezu spielend erwehrt hatte. Parsifal erkennt seine Sendung, als er im Kusse Kundrys nicht mehr die Wollust der sinnlichen Liebe, sondern den Weg zum Heil, zur Rettung Anfortas', zur Bewahrung des Grals, zur Erlösung Kundrys offen vor sich liegen sah, nachdem er bis dahin blind durch viele ritterliche Abenteuer gegangen war. Klingsor ahnt – als Einziger! – diese Wandlung, die in Parsifal vorgeht; er muß die stärkste Waffe einsetzen, wenn er ihm gewachsen sein will. Doch an diesem Sendungsbewußtsein, an dieser nunmehr göttlichen Kraft Parsifals wird die Waffe aus einem Todes- zu einem Lebenssymbol; sie bleibt über dem Haupte des Erwählten stehen, sie kann ihm nichts anhaben, sie gehört ihm.

* Name des römischen Soldaten, der Jesus am Kreuz verwundete.

In den folgenden Jahren kehren *Wagners* Gedanken immer wieder zu diesem Stoffe zurück, auch wenn er sich mitten in der Arbeit an anderen Werken befindet. »Tristan und Isolde« ist in München uraufgeführt worden; die Wirkung war ungeheuer; während Menschen in Schwermut verfielen oder sich das Leben nahmen unter dem Eindruck dieser Dichtung und Musik, hatte ihr Schöpfer sich längst davon befreit. In Tribschen wuchsen die »Meistersinger«. Liebesschmerz und Liebestod, unendliche Sehnsucht und ein unstillbares Heimweh in die Nacht waren heiterer Stimmung gewichen, Festwiesenaufzug, Johannisnachtsprügelei, erster Jungmädchenschwärmerei, milden Gedanken über Bürgerfleiß, -ehrgeiz, -weltoffenheit, klugen Betrachtungen über die Kunst verschiedener Epochen.
Kurz bevor dieses frohe, helle, klare Stück am 21. Juni 1868 – ebenfalls in München und ebenfalls durch den entscheidenden Einfluß *Ludwigs II.* – uraufgeführt wird, plant *Wagner* seinen weiteren Weg; an den Verleger *Franz Schott* in Mainz schreibt er: »... Für Ende dieses Jahres habe ich dem König noch die Beendigung des ›Siegfried‹ versprochen; die ›Götterdämmerung‹, das letzte ›Nibelungenstück‹ muß dann bald nachfolgen. Dann kommt noch etwas Neues – etwa um die ›Meistersinger‹ abzulösen – nämlich ein ›Parzival‹ – im Genre des ›Lohengrin‹ ...« Wieder sieht *Wagner* recht klar; es dürfte nicht viele große Schöpfernaturen gegeben haben, die sich ihren Pfad auf weite Entfernung so hellsichtig vorzeichneten. Er irrt wieder ein wenig in der Abschätzung der Distanzen: Bis zur Vollendung des »Siegfried« wird mehr Zeit vergehen, als er hier veranschlagt, und das Ende der »Nibelungen« liegt in noch ziemlich weiter Ferne. Und darin, daß »Parsifal« nicht im »Genre« des »Lohengrin« gelingen wird, sondern ganz, ganz anders. Der *Wagner* der End-Siebzigerjahre wird von dem der Mitte-Vierzigerjahre sehr verschieden sein: menschlich und künstlerisch in unvorhersehbarer Weise gereift.
Immer wieder finden sich Bemerkungen von *Wagner* nahestehenden Beobachtern, die seine innere Beschäftigung mit dem Parsifal-Thema bezeugen. Er liest in den Quellen, wenn

Wagners Villa, Haus »Wahnfried« in Bayreuth.

ihm auch *Wolfram von Eschenbach* und *Chrétien de Troyes* ein wenig ferngerückt sind; *Görres* fesselt ihn stärker (dessen Buch er schon, wir erwähnten es, in den Marienbader Sommer von 1845 mitgenommen hatte), und 1872 beschäftigt ihn der möglicherweise keltische Ursprung der Gralssage. *Liszt,* dem *Wagner* um die gleiche Zeit Parsifal-Skizzen vorliest, ist vor allem von deren mystisch-religiösem Inhalt ergriffen.

Im November 1874 führt *Wagner* sie dann einem größeren Kreis im großen Salon des Hauses Wahnfried in Bayreuth vor. Nun ist er Hausherr, lädt zu sich, nicht wie in früheren Jahren in ein Hotel, um seine Werke vorführen zu können. Der eigene Park, die eigene prächtige Villa, nicht weit von seinem eigenen werdenden Festspielhaus: Er hat gesiegt. Es ist ein stolzes Gefühl, gegen unzählige Schwierigkeiten und Feinde so vollständig gesiegt zu haben.

Da sitzt er, umgeben von Menschen, die ihn lieben und ihm ergeben sind. Er nimmt ein Buch zur Hand – »das ist ein Geschenk meiner Frau, sie gab es mir vor langen Jahren, damit

ich in guter Stunde etwas hineinschreiben sollte« – und liest seinen Gästen den Entwurf des »Parsifal«, so wie er ihn 1865 für den König niedergeschrieben hatte. »Er ist bis jetzt unbenutzt geblieben«, fügt er hinzu. Die Anwesenden sind zutiefst erschüttert. *Gustav Adolph Kietz,* der Bildhauer, der ein Jahr zuvor eine Marmorbüste *Wagners* verfertigt hatte und nun zum engsten Kreis um Wahnfried gehörte, berichtet seiner Frau: »Wagner las – ich bin überzeugt, daß es das Schönste ist, was er je gedichtet hat – es war alles so wunderbar, so ergreifend erzählt und vorgetragen. Du kannst Dir keinen Begriff davon machen, liebe Marie, in welche mystische Wunderwelt man da versetzt wird. Und wie las Wagner die Dichtung vor! Man sah alles plastisch vor Augen und wurde vom tiefsten Leid ergriffen. Du kennst ja die Dichtung von Wolfram von Eschenbach, daran darfst Du aber nicht denken; es ist etwas ganz anderes, Unsagbares!...«
In jenen Tagen hatte *Wagner* die Partitur seines gewaltigsten Werkes vollendet: Am 21. November 1874 schloß er mit »Götterdämmerung« den »Ring des Nibelungen« ab. Jetzt lagen zwei Pläne vor ihm; der eine – »Die Sieger« – war immer weiter in den Hintergrund getreten, der andere aber, »Parsifal« nahm nun ganz von ihm Besitz. An *König Ludwig* schreibt er (am 1. Oktober 1874): »Als die Familie Feustel* in meinen fertig gewordenen Wohnsaal trat, sagte die Frau: ›Was werden Sie hier nun erst schaffen!‹ – Ich blickte Cosima an, und flüsterte ihr zu: ›Ja, ja – an den ‚Parzival' glaube ich nun auch!‹ – Und dieser ›Parzival‹, mein holder König, er sei Ihnen gelobt! Schon liegt Alles zu den Studien bereit...«
Doch im Drange der Geschäfte fand *Wagner* immer noch nicht die innere Stimmung, die gerade für dieses Werk unerläßlich war. Die »Geschäfte«: das waren das Festspielhaus, die Vorbereitung der ersten Festspiele, die Gründung und Ermunterung aller *Richard-Wagner-Vereine,* die verstreut über ganz Deutschland entstanden, die Geldsuche für das gewaltige Unternehmen, das in der Geschichte der Künste nicht seinesgleichen kannte. Immer wieder gab es neue

* Der Bayreuther Bankier Friedrich Feustel war einer der eifrigsten Förderer Wagners in der Stadt, die er als Wohnsitz und Festspielort erwählt hatte.

Das Bayreuther Festspielhaus »auf dem grünen Hügel«.

Schwierigkeiten, Enttäuschungen, Fehlschläge. Aber in *Wagner* lebte eine unheimliche Kraft, alles zu vollbringen, was er sich vornahm, die rechten Menschen in seinen Bann zu ziehen, zu Mitstreitern zu gewinnen. So viele und so verschiedene es auch sein mochten, einer war stets entscheidend: *Ludwig II.* Es mag müßig sein, darüber nachzusinnen, wie *Wagners* Leben und die Musikgeschichte ohne diesen »wahnsinnigen König« verlaufen wären, dessen grenzenloser Idealismus und schrankenlose Hingabe Wagner alles ermöglichte, wovon andere nicht einmal zu träumen wagten.
Durch ihn – den *Wagners* ungeheurer Wille in begeisterten Bann geschlagen hatte –, aber ohne ihn öffnete das Festspielhaus auf Bayreuths »grünem Hügel« am 13. August 1876 seine Pforten: Kaiser waren anwesend, Könige und Fürsten, Künstler und Bürger aus nah und fern. Nur *Ludwig* war nicht dabei: Nach der letzten der Generalproben – der »Götterdämmerung« am 9. August – war er im Morgengrauen des 10. abgereist, um den zahllos herbeiströmenden Gästen und Ehrengästen nicht zu begegnen. Nicht nur aus

Menschenscheu. Er wollte Kunst, die ihm wahrhaft naheging, nicht anders als allein oder an der Seite eines einzigen, durch Seelenverwandtschaft verbundenen Menschen genießen.

Das Fest war vorüber, der Alltag wieder eingekehrt. Und der hieß: Gäste, Korrespondenz und – es schien Wagners Fluch zu sein, der ihn niemals verließ – Schulden. Berge von Schulden, die sich auftürmten, drückend, unabtragbar scheinend. Doch nun waren es kaum noch seine Schulden, wie in so vielen früheren Stationen seines Lebens; Schuldner war nun sein Unternehmen, und das war zur nationalen Angelegenheit emporgewachsen. Es würden schon Wege gefunden werden, um die Sache zu regeln. Im Notfall war ja da immer noch, immer wieder der eine: *Ludwig II.* Und so reist *Wagner,* heiter und ruhig, Mitte September 1876 mit der Familie nach Italien.

Das Jahr 1877 rückt heran. Es wird das erste der für *Wagners* letztes Werk entscheidenden Jahre werden. Am 25. Januar – *Cosima* vermerkt es in ihrem Tagebuch – ruft *Wagner* seine Frau zu sich: »Ich will Dir etwas nicht sagen . . .« beginnt er. Sie reagiert, wie er es erwartete: »Oh, sag' es!« und er verkündet ihr: »Ich beginne den ›Parzival‹ und laß nicht eher von ihm, als er fertig ist«. Während beinahe einem Monat – vom 25. Januar bis 23. Februar 1877 – schreibt *Wagner* den zweiten Prosa-Entwurf nieder. Fortlaufende Tagebucheintragungen *Cosimas* begleiten diese Epoche; die letzte, vom 23. Februar, lautet: »Gestern Abend schrieb Richard emsig und heute Früh auch, um, wie er mir sagte, mich zu überraschen. Zu Tisch gibt er mir wirklich auch den in Prosa dialogierten Parzival«.

Es ist das letzte Mal, daß *Wagner* – und mit ihm *Cosima* – die bis dahin regelmäßig von ihnen verwendete Orthographie benützen: Parzival und Anfortas. Lange Zeit nahm man an, die Änderung sei um den 13. Februar 1877 erfolgt, so wie Wagners Biograph *Carl Friedrich Glasenapp* es überlieferte; doch die Herausgeber der Wagner-Dokumentation, *Martin Geck* und *Egon Voss,* glauben an ein Versehen bezüglich dieses Datums: einmal, weil der zweite Prosaentwurf, der

eben im Entstehen ist, bis zum 23. Februar die alte Schreibweise Parzival und Anfortas verwendet; zum andern, weil Cosima am 14. März in ihre Aufzeichnungen neben anderem einträgt: »... Parsifal wird er heißen«. Also dürfte es der 13. März 1877, nicht der 13. Februar gewesen sein. Von diesem Datum an heißt es: »Parsifal« und »Amfortas«.
Kaum ist der Prosaentwurf – bereits mit Dialogen versehen, wie wir sahen – vollendet, geht *Wagner* an die Dichtung. Wir kennen deren Abschnitte genau, denn *Wagner* trägt die Daten in die Urschrift ein und *Cosima* bestätigt sie zumeist in ihrem Tagebuch: Der erste Akt liegt am Gründonnerstag, 29. März 1877 vor, der zweite am 13. April, der dritte am 19. April. *Wagner* muß diese Dichtung wie in einem Sturm, einem Schaffensrausch geschrieben haben: Zwei Wochen nahm der zweite Akt, nur sechs Tage der dritte in Anspruch! Am Abend des 20. April 1877 las *Richard Wagner Cosima* das eben beendete Werk vor.
Am 30. April 1877 treten *Cosima* und *Wagner* die Reise nach London an, in deren Verlauf es acht Konzerte mit Werken *Wagners,* sowie einen Empfang bei *Königin Victoria* gibt. Am 17. Mai 1877 liest *Wagner* einem versammelten kleinen Kreis in London den vollständigen »Parsifal« vor. »Von 8 bis 10 Uhr abends«, wie ein Teilnehmer verzeichnet.
Ein längerer Kuraufenthalt in Bad Ems schließt sich an. Am 4. Juli trifft *Wagner* in Heidelberg ein und liest auch dort, am 8., die »Parsifal«-Dichtung vor. Weitere Reisen folgen; einige davon dürften für *Wagner* wehmütige Erinnerungen heraufbeschworen haben: Am 18. Juli 1877 weilt er in seinem alten Tribschener Haus, am Ufer des Vierwaldstätter Sees, und einige Tage später besucht er die Wartburg bei Eisenach, die er vor 35 Jahren erstmals erblickt und wenig später zur malerischen Kulisse seines »Tannhäuser« gemacht hatte. Ende Juli 1877 kehren *Cosima* und *Wagner* nach Bayreuth zurück –, nicht sonderlich glücklich, wie es scheint; denn in mehreren Briefen äußert *Wagner* die Absicht, nach Amerika auszuwandern, wo er viel Geld zu verdienen hoffte.

Wann *Wagner* mit der Komposition des »Parsifal« begonnen hat, ist nicht genau festzustellen. *Cosima* verzeichnet im Tagebuch unter dem 1. August 1877: »Richard nicht ganz wohl ... er hat aber sein Atelier zum Parsifal eingerichtet und heute hörte ich einige erste Töne!« Demgegenüber berichtet *Glasenapp:* »Die Hauptthemen des Vorspiels, der mystische Liebesmahlspruch, mit seinem langgezogenen schwellenden Aufstieg den gesamten Aufbau des Tonstücks beherrschend, wie auch das ritterliche Glaubensthema mit seiner strahlenden Heldenkraft, und mehrere andere Motive, waren damals schon längst in seinen Skizzenblättern aufgezeichnet, und rühren zum Teil schon aus der Periode der dichterischen Ausführung seines Werkes her«. Am 10. August 1877 hört *Cosima* die Abendmahlszene (»Nehmt hin mein Blut«) zum ersten Mal.
Am 15. September 1877 versammeln sich in Bayreuth die Abgesandten der Patronatsvereine, *Wagner* spricht zu ihnen, gesteht den »schrecklichen Zustand« der Festspiele ein, zweifelt am Reichstag wie an *Bismarck* als möglichen Helfern, entwirft seinen Plan einer Opernschule unter seiner Leitung, in der Sänger, Musiker und Dirigenten zur »deutschen Oper« – also vor allem zu seinen eigenen Werken – herangezogen werden sollten. Am nächsten Abend, dem 16. September 1877, liest er vor den Delegierten in seiner Villa Wahnfried den »Parsifal«. *Hans von Wolzogen,* der zu einem wichtigen *Wagner*-Schriftsteller und -erklärer werden sollte und in diesem Jahre 1877 mit der Leitung der »Bayreuther Blätter« betraut wurde, hat darüber berichtet: »Jene Vorlesung war mein erstes Erlebnis im Hause Wahnfried. Und welch ein unvergleichliches Erlebnis! Man denke nur: zum ersten Male die Dichtung des ›Parsifal‹ kennen zu lernen, ohne eine Ahnung davon gehabt zu haben – und kennen zu lernen aus des Dichters eigenem Munde, in seiner wundersamen Art, welche durch größte Natürlichkeit, ohne alles Pathos, nur von der innerlichen Empfindungswahrheit zu ethischer Ausdrucksgewalt gesteigert, die ganze Handlung in geheimnisvollen lebendigen Bildern an den Hörern vorbeiziehen ließ...«

Unmittelbar darauf muß *Wagner* mit der eigentlichen Kompositionsarbeit begonnen haben. An den Anfang der Orchesterskizze setzt er: »Bayreuth, 25. Sept. 1877«. Doch die zweifellos sehr intensive Arbeit (*Cosima* vermerkt am 26. September: »... die Augen angestrengt!«) hindert ihn nicht, an *Judith Gautier*, die Geliebte der Festspieltage, am 1. Oktober einen Brief in ihrer (französischen) Sprache zu schreiben. Er schickt ihr 62 Francs und bittet sie, für ihn Parfum zu kaufen: »Wählen Sie einen Duft nach Ihrem Geschmack, sehr nach Ihrem Geschmack, und legen Sie vielleicht noch ein halbes Dutzend gepuderter Papiersäckchen dazu, die ich zwischen meine Morgenwäsche legen könnte, um so mit Ihnen in enger Verbindung zu sein, wenn ich mich ans Klavier setze, meine Parsifal-Musik zu komponieren ...«, lautet die Übersetzung ungefähr.

Bald braucht er noch weitere Inspiration für seine Arbeit: »Ich hätte gern – für meine chaise longue* – eine sehr schöne und ungewöhnliche Decke, die ich ›Judith‹ nennen werde! Hören Sie zu: sehen Sie, ob Sie einen jener Seidenstoffe finden, die man Lampas nennt oder – wie? Auf gelbem Satingrund – so blaß wie möglich – Blumenzeichnung –, Rosen; das Muster nicht zu groß, denn es ist ja nicht für Vorhänge bestimmt; man verwendet es eher für kleine Möbel. Sollte es gelb nicht geben, dann ein sehr helles Blau. Ich brauche sechs Meter davon! Das alles ist für die guten Morgen mit Parsifal...«, heißt es, dieses Mal in deutscher Sprache.

Zehn Tage lang arbeitet *Wagner* an der langen Erzählung des Gurnemanz im ersten Akt. Am 13. November 1877 notiert *Cosima:* »Am Nachmittag rief er mich in den Saal um mir das vorzuspielen, was er eben gespielt: den Beginn von Gurnemanz' Erzählung, ›in heiliger Nacht neigten sich ihm die Boten‹«. Und am 23. November 1877: »Richard beendigt die Erzählung von Gurnemanz«. Dann beeilt sich *Cosima,* die Dichtung des »Parsifal« ins Französische zu übersetzen, damit *Judith* sie lesen könne und ihr Gatte sich mit der

* Dieses lange Zeit auch im Deutschen gebräuchliche, ja geradezu eingedeutschte Wort bezeichnete ein Ruhebett mit erhöhter Kopfstütze.

schönen Französin darüber – schriftlich – ausspräche. In einem seiner Briefe hat er *Judith* eine Aufklärung über den Namen Parsifal gegeben, die bei ihm sonst nirgends zu finden ist: »... Der Name ist arabisch. Die alten Troubadoure haben ihn nicht mehr verstanden. ›Parsi fal‹ bedeutet: ›parsi‹ – denken Sie an die Parsen, die das Feuer anbeteten – ›rein‹; ›fal‹ heißt ›verrückt, närrisch‹ aber in einem höheren Sinn, also ein Mensch ohne Bildung, doch genial (›Fellow‹, im Englischen, scheint mit der orientalischen Wurzel verwandt zu sein) ...« Also: der reine Tor, wie *Wagner* seinen Parsifal stets nennt. Wann und wie hat er von dieser Namensherkunft erfahren?

Gegen Weihnachten 1877 erschien der Text zu »Parsifal« im Druck. Es hatte viel Streit um dessen Form gegeben, *Wagner* war – wie so oft – heftig aufgebraust: »Ich bin ganz außer mir über den mehr als grotesken Ausfall des Druckes des ›Parsifal‹! ... Sehen Sie sich die Geschmacklosigkeit dieses Satzes an! Der Text wie für ein Blindeninstitut, und die szenischen Bemerkungen dagegen in grellster Kleinheit ...« wettert er (am 7. Dezember) gegen den Verleger. Eine Woche später hat sich – wie ebenfalls oft – seine Aufregung gelegt: »Einstweilen, da ich die Ausstattung fertig sah, hat sich meine Opposition gegen dieselbe gelegt ... ich muß doch in der Herstellung des ›Parsifal‹ namentlich die Intention des Verlegers rühmend anerkennen ...« Dann bittet er das Haus *Schott* ihm »jedenfalls 30 Freiexemplare großmütigst überlassen und bald zusenden zu wollen«. Eines davon solle, »de la part de l'auteur«* direkt an Madame *Judith Gautier* geschickt werden, »welche uns bei der Übersetzung hilft« –, eine reizende Begründung bei einer Frau, die eben erst deutsch lernte ... Am 27. Dezember kommt ein Telegramm *Franz Liszts* aus Budapest an, das Freude in der Villa Wahnfried für das Jahresende verbreitet: »Soeben Parsifal empfangen. Dank verstummt, aber Herz und Seele bleiben eigenst Dein Liszt«.

* französisch: auf Veranlassung des Verfassers

Das Jahr 1878 beginnt. In den Tagebüchern der wundervollen *Cosima* – die sich, vom ersten bis zum letzten Tage ihres Lebens mit *Wagner* Nacht um Nacht zum Schreibtisch setzt, um jedes Wort, jede Handlung, jeden Gedanken, jeden Traum, jeden Schmerz, jede Freude des Geliebten aufzubewahren – finden sich zahllose Anmerkungen zum »Parsifal«. Sie erwähnt die Stellen, die er mit ihr bespricht, die er ihr vorspielt; und wenn nur vermerkt steht: »R. arbeitet«, dann heißt es hier, daß wieder ein paar Takte des großen Werkes den Weg aus seinem Kopf und Herzen, zumeist über das Klavier, auf das Papier gefunden haben, wo sie nun für immer leben sollen.

Am 23. Januar 1878 besprechen sie das künftige Bühnenbild des »Parsifal«, die Dekoration für den Gralstempel. *Cosima* schlägt »eine Basilika vor, zwei Schiffe durch Säulen, welche zu den dadurch unsichtbar gemachten Türen führen«. Am Abend dieses Tages spielt er ihr seinen Musikentwurf zu dieser Szene vor, »der herrlichsten aller je gedichteten und in Musik ertönten« (Cosima).

Im Februar beginnt *Wagner* die Komposition des zweiten Akts, am 13. März die Orchesterskizze. Am 15. März 1878 äußert *Wagner* Sorgen wegen der gerade entstehenden großen Szene zwischen Parsifal und Kundry: er habe »schon Manches in diesem Stil gemacht«, so etwa die Venusszene (im »Tannhäuser«), aber er fürchte sich davor. Und zieht *Mozart* zum Vergleich heran: hätte der die Erscheinung des Komthurs (im Finale des »Don Giovanni«) noch ein zweites Mal ähnlich zustande gebracht? Am 31. März 1878 singt er *Cosima* die ergreifende Stelle vor, an der die ihn umdrängenden Blumenmädchen Parsifal freigeben, da Kundry erschienen ist, und ihr langsamer, wie aus weiter Ferne dringender Ruf ertönt: »Par-si-fal . . .« Seit der ein Knabe war, hat er diesen Namen nicht mehr gehört: so nannte ihn die Mutter, der er entlief und die längst tot ist. Er hat ihn schon vergessen, und nun ruft ihn eine weiche, zärtliche Frauenstimme, und er ist wieder da mit dem Gedanken an die Mutter. Par-si-fal . . . Und *Wagner* sagt zu *Cosima* erklärend: »Das kann nur die Musik . . .«

Am 31. März schließt *Wagner* mit der Königlichen Hoftheater-Intendanz in München einen Vertrag über »Parsifal«: die erste Aufführung werde in Bayreuth mit dem königlichen Hoforchester sowie dem künstlerischen und technischen Personal dieser Bühne stattfinden; dann gehe »das unbeschränkte Recht der Aufführung an die königliche Hoftheater-Intendanz ohne weiteres Recht auf Tantiemenbezug« über. Es wird auch bei diesem, wie bei vielen, ja den meisten Verträgen *Wagners,* höchstens zur teilweisen Erfüllung kommen.

An seinem Geburtstag – es ist der fünfundsechzigste –, am 22. Mai 1878, schreibt *Wagner* an *König Ludwig:* »Wollte mich die Not wieder mit ihren schwarzen Krallen fassen, rasch stieg da der für Sie – damals – entworfene ›Parsifal‹ in mir wieder auf: an ihm webe ich nun Tag für Tag. Der verhängnisvolle ›Kuß‹ hat bereits den Zauber der Torheit gelöst: ›Amfortas!‹ – bis so weit bin ich. Zwei Dritteile der Komposition sind fertig. Doch bin ich jetzt zu einem Punkte gelangt, der mich – bei bisher unausgesetzter Arbeit – sehr angreift, weshalb ich für den Monat Juni eine Unterbrechung beschlossen habe, welche ich . . . meiner leichten Erholung widmen werde. – Im Herbst gedenke ich dann mit der Komposition des Ganzen fertig zu sein, und dann bereits mich auf die Ausführung der Partitur zu werfen . . .«

Tatsächlich: am 30. September 1878 beendet *Wagner* die Komposition, am 11. Oktober die Orchesterskizze des zweiten Akts. »Das war ein schöner Tag, dieser elfte Oktober! Der göttliche Brief* kam an und – der zweite Akt des ›Parsifal‹ wurde fertig bis zur letzten Note. Da gab es denn Jubel und schöne Tränen in Wahnfried! Wohl hatte ich Grund, die Beendigung gerade dieses Aktes wie ein Fest zu feiern. Mir bangte, vor dem Beginn, vor den furchtbaren Aufregungen, welche die große Katastrophe zwischen Parsifal und Kundry darbot. Ich habe im ›Tristan‹ die verzehrendsten Leiden der Sehnsucht in undenklichster Steigerung bis zum schmerz-

* König Ludwigs.

lichsten Todesverlangen wiederzugeben gehabt; das Rasen der Leidenschaft füllt den ›Ring des Nibelungen‹ an und Venus und Tannhäuser wissen – in meiner späteren Bearbeitung – was die Schrecken der Liebe sind. Aber für Parsifal und Kundry ist das alles wieder etwas Neues: hier sind zwei Welten mit sich im Kampfe um die letzte Erlösung. Oft sagte ich mir: nachdem ich so oft schon in diese Sphären mich verloren, hätte ich mir es diesmal ersparen können. Aber, da hieß es, wie es der gemeine Mann ausdrückt: ›Wer die Suppe eingebrockt hat, mag sie auch ausessen!‹ – Schon klagte ich Ihnen, mein mitleidvoller Freund, daß meine Erwartungen vom Sommer für meine Gesundheit sich nicht erfüllt hatten: ich hatte mich gerade bei dem verhängnisvollen ›Kusse‹ für meine Kur unterbrochen; da sollte ich dann nun gerade fortfahren, wo nur die übermütigste Stimmung so viel abwerfen kann, daß die entscheidensten Leiden der Menschheit mit völlig zärtlicher Sorgfalt gepflegt werden dürfen. Ich sehnte mich nach einem Akte der ›Meistersinger‹, und ich gedachte meines alten – nun längst verstorbenen – Freundes, des Chordirektors Fischer in Dresden, dem ich im Jahre 1848 aus den Zeitungen von ›unruhigen Auftritten‹, welche irgendwo stattgefunden, vorlas, und der darauf mit gefalteten Händen ausrief: ›Ach! wenn ich nur einmal etwas von ruhigen Auftritten hörte!‹ – Nun, ich habe mich in das Fegefeuer geworfen und bin glücklich wieder aus ihm aufgetaucht. Ich weiß – auch diese Arbeit ist Unsrer würdig ausgefallen. – Und nun soll es unverzüglich an den dritten Akt gehen, der mir nun die gesegnete Ernte der Mühen des zweiten Aktes vorhält. Noch habe ich ihn aber durch ein Orchester-Vorspiel einzuleiten, mit welchem ich Parsifals mühevolle Irrfahrten bis zum Wiederfinden des Gralsgebietes begleite. Dies aber führt zur Karfreitags-Aue – und da werde ich gern verweilen . . .«, schreibt er an *Ludwig*.

Am 30. Oktober 1878 beginnt die Komposition, am 14. November die Orchesterskizze des dritten Akts. Doch war das dramatische Vorspiel schon vorher entworfen: er spielte es am 28. Oktober *Cosima* vor, zeigte die vielen Blätter, auf denen er sich Notizen dazu gemacht hatte, bat sie ihm zu raten und bemerkte, »so zu phantasieren, Einfälle zu haben, das ist nicht schwer; meine Schwierigkeit ist immer die Beschränkung...«

Cosimas auf den Weihnachtstag fallender Geburtstag rückt näher, und *Wagner* (»Ich lebe an Deiner Seite die glücklichste Zeit meines Lebens!«) möchte ihr eine große Freude machen. Heimlich erbittet er vom *Herzog von Meiningen* dessen Orchester für einige Tage – ungefähr 45 Musiker, denen er die Reise und eine Aufenthaltsentschädigung zu bezahlen verspricht – und so erklingt, unter *Wagners* Leitung am Morgen des 25. Dezember 1878 in der großen Halle Wahnfrieds das Vorspiel zu »Parsifal«. *Wagner* berichtet darüber *König Ludwig* ausführlich, vom Plan, von der Korrespondenz mit *Meiningen,* von der Ankunft des Orchesters, von den Proben in einem Gasthof, alles in größter Heimlichkeit; und »heimlich schlich Alles am ersten Feiertagsmorgen in die Halle meines ›Wahnfried‹, bis endlich das lautwerdende Geheimnis meine Frau aus dem Schlafe weckte. Als dieses wunderbare Ton-Mysterium erklang –, wer von uns Beiden hätte da nicht an Ihn, den holden Stern unsres ›Parsifal‹ gedacht! Alles weinte und schluchzte vor Ergriffenheit, bis ich denn lustig der Sache ein Ende machte...«

Das Jahr 1879 hat begonnen. Am 13. Januar spielt *Wagner* dem aus München zu Besuch gekommenen Hofkapellmeister *Hermann Levi* und einigen wenigen anderen den dritten Akt des »Parsifal« vom Vorspiel bis zur Anbetung des Speers vor. *Wagner* bezeichnet Gurnemanz als seinen »Liebling«, vergleicht ihn mit Hans Sachs (»Die Meistersinger von Nürnberg«) und »Kurwenal (»Tristan und Isolde«).

Cosimas Tagebücher verzeichnen für diesen Tag noch eine weitere, seltsame Szene, die hier aus dem Original* wiedergegeben sei: »Wie die anderen Freunde sich entfernen, bleibt Freund Levi, und wie er uns meldet, daß sein Vater Rabbiner ist, so kommt das Gespräch wieder auf die Israeliten, darauf, daß sie zu früh in unsere Kulturzustände einge-

* Cosima Wagner, Tagebücher, München ^{2}1982, SP 251–254

griffen haben, daß das allgemein Menschliche, welches aus dem deutschen Wesen sich hätte entwickeln sollen, um dann auch dem Jüdischen zugute zu kommen, daß dies in seiner Entfaltung aufgehalten worden ist durch die frühzeitige Einmischung in unsere Angelegenheiten, bevor noch daß wir gewußt, wer wir seien ... Uns beiden wiedergegeben, sprechen Richard und ich von dem merkwürdigen Zug einzelner Juden zu ihm, er sagt, wir bekommen in Wahnfried eine Synagoge!« Die Zahl von Juden, die – oft an entscheidenden Stellen – im Umkreis des Antisemiten *Wagner* zu finden ist, stellt tatsächlich eine eigenartige Erscheinung dar. Unter den frühesten und begeistertsten Vorkämpfern für *Wagner* befanden sich auffallend viele Juden. Und gerade in der Zeit der Arbeit am »christlichsten« seiner Werke müßte von mehreren die Rede sein: *Hermann Levi* wird, wie wir bald sehen werden, die Uraufführung des »Parsifal« leiten; *Angelo Neumann* führt 1878, zum ersten Mal außerhalb Bayreuths, in seinem Leipziger Theater den »Ring des Nibelungen« auf und leistet ab 1882 mit seinem wandernden *Wagner*-Theater für die Verbreitung von dessen Werken in weiten Teilen Europas mehr als irgendein anderer; schließlich *Joseph Rubinstein,* der seit 1872 als musikalischer Helfer in *Wagners* Umgebung lebte, 1876 als Assistent bei den ersten Festspielen wirkte, den Klavierauszug des »Parsifal« herstellte, doch bereits ein Jahr nach *Wagner,* im 38. Lebensjahr starb. So gehört auch die Stellung den Juden gegenüber zu den widersprüchlichsten Fragen im Leben *Wagners,* die hier nur erwähnt sei, so weit sie mit der Entstehung und dem Triumph des »Parsifal« in enger Verbindung steht. *Cosima* dachte in diesem Punkt radikaler als *Wagner* – obwohl auch sie persönliche Ausnahmen zuließ –, *König Ludwig* hingegen stand jeder Diskriminierung von Minderheiten völlig ablehnend gegenüber.

Am 9. Februar 1879 tauchen in einem Brief an *König Ludwig II.* schwere Bedenken bezüglich der Aufführungsmöglichkeiten des – noch nicht vollendeten – »Parsifal« auf: Gurnemanz, Klingsor und Amfortas wisse er zu »besetzen«, aber Interpreten für Parsifal und Kundry seien noch nir-

gends zu erblicken. Und er sei der »Stümpereien« müde. Doch seine Bitterkeit hält nicht lange vor, wenige Zeilen später heißt es: »Ich fühle mich glücklicher als je: meine Arbeit ist für mich der Quell eines Lebens, das in immer neuen, seelischen Bildern mich freundlich beruhigend umgibt. Ich habe einen Freund, wie ihn keiner hat, ein Weib, wie es keinen Mann noch beglückt, und – da – da lacht mutig und lustig ein Sohn, hell wie ein Wälsung*; und über alles Denken, Ahnen und Wünschen hinaus erbaut sich mir eine Welt, nicht des Hoffens, sondern des Vertrauens. Und wie sollte dieses Vertrauen nicht in mir leben, da ich doch täglich an einer Weltgeburt aus meinem Inneren arbeite? Gewiß! Der ›Parsifal‹ gelingt! Meine Freude an seinem Gedeihen wächst, wie das Werk selbst. Gewahrt mein hochgeliebter Herr und Freund etwas an meiner Stimmung? Nun denn: ›Kundry‹ ist getauft, und ›Parsifal‹ blickt sanft entzückt auf die lachende Aue: schon ist diese vor mir aufgeblüht**; an ihrem zarten Duft will ich nun dieser Tage mich weiden ...«
Am 27. März 1879 – noch liegt der Winter hart auf Bayreuth und Wahnfried, wie *Cosima* im Tagebuch vermerkt – schreibt *Wagner* abermals an den König: »... Ich nahe mich der Vollendung der musikalischen Ausführung meines Gedichtes; während es mich unruhig drängt, meiner etwas angegriffenen Kräfte Herr zu werden, um die Vollendung der Kompositions-Skizze (womit ja die Erfindung der Musik für alle Zeiten festgestellt ist) zu fördern, hält mich ein anderes Gefühl von diesem Eifer zurück, mit welchem ich mir sage: ›Tor! Bist du so eilig die über alles Elend täuschende, tiefe Befriedigung wieder zu verscheuchen, welche während dieser Arbeit dich einzig über die Welt und ihren Jammer hinwegschwebend erhielt?‹ In der Tat! Nie ist es mir so nahe, als nach meinen letzten Erfahrungen, herangetreten, was es heißt, ein fertiges Werk von mir nun für das Gefallen der Welt durch öffentliche Preisgebung durch unsere erbärmli-

* Wagner nennt die von Wotan in die Welt gesetzte Heldenrasse »Wälsungen« (im »Ring des Nibelungen«).
** die Karfreitags-Musik im ersten Bild des dritten Akts.

chen theatralischen Reproduktionsmittel vorzubereiten ... Es ist mir Alles an meiner Arbeit wohlgelungen: nur noch Weniges habe ich hinzuzufügen; ich stehe mit Amfortas vor der enthüllten Leiche Titurels*. Es wird mir zum Trost, dieses Wenige noch vor mir zu haben, und – um meinem schmerzlichen Gefühle des Scheidens von dieser Arbeit einen Ausdruck zu geben, habe ich beschlossen, wenigstens vor dem Eintritt der milden Jahreszeit sie nicht zu beschließen, so daß ich nach der Niederschrift der letzten Note doch mindestens die ›Aue‹ mir zulächeln sehen kann ...«
Am gleichen Abend trägt *Cosima* folgendes in ihr (fast hundert Jahre geheimgehaltenes) Tagebuch ein: »Donnerstag 27ten R. war etwas beunruhigt die Nacht, und heute erklingt das Heim nicht! Er schreibt an den König, und beim Kaffee sagt er mir, diese Briefe hätten etwas Künstliches, und er habe ein Gefühl der Scham und des Unrechts gegen mich, wenn er in solchen Dithyramben** zu einem andren sich einlasse; die Lage, die Briefe des Königs brächten es so mit sich ...«
Dieses Gespräch ist interessant, weil es wieder die fast unglaubliche Fähigkeit *Wagners* zeigt, sich in seinem Ausdruck jedem Partner voll anpassen zu können: es wird aus seinem Briefwechsel nicht minder klar wie aus seiner dramatischen Kunst. Vielleicht könnte er ohne diese aufs höchste ausgebildete Gabe nicht den genauen Ton für jede Gestalt seiner Dramen treffen. Es ist ihm gegeben, sich in jede Figur zu versetzen, in ihren Bildern und Ausdrücken zu denken wie zu sprechen.
Am 16. April 1879 vollendet er die Kompositionsskizze, am 26. April die Orchesterskizze des dritten Akts und schreibt neben dieses Datum: »Aus!« Bedauernd, wie er es andeutete, oder befreit, stolz, glücklich? Wahrscheinlich beides zugleich, so wie ein Mensch – und gar ein Zwillingsgeborener wie *Wagner!* – verschiedenartige, entgegengesetzte Gefühle

* Szene aus dem letzten Bild der Oper, dem zweiten des dritten Akts.
** überschwengliche Phrasen, ursprünglich (griech.) lyrische Poesie zu Ehren der Götter.

zu gleicher Zeit in sich tragen kann. Am nächsten Tage läßt *Wagner* sich – *Cosima* registriert es genau im Tagebuch – über die Instrumentation des ›Parsifal‹ aus, die ganz anders werde als es die des »Ring« gewesen sei: »wie Wolkenschichten die sich teilen und wieder bilden, würde es sein«. Ein Monat vergeht, am 28. Mai 1879 teilt *Wagner Ludwig II.* mit: »Ich konnte in drei Auditionen meinen herbeigekommenen Freunden von meinem Wahnfriedischen ›Hofpianisten‹ Joseph Rubinstein Akt für Akt den ›Parsifal‹ bis zur letzten Note vorspielen lassen. Ein Traum war es mir und Allen, daß so Etwas wieder geschaffen war!«
Über die letzte Phase, das Orchestrieren oder Instrumentieren, also das Ausfertigen der Partitur, gibt *Glasenapp* im August 1879 eine anschauliche Schilderung, die für *Wagners* Arbeitsweise bezeichnend ist: »Seit dem 7. August 1879 war er wieder mit altgewohnter Arbeit beschäftigt, indem er zunächst die Linien zu seiner Partitur zog. In die Orchesterskizze, welche *Liszt* während seines Besuches zu sehen bekam, waren bereits alle Instrumente eingetragen. Sie enthielt gleichsam in nuce* das vollständige Skelett der Partitur, auf zwei bis drei, mitunter auch mehr Systeme verteilt, deren Ränder mit geheimnisvollen Zeichen und Zahlenreihen – nur dem Kundigen verständlich – bedeckt waren. Sie galten nicht bloß den Details der Orchestration, sondern auch der Einteilung der Partitur, deren genaue Berechnung den Meister instand setzte, im voraus das ganze Werk zu paginieren** und Seite für Seite mit genau abgemessenen Taktlinien zu durchziehen, ehe er sich anschickte, die im Kopf bereits fertige Partitur niederzuschreiben. In diesem Sinne war das ›Linieren‹ seiner Partitur zugleich schon ihre eigentliche Ausarbeitung, nicht bloß der erste Schritt dazu, er richtete sie so genau mit Angabe der Instrumente ein, daß er behauptete, ein anderer könne danach die Partitur schreiben . . .«
Am letzten Tag dieses Jahres 1879 bricht *Wagner* aus Bayreuth auf. In München verbringt er mit Hofkapellmeister

* im Kern (lat).
** in Seiten einteilen.

Levi, mit dem berühmten Maler *Franz von Lenbach* – der die wohl bekanntesten Porträts *Wagners* verfertigte – und anderen Freunden einen gemütlichen Silvester-Abend, bevor er mit seiner Familie nach Italien weiterreist. In Neapel wird für viele Monate Quartier in der am Posilippo gelegenen Villa Angri bezogen. Dort trifft am 18. Januar 1880 der russische Maler *Paul von Joukowsky* – in Wagners* Umgebung manchmal verdeutscht »Schukoffsky« geschrieben – ein; er wird zu einem der engsten Freunde und zum Bühnenausstatter der »Parsifal«-Premiere. Am 9. März kommt der wenig über 25jährige deutsche Musiker *Engelbert Humperdinck* an und wird ebenfalls in den Freundeskreis aufgenommen; er wird von *Wagner* mit der Abschrift der »Parsifal«-Partitur betraut.

Von *Humperdinck* stammt eine hübsche Schilderung der Geburtstagsfeier, die von und für Wagner am 22. Mai 1880 in der Villa Angri bereitet wird: »... Man war bereits mit eifrigen Vorbereitungen zu der siebenundsechzigsten Geburtstagsfeier des Meisters beschäftigt, für die nicht Geringeres als eine Aufführung – die erste! – der Liebesmahlszene aus dem ›Parsifal‹ in engstem Kreise geplant war. Rubinstein und Plüddemann** hatten die Aufgabe übernommen, die nicht leichten Gralslieder aus der Höhe, von denen die Stimmen bereits ausgeschrieben waren, den Kindern einzustudieren. Tag für Tag wurde geprobt, bis es ging. Dann kam der 22. Mai. Wagners Geburtstag. Feurig glühend war die Sonne über dem Vesuv aufgegangen. – Ihre scheidenden Strahlen übergossen Berge und Küsten mit einer Glorie von trunkener Schönheit, als die ersten Takte der Verwandlungsmusik*** begannen. Rechts vom Flügel, an dem Rubinstein saß, waren wie eine Perlenschnur die festlich geschmückten Fräulein aufgereiht, deren jugendliche Gesichter leuchteten vor Erwartung und Aufregung. Gegenüber

* Schreibweise auch: Joukovsky.
** Martin Plüddemann, ein junger Musiker aus dem Freundeskreis.
*** die Überleitungsmusik vom ersten zum zweiten Bild des 1. Akts.

von ihnen standen Plüddemann und meine Wenigkeit, jeder eine Gralsritterpartie* in der Hand, im Hintergrund befanden sich als Zuhörer Frau Cosima Wagner mit ihrem Sohn, ihr zur Seite Schukoffsky und Hartmann**. In der Mitte des Kreises saß Wagner, vor sich auf einem Pult die ausgeführte Skizze des ›Parsifal‹, aus der er sang und dirigierte, Solist, Kapellmeister und Regisseur in einer Person. Mit seiner nicht großen, aber klangvollen und umfangreichen Stimme, der alle Register zu Gebote standen, wußte er alle einzelnen Vorgänge in eindrucksvoller Weise wiederzugeben, des Gurnemanz Mahnung, die Klagen des Amfortas um das verwaiste Heiligtum, Titurels weihevoll ernste Grabestöne. Dazwischen klangen wie Engelsstimmen die Gesänge aus der Höhe, wechselnd mit den rauheren Tönen der Ritter und Knappen. Und wenn einmal ein Sopran versagte, oder ein Tenor durch Abwesenheit glänzte, dann half der Meister aus und führte so ohne alle Fährnisse das Werk zu glücklichem Ende. Schon sank die Dämmerung hernieder, als die letzten Klänge leise verschwebten: ›Selig im Glauben!‹ Alles schwieg in lautloser Entrücktheit, als hätte eine unerhörte Offenbarung aus einer höheren Welt sich soeben verkündigt; dann löste der Bann der Ergriffenheit sich in spontane, nicht enden wollende Begeisterung auf ... Es war schon spät, als ich Abschied nehmen wollte. Einen Augenblick bedachte sich der Meister. Dann sprach er zu mir: ›Junger Freund, hätten Sie nicht Lust, nach Bayreuth zu kommen? Es gäbe dort allerlei für Sie zu tun, was Ihnen vielleicht Spaß machen würde.‹ Wer war froher als ich? ...«

Am 26. Mai 1880 wird ein Ausflug nach Ravello unternommen. In dem Fremdenbuch des dortigen Palazzo Rufolo steht zu lesen: »Richard Wagner. Mit Frau und Familie. Klingsors Zaubergarten ist gefunden!« Der tropisch üppige Garten rief in *Wagner* die Vision seines zweiten »Parsifal«-Aktes herauf; er hatte ihn aus seiner Phantasie geschaffen – ein wenig nach dem Vorbild der Liebesgefilde in

* gemeint sind die Chorpartien.
** Ludwig Hartmann, ein junger Musiker, Liszt-Schüler, Komponist, Kritiker.

»Tannhäuser« – und nun glaubte er ihn in Wirklichkeit zu erblicken. So berichtet er auch dem König: »... Wir besuchten das auf der Gebirgshöhe gelegene Ravello, ein jetzt verfallenes Städtchen, welches aber wunderbare Bau-Reliquien aus der Zeit der Okkupation der Araber erhalten hat. Hier trafen wir prachtvolle Motive zu Klingsors Zaubergarten an, welche sofort skizziert und zu weiterer Ausführung für den zweiten Akt des ›Parsifal‹ bestimmt wurden. Da Joukowsky nämlich ganz zu uns nach Bayreuth übersiedeln wird, haben wir ihn dazu bestimmt, nicht nur zu ›Parsifal‹, sondern zu allen meinen theatralischen Werken ausführliche Zeichnung und Bilder, sowohl der Dekorationen als der Kostüme anzufertigen: da dies genau nach meinen Angaben geschehen soll, ist zu erwarten, daß wir hiermit der Zukunft etwas Nützliches übergeben ...« Im Spätsommer besucht *Wagner* den Dom von Siena, und wieder hat er eine Vision seines »Parsifal«: »Ich mußte eine Zeichnung vom Innern des Domes machen, welche mir später für den Entwurf des Gralstempels sehr nützlich wurde«, erinnert sich *Joukowsky* später.
Im September 1880 trifft *Liszt* bei *Wagner* ein, der in der Villa Torre Fiorentina in Siena mit seiner Familie Quartier bezogen hat. Dort notiert *Cosima* am 24. September: »... Wir spazieren ein wenig in den Weinbergen. R. freut sich der Gegend, aber auch der Fahrt nach Venedig, und namentlich auch, weil er die Blätter nicht fallen sehen wird. – Aber er ist im ganzen etwas verstimmt, und er erscheint nicht zum Abendbrot – doch gibt ihm mein Vater Lust durch das, was er über Parsifal sagt, etwas daraus vorzunehmen, und nach dem Abendbrot wird beinahe der ganze dritte Akt von meinem Vater gespielt und von R. göttlich gesungen ...«
Immer noch von Siena aus richtet *Wagner* am 28. September 1880 einen langen Brief an *König Ludwig*. Er enthält schwerwiegende Gedanken über die Zukunft des »Parsifal«: »... In Betreff dieses meines letzten Werkes mußten überhaupt in der letzten Zeit vielerlei Überlegungen und – sage ich es offen – Gewissens-Befragungen mich zu einer ernsten Zurückhaltung bestimmen. Ich habe nun alle meine, noch so ideal konzipierten Werke an unsre, von mir als tief unsittlich

erkannte, Theater- und Publikums-Praxis ausliefern müssen, daß ich mich nun wohl ernstlich befragen mußte, ob ich nicht wenigstens dieses letzte und heiligste meiner Werke vor dem gleichen Schicksale einer gemeinen Opern-Carière bewahren sollte. Eine entscheidende Nötigung hierfür habe ich endlich in dem reinen Gegenstande, dem Sujet meines ›Parsifal‹ nicht mehr verkennen dürfen. In der Tat, wie kann und darf eine Handlung, in welcher die erhabensten Mysterien des christlichen Glaubens offen in Szene gesetzt sind, auf Theatern, wie den unsrigen, neben einem Opernrepertoire und vor einem Publikum, wie dem unsrigen, vorgeführt werden? Ich würde es wirklich unseren Kirchenvorständen nicht verdenken, wenn sie gegen Schaustellungen der geweihtesten Mysterien auf denselben Brettern, auf welchen gestern und morgen die Frivolität sich behaglich ausbreitet, und vor einem Publikum, welches einzig von der Frivolität angezogen wird, einen sehr berechtigten Einspruch erheben. Im ganz richtigen Gefühl hiervon betitelte ich den ›Parsifal‹ ein ›Bühnenweihspiel‹. So muß ich ihm denn nun eine Bühne zu weihen suchen, und dies kann nur mein einsam dastehendes Bühnenfestspielhaus in Bayreuth sein. Dort darf der ›Parsifal‹ in aller Zukunft einzig und allein aufgeführt werden: nie soll der ›Parsifal‹ auf irgend einem anderen Theater dem Publikum zum Amusement dargeboten werden: und, daß dies so geschehe, ist das Einzige, was mich beschäftigt und zur Überlegung dazu bestimmt, wie und durch welche Mittel ich diese Bestimmung meines Werkes sichern kann . . .«

Ludwig II. liest diese Ausführungen seines geliebten Freundes und über alles verehrten Meisters sicherlich mit ernstester Aufmerksamkeit. Er findet viele seiner eigenen Gedankengänge hier in Worte gekleidet: die Übelstände der Theaterbetriebe, ihr seichtes Repertoire, ihr vergnügungssüchtiges Publikum. Für ihn, wie für *Wagner,* sollte Kunst stets etwas Heiliges sein, eines der tiefsten Anliegen der Kulturen, eine Grundaufgabe der Menschheit. *Ludwig* überlegt einige Tage; nicht die Berechtigung der Wagnerschen Forderung steht im Zweifel, sondern höchstens die Art, wie ihr Rech-

nung getragen werden kann. Dann dekretiert er am 15. Oktober 1880: »Zur Förderung der großen Ziele des Meisters Richard Wagner finde Ich Mich bewogen, das Orchester und den Gesangchor Meiner Hofbühne dem Bayreuther Unternehmen von 1882 ab alljährlich auf zwei Monate zur Verfügung zu stellen . . . Ferner verfüge Ich, daß alle früheren Vereinbarungen über die Aufführung des Bühnenweihfestspiels ›Parsifal‹ aufgehoben sind«.
»Parsifal« scheint für Bayreuth gesichert. Nicht nur die Uraufführung, sondern die Ausschließlichkeit aller Aufführungen für alle Zeit. In seinem Brief hat *Wagner* noch einen weiteren Punkt angeschnitten, einen materiellen, der ihm utopische Gedanken eingibt. Er hegt sie wohl wirklich, wir dürfen nicht annehmen, daß er sie als Druckmittel auf *Ludwig* zu Papier gebracht hat. Es handelt sich um die Frage, wie er sich die Aufführungsrechte aller seiner Werke zurückkaufen könnte, so daß nur seinem eigenen Willen vorbehalten bliebe, wer sie spielen dürfe und zu welchem Zeitpunkt. Er schrieb: »Ich bin . . . entschlossen, im Herbst des nächsten Jahres durch einen etwa sechsmonatlichen Aufenthalt in den Vereinigten Staaten von Nord-Amerika mir ein Vermögen zu verdienen, dessen Besitz mir und meinen Erben für alle Zeit die Nötigung, des Aufführungsrechtes meiner Werke uns zu entäußern, erspart . . .«
Aus diesem Plan – wenn er wirklich bestand – wurde nichts. Wäre er geglückt? Amerika wurde eben erst als Eldorado der Künstler in Betracht gezogen: *Johann Strauß* war hingefahren, aber der gehörte einer anderen Sparte der Musik an als *Wagner,* der ihn übrigens außerordentlich schätzte. In den darauffolgenden Jahren werden *Tschaikowsky* und *Dvořák* dorthin reisen und mit manchem negativen Vorurteil Europas gegenüber der Kunstfreudigkeit der Neuen Welt aufräumen. Hätte *Wagner* dort »das Vermögen« verdient, von dem er hier träumt? Der Passus muß *Ludwig* ein wenig traurig gestimmt haben: mehr als er selbst dem Freund zugehalten hat – gegen Rat, ja Auflehnung seines Kabinetts –, nein, mehr konnte ihm wohl niemand geben . . .

Der König ahnt noch nicht, daß seine letzte Begegnung mit *Wagner* bevorsteht. Er hat den Wunsch geäußert, den Freund im November 1880 für einige Tage in München zu haben: Am 10. wollte er »Lohengrin« – immer noch seine erklärte Lieblingsoper, nicht zuletzt weil sie es gewesen, die ihn zur Berufung *Wagners* in seine unmittelbare Nähe veranlaßt hatte – in einer »Sondervorstellung« genießen, also in einer nur für ihn veranstalteten Aufführung, der er am liebsten in einer Loge verborgen beiwohnte. Und zwei Tage später wünschte er sich, von *Wagner* dirigiert, das Vorspiel zu »Parsifal« hören zu können.

Über diese denkwürdige Stunde gibt es einen Augenzeugenbericht. *Wagners* Verleger *Dr. Ludwig Strecker,* Leiter des Hauses *B. Schott's Söhne,* hat ihn verfaßt*: »München, 12. November 1880. Freitag, 6 Uhr abends. Gestern Abend nach dem Theater noch schickte die ›Frau Meisterin‹** Dr. Pohl*** zu mir, um mir sagen zu lassen, daß heute um 3 Uhr das Vorspiel zu ›Parsifal‹ aufgeführt werde. Um die bestimmte Zeit verfügte ich mich in das Theater****, wo wir (Pohl und ich) nur mit großen Umständen eingelassen wurden, denn die Sache sollte im engsten Kreise probiert und um 4 Uhr vor dem König gespielt werden. Im Saal waren wirklich mit der Familie Wagner nur ca. 30 Personen. Kurz vor 3 kam Wagner und wurde vom Orchester mit Tusch und Zuruf empfangen, in den wir Zuhörer kräftig einstimmten ... Er bestieg den Dirigentenplatz und sagte zu dem Orchester: »Ja, ja, Sie sind erstaunt, mich wieder einmal hier unter Ihnen zu sehen ... wir wollen nur ... ein kleines Stück probieren, ganz leicht, wirklich ganz leicht ... haben's schon probiert? Keine Fehler drin? Höchstens Kompositionsfehler?« So plauderte er fort, ergriff dann den Stab und ging zur Probe über. Zu dem Vorspiel selbst gab mir Rubinstein ein von Wagner ausgehendes Programm (es war von der Hand seiner Tochter geschrieben) ...

* publiziert in »Richard Wagner als Verlagsgefährte«. B. Schott's Söhne, 1951.
** Cosima, die Gattin Wagners
*** der Musikschriftsteller Dr. Richard Pohl
**** Münchener Hoftheater

Vorspiel zu Parsifal.*
Liebe – Glaube –: Hoffen?

Erstes Thema: ›Liebe‹.
›Nehmet hin meinen Leib, nehmet hin mein Blut, um unsrer Liebe willen!‹
(Verschwebend von Engelsstimmen wiederholt).
›Nehmet hin mein Blut, nehmet hin meinen Leib, auf daß ihr mein gedenkt!‹
(Wiederum verschwebend wiederholt).
Zweites Thema: ›Glaube‹.
Verheißung der Erlösung durch den Glauben. – Fest und markig erklärt sich der Glaube, gesteigert, unerschütterlich selbst im Leiden. Der erneueten Verheißung antwortet der Glaube, aus zartesten Höhen – wie auf dem Gefieder der weißen Taube – sich herabschwingend, immer breiter und voller die Brust, das menschliche Gefieder einnehmend, die Welt, die ganze Natur mit mächtigster Kraft erfüllend –, dann wieder nach dem Himmelsäther wie sanft beruhigt aufblickend –.
Da, noch einmal, aus Schauern der Einsamkeit, erbebt die Klage des liebenden Mitleides: Bangen, heiliger Angstschweiß des Ölberges, göttliches Schmerzens-Leiden des Golgatha – der Leib erbleicht, das Blut entfließt und erglüht nun in himmlischer Segensglut im Kelche, über alles was lebt und leidet die Gnadenwonne der Erlösung durch die Liebe ausgießend. – Auf ihn, der – furchtbare Reue im Herzen – in den göttlich strafenden Anblick des erglühenden Grales sich versenken mußte, auf Amfortas, den sündigen Hüter des Heiligtumes, sind wir vorbereitet: wird seinem nagenden Seelenleiden Erlösung werden? – Noch einmal vernehmen wir die Verheißung; und – hoffen!
Dies ist** das vollständige Programm des Stückes, das in der

* dieses von Wagner für König Ludwig geschriebene »Programm« des Parsifal-Vorspiels wird hier nicht ganz nach der Version Dr. Streckers gebracht (der dazu bemerkte: »Pohl hatte es annektiert, ich schrieb es mir ab), sondern in der, nur sehr geringfügige Abweichungen aufweisenden Fassung in der »Wagner-Dokumentation«, B. Schott's Söhne Mainz 1970, Band 30.
von hier an wieder die Memoiren Dr. Streckers.

Art des ›Lohengrin‹-Vorspiels in sich selbständig ist und genau (unter Wagners Direktion, wie ich es zwei Mal gehört habe) 14½ Minuten dauert. Es ist von großer Schönheit, die mich wunderbar gestimmt hat. Dabei muß man freilich die besonderen Umstände berechnen, die den Zuhörer gefangen nahmen: Wagner in Person zum erstenmal das langersehnte Werk dem König vorführend, der nicht ahnen darf, daß noch Menschen außer ihm zuhören! – Wagner probierte das Stück zweimal ganz durch, worüber es fast 4 Uhr wurde. Dann ließ er den Musikern etwas Ruhe und plauderte mit ihnen, während dem wir, hinten an die Wand des Parterre gedrückt und im Schatten des vorgebauten ersten Ranges verborgen, leise unser Entzücken austauschten. – Pünktlichkeit ist aber so scheint's dieses Königs Sache nicht, denn erst 25 Minuten nach 4 kam er, was wir daran merkten, daß das Orchester (alle im Frack und weißer Binde) und Wagner (ebenso angezogen) aufstanden und einen Moment unbeweglich nach der königlichen Loge über uns hinaufsahen. Dann begann das Spiel. Als es zu Ende war, drehte sich Wagner gegen den König, der ihm ein Zeichen gemacht haben muß, und verließ das Orchester. Wir blieben grabesstill. Bald kam W. wieder. Ein kurzes Bewegen und Tuscheln im Orchester entstand und Levi brachte die Nachricht, der König wolle das Vorspiel jetzt noch einmal hören und dann – zur Vergleichung – das von ›Lohnegrin‹. – Nach dem großen, nicht nur künstlerischen Erlebnis empfand ich den Versuch, einen solchen bedeutenden Augenblick zu wiederholen, als eine Profanierung, wie wenn man zwei Mal hintereinander zum Abendmahl gehen wollte! Und gar erst die Lohengrinmusik zum Vergleich, nach Art einer Weinprobe, zu kosten, war für mich eine unkönigliche Stilwidrigkeit, selbst, oder gerade weil er sich in dieser Weihestunde allein fühlte. Es war offenbar, daß Wagner, der übersensible Künstler darunter litt. Jedenfalls überließ er nach der Wiederholung des Parsifalvorspiels Levi seinen Platz. Es dauerte dann ziemlich lang, bis er anfing. Der Meister, dessen Nerven in diesen Tagen überbeansprucht waren, mußte wohl erst über die gestellten Zumutungen hinwegkommen. Das

Orchester war laut mit Stimmen und Schwatzen beschäftigt. Auch wir unterhielten uns freier. Plötzlich steht Levi auf: lautlose Ruhe. Und Lohengrin geht an. Nach Schluß sieht Levi zum König, das Orchester steht wie ein Mann auf, Levi nickt ihnen zu – der König hat seine Loge verlassen –, und ruhig verschwindet alles. – Es war gerade ½6 geworden. – Frau Wagner und die Kinder, die während des Probierens vor Ankunft des Königs in den ersten Reihen des Parketts saßen, hatten sich später in eine Loge des ersten Ranges zurückgezogen, sodaß der König wirklich niemanden gesehen hatte«.

In *Cosimas* Tagebüchern lautet die entsprechende Eintragung so: »Freitag 12ten ... Um 3 Uhr Probe und Vorspiel im Hoftheater. R. wieder mit inniger Freude inmitten des Orchesters gesehen; Tusch, er sehr heiter, gemütlich, freut sich u. a. an des Bratschisten Toms' Gesicht. Das Vorspiel wird zweimal gespielt, darauf verlangt der König das Vorspiel zu Lohengrin. R. sehr aufgebracht dadurch. Läßt mich in die Garderobe rufen, wo er trotz allem heiter ist. Aber zu Hause ist er müde ...« Die Beziehungen zu Ludwig erleiden keine Störung, es werden noch viele Briefe in beiden Richtungen folgen. Aber der König bleibt – im Gegensatz zu 1876, als er Proben des »Ring des Nibelungen« beiwohnte – den Proben und Aufführungen des »Parsifal« fern.

Wagner kehrt am 17. November 1880 mit seiner Familie nach Bayreuth zurück. Er hielt diesen Zwischenfall mit dem König für keine Trübung seiner Freude darüber, daß er »in München und von den Münchenern« so herzlich aufgenommen worden war. Die Zeit ändert viel (worüber schon *Nestroy* ein bezauberndes Couplet mit diesem Refrain geschrieben hat), in nur knappen fünfzehn Jahren hatte sich der Haß, der *Wagner* damals überall offen entgegengeschlagen war, in Bewunderung, ja in Begeisterung gewandelt. Oder hatten jetzt nur diese Kreise, die ihm immer schon gewogen waren, die Oberhand über die Feinde bekommen? Oder war er nun unabhängig vom Alltagsleben, vom Umgang mit allen Schichten geworden, mit denen er seinerzeit notgedrungen noch zu tun hatte?

Schon wenige Tage nach der Heimkehr nimmt *Wagner* die Arbeit an der Partitur des »Parsifal« wieder auf. »R. begibt sich an seine Partitur, ist aber unzufrieden. Er geht etwas aus und setzt sich wieder an die Arbeit. Die Blechmusik auf der Bühne ist ihm nicht recht, er sucht und freut sich, wie er meint, gefunden zu haben ...«, notiert *Cosima.* Und drei Tage später, am 26. November 1880, bemerkt sie nicht nur, daß er arbeitet, sondern erwähnt eine Idee des Bankiers *Feustel,* der rät, den Klavierauszug von »Parsifal« auf Subskription herauszugeben, »was Amerika möglicherweise unnötig machen würde«. Spukt dieser Gedanke doch in den Gesprächen des Ehepaars herum? Könnte mit einer solchen Ausgabe das »Vermögen« verdient werden, das *Wagner* für die Zwecke der Ausschließlichkeit des »Parsifal« für Bayreuth haben zu müssen glaubt? Oder ist *Cosima* in Gelddingen so naiv und ahnungslos wie ihr Gatte?

Das neue Jahr beginnt, und »Parsifal« ist noch nicht beendet. Am 8. Januar 1881 läßt *Engelbert Humperdinck*, der spätere Komponist von »Hänsel und Gretel«, sich in Bayreuth nieder und beginnt mit der für ihn von *Wagner* vorgesehenen Arbeit: »... Bald nach meiner Ankunft gab's zu tun. Aus der Hand des Meisters empfing ich die ersten Bogen seines Manuskriptes*, schönes dreißigreihiges Pariser Partiturpapier mit bläulichen Noten dicht bedeckt. Wie sauber und zierlich und dabei doch schwungvoll die Züge der Handschrift verlaufen, mit welcher Sorgfalt, fast wie ›gestochen‹ die Notenreihen gesetzt sind, das weiß jeder, der einmal eine Wagnersche Originalpartitur gesehen hat. Dabei keinerlei Abkürzungen, wie sie sonst im Gebrauch sind, keinerlei Weglassungen, weder in Instrumentenbezeichnungen noch in Angaben der Schlüssel, der Vortragszeichen, der Tonarten, kurz, es fehlt nicht das geringste Detail. Man sollte denken, daß diese subtile Art der Niederschrift sehr zeitraubend gewesen sein müsse. Und doch verging fast kein Tag, ohne daß – ›ganz frisch noch die Schrift und die Tinte

* der werdenden Orchesterpartitur.

noch naß‹* – etliche Bogen Notenpapier in der zwischen Wahnfried und Angermann** pendelnden Mappe den Weg zu mir fanden. Dabei pflegte Wagner nur wenige Stunden des Tages der Partiturarbeit zu widmen, und so sehr ich mich auch bemühte, mit meiner Abschrift gleichen Schritt zu halten, gelang es mir nie, ihn gänzlich einzuholen«, erinnert *Humperdinck* sich später.

Obwohl also zur Vollendung der Partitur noch viel fehlt, beginnt *Wagner,* sich mit der szenischen Verwirklichung, der Uraufführung des »Parsifal« zu befassen. Er will an dem Datum festhalten, das er bereits am 1. Dezember des Vorjahres den »geehrten Patronen der Bühnenfestspiele in Bayreuth« mitgeteilt hat: Sommer 1882. Er bestimmt, da er Münchens Chor und Orchester zur Verfügung haben wird, den Hofkapellmeister dieses Instituts, *Hermann Levi,* zum Dirigenten. Und er hält über zahlreiche Diskussionen, Intrigen, Anfeindungen, Verleumdungen an ihm fest. *Levi* selbst, voll Glücksgefühl über diese Betreuung, wird aber doch durch Druck von verschiedenen Seiten verbittert und zur plötzlichen Abreise aus Bayreuth veranlaßt. Nur wenige Tage später – am 1. Juli 1881 – ruft *Wagner* ihn zurück: »... Um Gottes Willen, kehren Sie sogleich um und lernen Sie uns endlich ordentlich kennen! Verlieren Sie nichts von Ihrem Glauben, aber gewinnen Sie auch einen starken Mut dazu! Vielleicht – gibt's eine große Wendung für Ihr Leben – für alle Fälle aber – sind Sie mein Parsifal-Dirigent.«

Den Bühnenmeister von 1876, *Karl Brandt,* ruft *Wagner* wieder zu sich, damit er die technische Leitung übernehme; auch dieser um die ersten Festspiele hochverdiente Mitarbeiter nimmt freudig an, aber er überlebt das Jahr 1881 nicht. Sein Sohn *Fritz Brandt* wird den »Parsifal« und die folgenden Festspiele betreuen. Einer weiteren wertvollen Hilfe von 1876 erinnert sich *Wagner: Lilli Lehmann* hatte, damals 28jährig, die Woglinde (eine der Rheintöchter) und die Helmwige (eine der Walküren) gesungen. Ihre unge-

* Zitat aus dem zweiten Akt der »Meistersinger von Nürnberg«.
** Der Gasthof in Bayreuth, wo Humperdinck Wohnung genommen hatte.

wöhnliche Begabung – die sie später zu einer der führenden Sängerinnen der Welt machte – sowie ihre Arbeitsdisziplin waren *Wagner* aufgefallen und hatten ihr, weit über ihre Rollen hinaus, seine Sympathie erworben. Nun, am 22. Januar 1881, wendet er sich an sie (die an der Berliner Hofoper tätig ist): ». . . Hier folgt in einer Art von Klavierauszug – die Szene der Blumen-Zaubermädchen aus dem zweiten Akt des ›Parsifal‹. Sehen Sie sich diese Geschichte genau an: sie ist kein Spaß, und aus dieser einzigen Szene könnt Ihr ermessen, daß ich mit meiner neuesten Arbeit nicht an die Theater da und dort denken möchte. Ich verlange nicht weniger als sechs Sängerinnen ersten Ranges von gleicher Stimme und Stimmlage, und dazu hübsche schlank gewachsene Frauenzimmer. Dann aber noch (mindestens!) 12 oder 16 junge, hübsche Chorsängerinnen von erster Qualität. – Sehen Sie es sich an! – Wollen Sie mir diese Bande rekrutieren? Ich kann mich an Niemand, als an meine Rheintöchter-Kapellmeisterin halten; an wen sonst mich wenden? Es gehört zu der Sache Ihr ganzer Geist, Ihr Enthusiasmus und – etwas auch Ihre Bekanntschaft mit unsren Personalien. – Geben Sie mir eine gute Antwort! – Juli 1882 sind die Proben, August die Aufführungen. Ohne Lilli aber wird's gar nichts!«

Am 16. März 1881 geht ein – sehr sachlich und gar nicht mehr »dithyrambisch« gehaltener – Brief an den König ab. In ihm bespricht *Wagner* einige Besetzungsfragen, vor allem bezüglich der Rollen des Parsifal und der Kundry; er berichtet, daß »Lilli Lehmann, die Schöpferin meiner Rheintöchter, die Stellung der Zaubermädchen Klingsors übernommen hat: und diese sind ungemein ausgefallen! Gott gebe seinen Segen zu diesem lieblichen Teufelsspuk!«

Dann weiß er Interessantes von *Karl Brandt* zu berichten: »Er überraschte mich bei seinem Besuche durch bereits erworbene genaueste Kenntnis aller Anforderungen der Szenerie für ›Parsifal‹: seine Dispositionen waren schon so sicher getroffen, daß er erklärte, meine Musik zu der allmählichen Verwandlung des Waldes in den Grals-Tempel sei nicht ausreichend, was mich dazu bestimmte noch zwei bis

drei Minuten Musik zu setzen, die glücklicherweise mir sehr geraten ist...« Ferner läßt *Wagner* wissen, er habe die Bühnenmaler *Brüder Brückner* aus Coburg wiederum mit den Dekorationen beauftragt, die nach *Joukowskys* Skizzen auszuführen seien. Dieser »hat seine Arbeiten mit dem unverdrossenen Fleiße endlich ganz zu Danke fertig gebracht: den Zaubergarten Klingsors, für welchen alles – ohne jede Vorlage – zu erfinden war, hat er nicht weniger als siebenmal vollständig ausgeführt, weil er immer noch nicht nach meinem Sinne ausfiel; es wird aber auch etwas sehr Neues sein: es war eine seltsame Aufgabe, die Blumen in dem Verhältnis auszuführen, daß die Mädchen wie aus ihnen erwachsen erscheinen können...«
Ein Brief geht an den Musiker und Schriftsteller *Eduard Dannreuther* nach London (wo dieser schon 1872 einen *Wagner-Verein* gegründet hatte), mit der Bitte, dort chinesische Tamtams zu besorgen, die mit möglichst genauer, von *Wagner* angegebener Tongebung, als Gralsglocken verwendet werden könnten. Ihnen war vom Komponisten eine wichtige Rolle zugedacht: ihr Ruf sollte es sein, der die Gralsritter zur heiligen Handlung zusammenriefe und der Gurnemanz – und somit auch Parsifal – in den Tempel geleitete. Ein christliches Symbol also, fast so wie Grals-Schale und Grals-Speer; ein akustisches Symbol, das der Dramatiker *Wagner* den theatralisch-optischen an die Seite zu stellen wünschte. Und so macht er seinem Freund *Dannreuther* möglichst genaue Angaben: »Nach einer Besprechung mit Sachverständigen über die Darstellung des nötigen Glokkengeläutes kam man darin überein, daß dies immer noch am besten durch chinesische Tamtams zu imitieren sei. Also auf welchem Markte sind diese Tamtams in größter Anzahl und zu bester Auswahl anzutreffen? Man denkt: in London. Gut! Wer übernimmt die Auswahl? Natürlich: *Dannreuther*. Also: versuche, liebster Freund, ob Du 4 Tamtams auftreibst, welche – wenigstens annähernd – folgendes Geläut liefern...* Zu bemerken ist, daß – um tiefen Glockenton

* Wagner notiert hier in Noten die gewünschten Töne: C, G, A, E.

herauszubringen, diese Instrumente nur sanft am Rande angeschlagen werden müssen, während sie sonst, stark in der Mitte beklopft, einen hellen und ganz unbrauchbaren Ton angeben. Also – sieh zu!«

Wagner ist offenkundig gut gelaunt. Aus den Tagebüchern *Cosimas* ist davon viel weniger zu entnehmen, da wechseln die Berichte über *Wagners* Stimmung sehr häufig zwischen »heiter« und »gereizt«, zwischen Wohlbefinden und allerlei Beschwerden. Sie wandelt sich mit den Gesprächspartnern, den Gedanken, die jeder von ihnen bei ihm wachruft. *Hermann Levi* ist zu Besuch gekommen und berichtet darüber seinem Vater, dem Rabbiner, dem der steile Aufstieg des Sohnes im Beruf und im Vertrauen des berühmtesten deutschen Musikers nicht nur Genugtuung, sondern auch Angst verursacht: ». . . Ich habe drei herrliche Tage hier verbracht. Der Meister war sehr guter Laune, wir haben vielerlei besprochen für nächstes Jahr – alles geht zum Besten!! Je mehr ich in das Werk ›Parsifal‹ eindringe, desto mehr staune und bewundre ich und ich will mein Bestes einsetzen, es zu guter, schöner Erscheinung zu bringen. Aber Arbeit wird's geben, und es ist mir noch nicht recht klar, wie ich von München aus, im Drang meiner sonstigen Geschäfte, die Vorbereitungen leiten soll (denn der Meister selbst soll möglichst wenig mit ihnen behelligt werden) . . . Daß ich das Werk leite, ist nun kein Geheimnis mehr . . .«

Am 25. April 1881 schließt *Wagner* die Partitur des 1. Akts ab. Den Mai verbringen *Cosima* und *Wagner* in Berlin, wo das *»Wagner-Theater« Angelo Neumanns* den »Ring des Nibelungen« zur Aufführung bringt; dazwischen wieder Tage in Bayreuth, wo die *Gebrüder Brückner* mit den schönen Dekorationsentwürfen des »Parsifal« kommen, sowie *Karl Brandt,* der mit unglaublicher Tüchtigkeit und Einfühlungsgabe in Gedanken bereits alles Szenische vorbereitet. An den König (»Er beginnt seinen Brief an den König, und das verstimmt ihn etwas, er sagt: Die Anrede nur zu finden, daß sie denen des Königs entspräche«, notiert *Cosima* an diesem Tage, dem 17. Mai 1881) berichtet *Wagner*, wie seine Besetzungsbemühungen für den »Parsifal« fortschrei-

ten: dem Bassist *Gustav Siehr* und vielleicht *Emil Scaria* denke er den Gurnemanz zu, er hoffe auf *Theodor Reichmann* für den Amfortas, auf *Karl Hill* für den Klingsor, und halte sich *Hermann Winkelmann* und *Heinrich Vogl* für den Parsifal bereit, aber immer noch fühle er »die stille Verzweiflung im Betreff der Kundry, da selbst die (Amalie) Materna mich wieder davon zurückgeschreckt hat, ihrer hellen, spitzen Stimme die tief schwermütigen Akzente jenes verwünschten Urweibes anzuvertrauen. Hierüber bin ich also immer noch durchaus unschlüssig, und gedenke nur des Schicksals, das mich und die Schröder-Devrient* in der Zeit so weit auseinander geworfen hat. (Und Schnorr!!**) . . .«
Am 6. Juni 1881 beginnt *Wagner,* die Partitur des 2. Akts zu schreiben. Daneben laufen die Vorbereitungen zu der noch über ein Jahr voraus liegenden Uraufführung mit großer Intensität; *Wagner* gibt, wie immer, dem König Rechenschaft darüber –, dem »geliebten Freunde« von einst oder nur noch dem »Schirmherrn« der Festspiele, der einzig und allein sie ermöglicht? »Mit den Vorbereitungen für die Aufführungen im nächsten Jahre schreiten wir nun rüstig voran. Morgen kommt bereits unser Maschinist Brandt, um die Bühne neu herzurichten; noch in diesem Sommer soll ein großer Teil der Dekorationen eingehängt werden. Täglich wird instrumentiert und ausgeschrieben: sämtliche Gesangs-Partien liegen bereits fertig da. Die definitive Zuteilung der letzteren habe ich mir nun für den nächsten Monat vorbehalten, da ich namentlich erst noch den Tenor Winkelmann bis dahin hier erwarte, um ihn einer Prüfung zu unterziehen, von deren glücklichem Ausfalle die Besetzung der Rolle des Parsifal abhängen soll –, wobei ich mir, als Hilfe in jeder erdenklichen Not, allerdings den in Berlin so unglaublich berühmt gewordenen Vogl in Reserve halte. – Im Betreff der Kundry bin ich neuerdings noch in große Not gera-

* Wilhelmine Schröder-Devrient (1804–1860), die erste große »singende Schauspielerin« der deutschen Oper, legendärer Fidelio Beethovens, erste Senta in Wagners »Der Fliegende Holländer« und Venus in »Tannhäuser«.

** Ludwig Schnorr von Carolsfeld (1836–1865), erster Tristan, der kurz nach der Uraufführung jung starb.

ten: keine meiner bisherigen Sängerinnen eignet sich dafür: sie haben keine tiefen Töne, die dem dämonischen Charakter dieses Weibes unerläßlich sind. Neuerdings bin ich nun mit Notwendigkeit auf Marianne Brandt hingewiesen worden, welche allerdings unter allen mir Bekannten einzig das ›Zeug‹ zur Kundry hat. Für den zweiten Akt muß die theatralische Ornamentik* Alles tun, um der – übrigens trefflichen – Gestalt der Darstellerin auch eine blendende Physiognomie zu verleihen: aber in solcher Hinsicht gelingt da der theatralischen Täuschungskunst Alles ... Im Übrigen hat die Brandt ›le diable au corps‹**, und wird ihre Sache am besten machen. Immerhin will ich, ihr zur Seite, die Materna noch nicht aufgeben ...«, schreibt er am 19. Juni.
Während sich nun alle diese Dinge abspielen – *Wagner* an der Partitur arbeitet, Gäste empfängt, mit *Cosima* vielerlei bespricht, sich an den Kindern erfreut, Sänger und andere Mitarbeiter auswählt für das kommende große Ereignis, dem weite Kreise der deutschen Musikwelt und nicht gering zu wertende im übrigen Europa gespannt entgegensehen – gibt es noch Einiges, »hinter den Kulissen« sozusagen, das genau so zum Bilde jener Zeit gehört:
Wagner verhandelt, auf Dutzenden von Briefseiten, über finanzielle Angelegenheiten, vor allem mit seinem Vermögensverwalter, Herrn *von Feustel* (der zugleich die materiellen Interessen der Festspiele vertritt) und dem *Verlag Schott.* Ein besonders wichtiges Schreiben geht, nach mehrtätiger Redaktion, über die *Wagner* sich mit *Cosima* berät, am 18. Juli 1881 von Wahnfried zu *Feustel,* worauf sich Dreiecksverhandlungen zwischen *Wagner, Feustel* und *Dr. Strekker,* dem Chef des Hauses *Schott,* entwickeln. Sie gehen von *Wagners* Annahme aus, in früheren Jahren vom Verleger ausgenützt worden zu sein, da etwa die je 10000 Francs, die der Komponist für jedes seiner Nibelungen-Dramen – also 40000 im ganzen – erhalten habe, viel zu wenig gewesen seien. Um diesen vermeintlichen »Schaden« (den man da-

* etwa: Maskenkunst
** den Teufel im Leib (französisch)

mals kaum so bezeichnen konnte) auszugleichen – *Wagner* schreibt sogar von einer »Sühne« – verlangt *Wagner* nun 120 000 Mark für »Parsifal«, einen gewaltigen Betrag, der noch dadurch unrealistischer wird, daß er diese seine letzte Oper nun ausschließlich seinem Festspielhaus vorbehalten will, wodurch die üblichen Operneinnahmen, wie sie bei anderen Werken eingehen, wegfallen und wohl auch der Verkauf von Klavierauszügen, geschweige denn Partituren, stark leiden mußte. *Wagner* führt im Verlauf der Korrespondenz an, ein englischer Verlag habe dem französischen Komponisten *Charles Gounod* für ein Oratorium (»The Redemption«) 100 000 Francs bezahlt: »Ich denke, mein letztes und – wie ich glaube – bestes Werk darf ich in einen vortheilhaften Vergleich zu dem des ziemlich verblaßten Pariser Maestros halten«, setzt er hinzu. Er erwähnt nichts (vielleicht weil er es nicht wußte, vielleicht aber auch, weil er auf einen derartigen Vergleich nicht eintreten wollte), daß *Verdi* als Kompositionshonorar für die »Aida« – abgesehen von den Verlagsrechten beim Hause *Ricordi* in Mailand – 150 000 Francs vom ägyptischen Viezkönig erhalten hatte. *Wagner* fordert also 120 000 Mark, wovon 40 000 sofort, der Rest in drei gleichen kurzfristigen Quoten zu bezahlen sei. Wie es nun schließlich zu diesem Abschluß kam, belegt das Verlagshaus in dem schon früher zitierten Bande* ausführlich. Um zum Abschluß zu kommen, vor allem um dem peinlich gewordenen Briefwechsel ein Ende zu machen, der von *Wagner* in der bei ihm durchaus nicht seltenen heftigen Art geführt wurde, reiste *Dr. Strecker Wagner* von Bayreuth, wo er ihn aufsuchen wollte, nach Dresden nach, wo die ganze Familie *Wagner* in zahnärztlicher Behandlung stand.
Hier Auszüge aus *Streckers* Bericht: »... Er sprach wie gewöhnlich furchtbar rasch, verschluckte die Hälfte der Worte, ja sogar der Sätze und hätte noch weiter geredet, wenn ich nicht mit dem Zweck der Reise unterbrochen hätte (zu einem Abschluß zu gelangen). Da ging's denn von Neuem los und unter Vielem, rein in die Luft Gepafften sagte er auch,

* »Richard Wagner als Verlagsgefährte«, B. Schott's Söhne, Mainz 1951.

daß er entschieden dagegen sei, den ›Parsifal‹ in das ›Opern-Repertoire‹ aufnehmen zu lassen, denn heute ›den Gral‹ darstellen und morgen den ›Orpheus in der Unterwelt‹, das geht ja doch nicht ... Er war voll kostbarer Einfälle und wäre nicht jedesmal Geschäftliches mit ihm zu besprechen, bestünde vor allem nicht die Notwendigkeit, seinen sich immer steigernden Forderungen entgegenzutreten, so wäre eine Begegnung mit ihm neben dem bedeutenden Erlebnis ein hoher Genuß. Ich habe schon als Junge so für ihn ›geschwärmt‹ und mich, je mehr ich seinen Genius verstehen lernte in solche Verehrung für ihn und seine Sache hinein gelebt, daß ich eigentlich der schlechteste Vertreter unseres Geschäftes wäre; denn, käme es auf mich an und könnte ich ohne Verantwortung für die Geschäftsinteressen disponieren, so gäbe ich ihm was er will, nur um diesem Helden unserer deutschen Kunst eine frohe Stunde zu schaffen und ihm zu beweisen, daß der deutsche Verleger nicht Pfennigfuchser, sondern am richtigen Platz, Mäzen ist ... Abends 9 Uhr (des 8. September 1881): Ich fand ihn und seine Frau in dem ziemlich großen ... Salon. Ich wurde zum Sitzen eingeladen, Wagner aber setzte sich nicht, sondern ging im Zimmer auf und ab, bald langsamer, bald schneller und begann sofort auf mich einzureden. Er wiederholte so ziemlich alles, was er über die angeblich schlechte Behandlung durch Schott in seinem Brief an Feustel niedergelegt hatte und redete sich in eine immer sich steigernde Heftigkeit hinein, so daß ich ganz verblüfft und fragend auf Cosima hinsah, die mir durch ein unmerkliches Zeichen andeutete, ich möchte schweigen. Ich befolgte den Wink und nur, als Wagner auch mich anfing zu beschuldigen, versuchte ich zu unterbrechen. Wagner hörte aber garnicht auf mich und Cosima gab mir ein neues Zeichen. Sie kannte des Meisters Art und meinte es gut. Tatsächlich ließ Wagners Wutausbruch nach, und als er am Ende war, sagte ich ruhig und bescheiden, daß mich seine Vorwürfe nicht träfen, denn ich wäre ihm nicht nachgereist, um Schwierigkeiten zu machen, sondern um seine Forderungen zu bewilligen. ›Ja, warum haben Sie denn das nicht gleich gesagt?‹ ›Ja‹ – mit einem verständ-

nisvollen Blick auf Cosima – ›Sie ließen mich ja nicht zu Wort kommen!‹ Da mußte er lachen, kam auf mich zu, gab mir die Hand und sagte, ich möchte ihm verzeihen, er hätte es nicht so bös gemeint und da ich seine Forderungen annähme, wäre alles gut ...«
In *Cosimas* Tagebuch liest sich die Szene ein wenig anders, aber die Fakten bleiben die gleichen. Und am nächsten Tag (9. September) verzeichnet *Cosima:* »R. hatte eine gute Nacht, ist zufrieden mit dem Abschluß des Geschäftes und nimmt freundlichsten Abschied von Dr. St.«
Und am 23. des gleichen Monats schreibt der Verlag an *Wagner:* »... Ihre freundliche Zuschrift mit dem von Ihnen unterzeichneten Vertrag sowie den ersten Akt des Klavierauszuges ›Parsifal‹ haben wir mit Dank erhalten, und Ihnen werden mittlerweile durch unseren Bankier Mk. 40000 zugegangen sein.«
Die am 6. Juni 1881 begonnene Partitur des zweiten Akts wird am 20. Oktober beendet. Die Vorbereitungen zur Uraufführung werden immer intensiver. *Levi* erhält eine Generalvollmacht: »Also – Sie sind für alle musikalischen Vorbereitungen der nächstjährigen Parsifal-Aufführungen mein Plenipotenciaire*, mein ›alter Ego‹** ...« In Stichworten gibt er ihm noch ins Einzelne gehende Anweisungen, darunter: »... wenn eine der Blumen – Sopranistinnen das hohe B nicht leicht und zart nehmen kann – fort!«
So wie *Levi* mit größter musikalischer Autorität ausgestattet wird, geschieht es mit *Karl Brandt* für alles Technische: »Ich würde in neuer Sorge darüber sein, daß durch meine persönliche Abwesenheit von Bayreuth für die nächstjährigen Festspiele etwas versäumt würde, wenn ich nicht – Dank Ihrer umsichtigsten und eifrigsten Fürsorge eigentlich Alles im Voraus geordnet wüsste. Im Betreff der Dekorationen und sonstigen szenischen Einrichtungen glaube ich daher gänzlich beruhigt sein zu dürfen ...« Am 1. November bricht Familie *Wagner* wiederum nach Süden auf, um dem grauen

* diplomatischer Ausdruck für »Bevollmächtigter«.
** das andere Ich.

Winterhimmel über Deutschland zu entgehen. Über München, Bozen und Verona trifft sie zwei Tage später in Neapel ein, von wo auch sie sich am nächsten Tag nach Palermo einschifft. Dort beginnt *Wagner* am 8. November die Partitur zum dritten, letzten Akt des »Parsifal«. *Cosimas* Tagebuch verzeichnet, neben einer unglaublichen Fülle von anderen Erinnerungen (Träumen Wagners, Gesprächen über verschiedenartigste Themen, Plänen, Freuden, kleinen Ärgernissen) einiges über die Arbeit, die zur letzten musikalischen Tätigkeit seines Lebens werden sollte. Er fürchtet auch, sie nicht mehr fertig bringen zu können, setzt aber hinzu, so erginge es ihm bei jedem seiner Werke. Dann »bittet er den Himmel mit Hände-Falten um leichte Seiten! Sachen wie in der ›Zauberflöte‹: ›durch sie ging all mein Glück verloren‹. Er habe die extatischen Wunder satt . . .« er nennt »Parsifal« sein »versöhnendstes Werk«. »R. arbeitet«, heißt es immer wieder, aber ebenso oft ist von »Brustkrämpfen« die Rede, die ihn überfallen. Viele Einzelheiten zur Instrumentation stehen verzeichnet, die Wagner oft in witziger Form vorbringt: ». . . ich kann das Fagott überhaupt nicht leiden« oder ähnliches. So entsteht jeden Tag eine Partiturseite, manchmal sucht *Wagner* es auf anderthalb zu bringen.
Cosimas Geburtstag und der Beginn des neuen Jahres werden in Palermo verbracht. Am 31. Dezember 1881 hat (laut *Cosimas* Tagebuch) *Wagner* abends gearbeitet und auf eine Frage, wie viel noch an der Vollendung des Werkes fehle, klagend geantwortet: »Fünfzehn Seiten«, dann aber sofort »kleinlaut vergnügt« und »etwas sächsisch«: »Vierzehn«. So geht es in das Jahr 1882, das *Wagner* sehnlich erwartet, soll es doch die Welt mit seinem letzten – wahrhaft letzten – Werk bekannt machen. »Wir blicken beide freundlich in das Jahr hinein . . .«, vermerkt *Cosima;* ein wenig später, aber noch unter dem gleichen Datum des 1. Januar: ». . . Er arbeitet, hat aber immer Not mit der Tinte, möchte die Arbeit unterbrechen, die ihn ermüdet, und kommt müde zu Tisch . . .«
Aus Deutschland ist eine schlimme Nachricht eingetroffen: *Karl Brandt* ist plötzlich gestorben (»dieser tief anhängliche

Mensch – denn das war er mir!«) und *Wagner* weiß, daß er nicht leicht zu ersetzen sei; doch glücklicherweise ist *Fritz* da, der Sohn, der längst an seines Vaters Seite sich in alles einarbeiten konnte. Ihn beauftragt *Wagner* mit einem Schreiben vom 14. Januar: »Erlauben Sie mir daher, Sie an die Stelle Ihres seligen Vaters für meine Bayreuther Aufführungen zu berufen ... Verfügen Sie, was Sie für nötig halten! ...«
Am 17. Februar 1882 schimpft *Wagner* mit dem getreuen *Ludwig Strecker* des *Schott*-Verlags wegen der ihm zugestellten Korrekturen, mit denen er – wie immer – nicht zufrieden ist; zugleich aber bittet er um schleunigste Fertigstellung und Übersendung von zwölfen dieser Klavierauszüge nach Bayreuth für die Sänger. Über deren Fortschritte zeigt *Wagner* sich sehr befriedigt in einem Brief an *König Ludwig* (vom 1. März 1882), in dem noch erwähnt wird, daß er sich »auf die Tüchtigkeit des Kapellmeister Levi im Betreff aller musikalischen Vorbereitungen wohl verlassen zu können glaube«, daß »die Sänger alle mit Eifer zugesagt hätten« und »in Nürnberg die Herstellung gewisser wichtiger Requisiten (wie der Gral mit dem Schrein) überwacht« worden sei. Wagner setzt dann hinzu: »... und so erhoffe ich, daß es schließlich nur darauf ankommen wird, ob ich selbst mich darein finde, nach sechs Jahren wiederum mich einmal auf den Boden der fürchterlichen Aufregungen zu stellen, ohne welche bei mir das Einstudieren solch eines Werkes nicht abgeht ...«
Zwei Tage später berät *Wagner* sich schriftlich mit *Levi* bezüglich der Sänger: »... Es wird wohl an der Zeit sein, daß ich einmal selbst bei Ihnen nachfrage, wie es steht? ... Sind Sie Aller sicher? ... Die Verteilung der verschiedenen Aufführungs-Abende an die Sänger macht mir Sorge: Jeder will natürlich zuerst auftreten? Welchen Modus der Aufeinanderfolge schlage ich Ihnen nun vor? Die liebste Besetzung ist mir – offen gesagt: Brandt, Winkelmann (die bei mir bereits studiert haben) und Scaria. Was werden die Andern dazu sagen, wenn sie erst am zweiten Abend singen sollen? Z.B. *Vogl's*? Hierbei muß ich Ihnen noch bemerken, daß ich die beste Besetzung der Kundry und des Parsifal eigentlich von

der Malten* und Gudehus** in Dresden voraussetze ... Soll ich nun die Leute losen lassen, wer zuerst singen soll? Das kann sich sehr dumm treffen! ...«

Am 13. Januar 1882 wurde die Partitur des dritten Aktes und damit das große Werk vollendet. Am 25. April erschien der Klavierauszug. An diesem Tage weilt *Wagner* auf der Heimfahrt, die in Etappen vorgenommen wird, in Venedig, wo er volle zwei Wochen bleibt. Welche Erinnerungen birgt diese Stadt für ihn! Am 30. April trifft *Wagner* in München ein, am 1. Mai fährt er über Nürnberg nach Bayreuth, wo es kurz danach bereits an die Arbeit geht. *Humperdinck* hat sich eine Geburtstagsüberraschung ausgedacht und arbeitet insgeheim mit einer Schulgruppe an den Knabenchören aus dem ersten Akt des »Parsifal«. *Levi* weilt nahezu jeden Abend in Haus Wahnfried, an seinen Vater berichtet er: »... Er ist der beste und edelste Mensch. Daß ihn die Mitwelt mißversteht und verleumdet, ist natürlich; es pflegt die Welt das Strahlende zu schwärzen; Goethe ist es auch nicht besser ergangen. Aber die Nachwelt wird einst erkennen, daß Wagner ein ebenso großer Mensch als Künstler war, wie dies jetzt schon die ihm Nahestehenden wissen ...«

Am 22. Mai 1882, *Wagners* 69. und letztem Geburtstag, singt der von *Humperdinck* einstudierte Bayreuther Knabenchor Stücke aus der Gralsszene des ersten Akts. *Cosima* vermerkt am gleichen Abend im Tagebuch: »... heimgekehrt finden wir die 50 Knaben, von Siegfried bewirtet, welche Wahnfried mit den Klängen aus Parsifal und sonst mit heitrem Geräusch erfüllen ...«

Am 28. Mai regt *Wagner* an, eine Stiftung zu gründen, durch deren Hilfe es jungen Deutschen ermöglicht werden könnte, die Bayreuther Festspiele zu besuchen, wenn es ihnen an eigenen Mitteln gebräche, was »das Los der meisten und oft Tüchtigsten unter Germaniens Söhnen« sei. Ein genauer Probenplan ist ausgearbeitet worden: vom 2. bis 8. Juli 1882 der erste Akt, vom 9. bis 15. der zweite, vom 16. bis 22. der

* Therese Malten, Bayreuther Kundry, Isolde und Eva.
** Heinrich Gudehus, Sänger des Parsifal 1882.

dritte Akt, abwechselnd für die »erste« und die »zweite« Besetzung. Für die »erste« hat *Wagner* sich endlich und nach reiflichster Überlegung für *Scaria, Amalie Materna, Winkelmann, Hill* entschlossen. Am festgesetzten Tag begannen die Proben. Sie wurden von *Levi,* manchmal vom Chordirigenten *Franz von Fischer* geleitet; zwei Assistenten, *Heinrich Porges* und *Julius Kniese* hatten die Aufgabe, alle Bemerkungen *Wagners* aufzuschreiben. *Emil Heckel* – Gründer des ersten *Wagner-Vereins* 1871 und Mitglied des Verwaltungsrates der Festspiele – hat in seinen persönlichen Erinnerungen aus jenen Tagen erzählt: »Während der Hauptproben zum ›Ring des Nibelungen‹ hatte Wagner in der Regel seinen Platz an einem Tischchen auf der Bühne. So zeigt ihn auch eine köstliche Karikatur Menzels. Den Proben zum ›Parsifal‹ dagegen wohnte er in der ersten Reihe des Zuschauerraums bei. Er ließ in die Schallwand über dem Orchester ein Fensterchen einschneiden, um mit dem Dirigenten sprechen zu können. – Wie dem Meister die unvergleichliche Zusammenwirkung der Stimmen der drei Rheintöchter 1876 eine besondere Freude bereitete, so befriedigte ihn 1882 besonders die vom ›Blumenvater‹ Porges einstudierte Szene der Blumenmädchen. Nach der letzten Probe derselben sagte er zu mir und mit dem Ausdruck wahrster Befriedigung und Glückseligkeit: ›Das ist das erste Mal, daß ich es erlebte, eine Szene so auf der Bühne zu sehen und zu hören, wie ich sie mir gedacht habe. Heckel, es ist wundervoll!‹ Unter den Darstellern verstand es besonders Scaria, sich selbständig zu betätigen und seine Aufgabe individuell zu lösen. Wagner ließ ihn daher bei der Gestaltung des Gurnemanz vollständig frei gewähren ...«
Natürlich finden die Probentage ausführlichen Niederschlag in *Cosimas* Tagebuch. »Sonntag 9ten: R. hatte eine gute Nacht, wenn auch durch wilde Träume belebt. Gegen halb eins geht er in die Probe und erschreckt den Kapellmeister mit einem durch die Klappe zugerufenen ›Schreien Sie nicht so‹. – Wir haben zu Tisch die drei Bassisten, und es geht recht munter dabei her. R. fühlt sich entschieden wohler mit seinen Künstlern als mit Menschen der Welt. Um 4½ Uhr fah-

ren wir bei strömendem Regen in die erste Klavier- und Gesangsprobe des 2. Aktes. Die Blumen (R. wünscht sie so benannt, nicht Blumenmädchen, da man sonst an Blumen-Verkäuferinnen dächte) sind hinreißend; die große Szene zwischen Kundry und Parsifal wird wohl kaum je so wiedergegeben werden, wie er sie schuf. R. klagt es, wie ahnungslos die Darsteller dessen, was darin sei, blieben, und gedenkt der Schröder-Devrient, wie sie würde das gesprochen haben: ›So war es mein Kuß, der hellsichtig* dich machte.‹ Nun müsse die Musik alles übernehmen ...«
Montag 10ten: »... Wir fahren in die Orchester-Probe des 2. Aktes, welche sehr gut ausfällt ... Um 5 Uhr ist sitzende Probe mit Klavier, Frl. Brandt singt die Kundry. Gudehus erfreut durch seine prächtige Stimme; aber R. ist sehr müde! ...
Dienstag 11ten: Nach einer guten Nacht fahren wir, R. und ich, zur Probe des 2ten Aktes, Orchester und Sänger. Gern gibt R. Herrn Scaria die Erklärung des Charakters der Kundry, welche dieser verlangt ...«
Mittwoch 12ten: In der Frühe sage ich R. mein Bedenken dagegen, daß Parsifal und Kundry ihre tragische Szene inmitten der Blumen-Üppigkeit haben, und meine, daß für nächstes Jahr wenigstens beim Herannahen der Kundry eine grüne große Laube sie abschließen kann ...«
Donnerstag 13ten: ... Zu Tisch haben wir drei Blumen (Soli). Um 5 Uhr haben wir Orchester-Probe mit H. Winkelmann und Frau Materna, letztere sehr gut. Aber R. sehr sehr müde, da er beständig alles ihnen vormacht ...« Und so geht es weiter, Tag für Tag. Einzelproben, Orchesterproben, Kostümproben, Gesamtproben. Am 19. Juli muß Wagner seine Beteiligung an einer Probe absagen, da er sich nicht wohl genug fühlt. Am Abend kommt Scaria und berichtet ihm Beruhigendes.
Ein Brief *König Ludwigs* trübt die im allgemeinen doch frohen Erwartungen. *Cosima* notiert (am 20. Juli): »In der Frühe im Türmchen frühstückend, lesen wir den Brief des

* im Text vollständig: »welthellsichtig«

Königs, welcher gestern angekommen ist . . . Die Nachricht von dem üblen Zustand der Gesundheit ist nur zu glaubwürdig . . .« Ahnten *Cosima* und *Wagner,* wie es um den König stand, wie er mit jedem Tag einsamer wurde und seltsamer, und daß er eines nicht mehr fernen Tages von seinem Volke entthront und auf eines seiner Schlösser verbannt werden würde? *Wagner* schrieb ihm: ». . . Ein härterer Tag konnte mich nicht treffen als die Benachrichtigung davon, daß mein erhabener Wohltäter keiner der Aufführungen des Bühnenweihfestspiels beizuwohnen sich entschlossen hat. Wer begeisterte mich zu diesem höchsten und letzten Aufschwunge aller meiner seelischen Kräfte? Im steten Hinblick auf Wen führte ich Alles aus und durfte mich auf ein Gelingen freuen? Das jetzt zugesicherte beste Gelingen wird mir nun zum größten Mißlingen meines Lebens: was ist mir alles, wenn ich Ihn damit nicht erfreuen kann?«

Da ist er wieder, der »dityrambische« Stil, über den er sich vor einigen Jahren lustig gemacht, den er als unecht empfunden hatte. Ist er nun echter? Drängt er sich *Wagner* von selbst auf, da er *Ludwig* einen Brief zu schreiben hat, der gewissermaßen vor der Nachwelt Bestand haben mußte? Im Leben *Wagners,* in der täglichen Probenarbeit, in den Dutzenden von Themen, die er mit *Cosima* anschneidet, ist von diesem »größten Mißlingen seines Lebens« keine Rede mehr. Hat er mit jenem Schreiben »seine Pflicht getan« und nicht mehr? Er hat *Ludwig,* den einst so engen Freund, seit dem 12. November 1880 mehr als anderthalb Jahre lang nicht mehr gesehen. Verklungen die Tage erster Seligkeit, die nun achtzehn Jahre zurückliegen; versunken das Münchener Idyll, die unvergeßlichen Abende des »Tristan« und der »Meistersinger«, wie zum Traum geworden die Stunden der Zweisamkeit auf einem der Märchenschlösser *Ludwigs,* verblaßt die heimlichen Besuche des Monarchen in der Villa am Vierwaldstätter See. Hätte man den Bayernkönig nach den glücklichsten Augenblicken seines im tiefsten tragischen Lebens gefragt, er hätte zweifellos jene genannt, da *Wagner* und seine Musik ihm nahe waren. Vor der gleichen Frage hätte *Wagner* keinesfalls in erster Linie an *Ludwig* gedacht.

Franz Liszt,
der große Pianist und Komponist, Wagners Freund und späterer Schwiegervater.

Und doch, was wäre er ohne ihn geworden? Es muß *Wagner* des öfteren, vielleicht in schlaflosen Nächten, schmerzlich eingefallen sein ...
Glasenapp berichtet: »Die letzten umfassenden Proben des Ganzen im vollen Kostüm mit Orchester entfielen auf den Sonnabend (22. Juli) und Sonntag (23. Juli), mit beiden alternierenden Besetzungen. Um für beide gleichmäßig zu sorgen, kam am Sonnabend die erste Besetzung (Winkelmann, Scaria, Frau Materna) mit einer Probe des 2. und 3. Aktes daran; am Sonntag Vormittag der 1. Akt in der zweiten Besetzung (Gudehus, Siehr, Frl. Brandt), woran sich am Nachmittag der 2. und 3. Akt anschloß. Erst am Montag, den 24. Juli, ging die offizielle eigentliche Generalprobe aller drei Akte in der ersten Besetzung vonstatten. Allen diesen Proben (mit Ausnahme der Sonntag-Vormittagsprobe des 1. Aktes) wohnte er persönlich bei, immer noch in bezug auf Tempi und Beleuchtung mit Verbesserungen eingreifend. Zur Generalprobe am Montag waren bereits viele Freunde anwesend, und es erhob sich am Schluß ein stürmischer Applaus, dem er von seiner Loge aus dankte ...«
In Frau *Cosimas* Tagebuch liest sich der Bericht über die Generalprobe so: »... Im ersten Akt findet R. die Tempi ziemlich viel geschleppt; auch ist er mit der Beleuchtung nicht zufrieden. Im 2ten Akt geht es besser. Zwischen dem 2ten und 3ten Akt nehmen wir unsere Mahlzeit ein. Im 3ten Akt ist er sehr gerührt ... Es sind viele Fremde anwesend; da zum Schluß Applaus entsteht, bedankt er sich ironisch von unsrer Galerie aus ...« Ironisch? Will er ausdrücken »Was versteht denn Ihr davon?« Eine plötzliche Bitterkeit hat ihn überfallen, wie sie schöpferische Naturen manchmal überfällt, wenn sie ihr Werk der Welt übergeben. Und in seinem Mißmut äußert er zu *Cosima:* »er möchte nicht als Orchester-Mitglied von einem Juden dirigiert werden«, eine Äußerung, die der aufopfernd treue *Levi* nicht verdiente und die ihm glücklicherweise nie zu Ohren kam.
Am Dienstag, 25. Juli 1882 notiert *Cosima:* »R. hat gut geschlafen, und da das Wetter schön ist, nehmen wir unser

Frühstück im Türmchen ein ... Wir nehmen das Mittagsessen mit meinem Vater und Kapellmeister Levi ein, mit dem R. die Tempi noch einmal durchnimmt ... Um 5 Uhr hält er noch eine Probe mit H. Reichmann und H. Winkelmann, wobei er ihnen die Hauptmomente ihrer Rollen vorliest ...« Am Abend gibt es eine gesellige Zusammenkunft mit allen Künstlern, bei der Bayreuths Bürgermeister *Wagner* und *Liszt* hochleben läßt. *Wagner* erwidert und ergeht sich »in hinreißender Weise« (wie *Cosima* vermerkt) über ihres Vaters Wert und Bedeutung für ihn und sein Werk. Die große Aussöhnung zwischen den beiden so lange entzweiten Künstlern *Franz Liszt* und *Richard Wagner* ist zur von niemandem mehr bezweifelten Tatsache geworden.
So kam der 26. Juli 1882 heran, von weiten Kreisen der Musikwelt mit größter Spannung erwartet. Zwar gab es immer noch »Anti-Wagnerianer« in nicht zu unterschätzender Zahl und Wichtigkeit. Es gab Feinde seiner Person und seines Werks. Es kam in mancher Stadt, in der er gespielt wurde, immer noch zu heftigen Meinungsverschiedenheiten, sogar zu Kämpfen. Aber seine Stellung in der Musikwelt, als die eines Erneuerers, einer überragenden Persönlichkeit konnte nicht mehr bestritten werden. Um 4 Uhr nachmittags – wie es Tradition blieb in Bayreuth – setzte das unsichtbare Orchester mit den leisen, ätherischen Klängen des Vorspiels zu »Parsifal« ein. Vierzehn und eine halbe Minute später hob sich der Vorhang zum ersten Akt, zur Morgenszene im Gralswalde. Das »Bühnenweihfestspiel« hatte begonnen. Jeder der Mitwirkenden gab sein Bestes, Letztes, Höchstes. Die Wirkung war tief, das Publikum ergriffen.
Von den wahrhaft unzähligen Berichten über diesen Abend sollen nur *Cosimas* Worte wiedergegeben sein, die in (fast merkwürdig) sachlichem, unbewegtem Ton gehalten sind: »... Um halb vier, bei leider nicht gutem Wetter, fahren wir fort. Gleich beim Eingang erregt seinen Ärger das Beguckt-werden. Der erste Akt geht noch so ziemlich nach seinem Wunsch, nur das viele ›Komödiantische‹ ist ihm zuwider. Wie nach dem zweiten Akt stark gelärmt und gerufen wird, tritt R. an die Brüstung, sagt, daß die Beifallsbezeugungen

seinen Künstlern und ihm zwar sehr willkommen, daß sie aber übereingekommen seien, sich, um den Eindruck nicht zu stören, nicht zu zeigen, also das ›sogenannte Herausrufen‹ fände nicht statt. Nachdem wir gespeist haben, sind R. und ich zusammen in der Loge! Große Rührung überkommt uns. Doch am Schluß ärgert R. das stumme Publikum, welches ihn mißverstanden hat, er redet es noch einmal von der Galerie an, und wie darauf der Beifall sich entladet und immer wieder gerufen wird, tritt R. vor den Vorhang und erklärt, er habe seine Künstler versammeln wollen, aber diese seien schon halb entkleidet. Die Heimfahrt, mit diesem Thema erfüllt, ist ärgerlich. Gar lange Zeit bedarf es auch zu Hause, um R. zu beruhigen, da die allerverschiedensten Eindrücke sich bei ihm kreuzen ... 20 vor eins begeben wir uns zur Ruhe.«

Aus dieser Tagebuchstelle ist vor allem die Tatsache interessant, daß es nicht in *Wagners* Absicht lag, »Parsifal« – wie eine heilige Handlung – ohne Applaus anhören zu lassen. Diese Auffassung stammt aus späterer Zeit und hat sich nahezu überall auf der Welt durchgesetzt. Für sie lassen sich gewichtige Gründe anführen: vor allem der Eindruck des letzten Bildes, das an die höchsten und heiligsten Symbole des Christentums rührt. Nicht nur das religiöse Gefühl, auch die tiefe Nachdenklichkeit, die durch dieses Werk hervorgerufen wird, erfahren eine Störung, werden getrübt, zerrissen, wenn weltlicher Jubel aufbraust, um die Künstler zu belohnen. Hier ist Theater umgestaltet, verwandelt in sakrale Handlung, in Zeremonie, in Kult. *Wagner* hatte diese Wirkung beabsichtigt; aber das »stumme« Publikum nach der Premiere »ärgerte« ihn, wie wir aus berufenster Feder vernahmen (obgleich der eben hier wiedergegebene Text *Cosimas* nur in seinen ersten Worten noch in der gleichen Nacht niedergeschrieben wurde; sie mußte ihn unterbrechen, da ein Tintenwechsel notwendig wurde. Und zur Fortsetzung des Berichts kam *Cosima* erst am 18. September 1882 in Venedig, fast zwei Monate später. Doch ist anzunehmen, daß die Ereignisse ihr noch voll im Bewußtsein waren).

Fünfzehn weitere Male ging »Parsifal« in Szene. Das ge-

samte Ensemble – drei Parsifals *(Winkelmann, Gudehus, Ferdinand Jäger),* zwei Bassisten als Gurnemanz *(Scaria, Gustav Siehr),* drei Kundrys *(Materna, Marianne Brandt, Therese Malten),* zwei Klingsors *(Karl Hill, Anton Fuchs),* dazu *Emil Scaria, Theodor Reichmann* und *August Kindermann* – setzten sich mit Begeisterung ein und sicherten sich einen Platz in der Musikgeschichte. *Hermann Levi* überließ seinen Stab manchmal *Franz Fischer.* Die musikalischen Assistenten, mit *Humperdinck, Porges, Kniese* und *Frank* an der Spitze, waren unermüdlich tätig.
Der Tag der letzten Vorstellung, der 29. August 1882, war herangekommen. Da überwältigte *Wagner* ein seltsames, ein Abschiedsgefühl. Unbemerkt vom Publikum stieg er nach dem ersten Bild des dritten Akts in den überdachten Orchesterraum, nahm *Levi* sanft den Stab aus der Hand und leitete selbst die Vorstellung bis zum Ende. Der Biograph *Glasenapp* nimmt an, *Wagner* habe »Levis Unwohlsein schon vorher bedauernd bemerkt«, aber in anderen Berichten, vor allem dem Levis selbst an seinen Vater, ist davon keine Rede. *Glasenapp* spricht vom »allerergreifendsten Abschluß der Aufführung, indem er mitten im Spiel des Orchesters selbst den Dirigierstab ergriff und nun vollends, wie ein Zauber, sein elektrisierender Einfluß auf alle Musiker und Sänger wirkte. So dirigierte er den dritten Akt bis zum Schluß. Levi und Fischer, die gewohnten Dirigenten, blieben außerdem im Orchesterraum, um die Ausführenden an bestimmten Stellen nicht die gewohnten Zeichen vermissen zu lassen. Er konnte daher ohne die üblichen praktischen Rücksichten ausschließlich auf eine im Rhythmus und Ausdruck, die Seele des Vortrages, durchaus adäquate Wiedergabe bedacht sein, auf Wucht und Zartheit, jedes an seinem Platz. Es war wunderbar, mit welcher Tiefe der Empfindung und mit welcher gewaltigen Breite namentlich die getragenen Stellen zum Vortrag gelangten ...«
Levi schreibt: »... Die letzte Vorstellung war herrlich. Während der Verwandlungsmusik kam der Meister ins Orchester, krabbelte bis zu meinem Pult hinauf, nahm mir den Stab aus der Hand und dirigierte die Vorstellung zu Ende.

Der Innenraum des Bayreuther Festspielhauses.

Ich blieb neben ihm stehen, weil ich in Sorge war, er könne sich einmal versehen, aber diese Sorge war ganz unnütz – er dirigierte mit einer Sicherheit, als ob er sein ganzes Leben immer nur Kapellmeister gewesen wäre. Am Schlusse des Werkes brach im Publikum ein Jubel los, der jeder Beschreibung spottet. Aber der Meister zeigte sich nicht, blieb immer unter uns Musikanten sitzen, machte schlechte Witze, und als nach 10 Minuten der Lärm im Publikum noch immer nicht aufhören wollte, schrie ich aus Leibeskräften: Ruhe! Ruhe! Das wurde oben gehört, man beruhigte sich wirklich, und nun fing der Meister (immer vom Pulte aus) an, zu reden, erst zu mir und dem Orchester, dann wurde der Vorhang aufgezogen, und das ganze Sänger- und technische Personal war oben versammelt, der Meister sprach mit einer Herzlichkeit, daß alles zu weinen anfing – es war ein unvergeßlicher Moment!«
Bei *Cosima* liest sich dies so: »Dienstag 29ten . . . Um 4 Uhr fahre ich mit meinem Vater in's Theater. In meiner Loge wohnen Frl. Malten und H. Siehr der Aufführung bei, ›glü-

hende Kohlen auf die Häupter der andren sammelnd‹, wie R. sagt, der erst zum Zwischenakt (1–2) kommt. – Leider verursacht ihm das Durchgehen des Großherzogs und das Eintreten von einer der anwesenden fürstlichen Frauen in seinen Salon eine sehr üble Laune! Auf der Bühne aber befriedigt ihn alles, und im dritten Akt, nach der Wandeldekorations-Musik, nimmt er den Stab und dirigiert bis zum Schluß! Dann nimmt er vom Orchester aus Abschied von seinen Künstlern, nachdem der Beifallssturm unaufhörlich sich erzeigt. Nicht vieles von seinen Worten vernimmt man im Saal, und er selbst sagt mir, er wisse nie, was er sage. Einmal sei es ihm geglückt, für den König, er glaube ziemlich genau, aufzuschreiben, was er gesagt hätte, das wäre nach der Generalprobe von ›Tristan und Isolde‹ gewesen. Seit einer Reihe von Jahren aber habe er gar kein Bewußtsein mehr von seinen Worten. – Unsere Heimfahrt ist still-feierlich, ich meine, wir können danken, wenn auch gewiß das Erreichte schwer erkauft ward und beinahe das ganze Lebensbehagen dem geopfert wird . . .«
»Parsifal« wird auch in den nächsten Jahren allsommerlich im Bayreuther Festspielhaus gegeben. Die Anziehungskraft ist ungeheuer. Vor allem wollen die Musiker ihn hören. *Franz Liszt* wohnte der Premiere ebenso bei wie *Anton Bruckner, Camille Saint Saëns, Leo Delibes.* Dann kommen *Peter Tschaikowsky, Claude Debussy* und *Gustav Mahler,* die – obwohl zumindest die beiden ersten keineswegs als »Wagnerianer« gelten können – ergriffen, ja erschüttert und musikalisch aufs höchste begeistert sind. *Gustav Mahler* findet in einem Brief die schönen Worte: »Als ich, keines Wortes fähig, aus dem Festspielhaus hinaustrat, da wußte ich, daß mir das Größte, Schmerzlichste aufgegangen war, und daß ich es unentweiht mit mir durch mein Leben tragen werde . . .«
Bis in das Jahr 1913 gehörte das Bühnenweihfestspiel unlösbar dem Festspielhaus. Kein anderes Theater durfte es spielen. Dann begann, nach Ablauf der dreißigjährigen »Schutzfrist« für geistiges Eigentum – gerechnet vom Tode des Autors – das Wettrennen der Bühnen um dieses Werk,

Palazzo Vendramin, Venedig.
Hier starb Wagner am 13. Februar 1883 in den Armen Cosimas.

auf das die Musikliebhaber aller Länder warteten. Da es im allgemeinen als »sehr christlich« empfunden wird – *Nietzsche,* der abtrünnige Freund, nannte es »einen Kniefall vor dem Kreuz« – wird es zumeist, obwohl seine nicht-christlichen, auch buddhistischen Bestandteile sehr beträchtlich sind und zahlreiche Annäherungen an seinen tieferen Sinn mit Mitteln des Okkultismus zu interessanten Folgerungen führen, in der Osterzeit gespielt, wohin es der »Karfreitagszauber« wie die Auferstehungs- und Wandlungszeremonie des letzten Bildes zu weisen scheinen. Und in Anbetracht dieser »heiligen« Komponente hat die Tradition sich Bahn gebrochen, von der wir sprachen: »Parsifal« ohne Applaus oder andere Kundgebungen anzuhören.
Wagner, der schon während der Festspiele mehrmals von Herzattacken befallen wurde, reist bereits am 14. Septem-

ber 1882 nach Süden. Er nimmt in Venedig Aufenthalt, wo ihn *Liszt* und *Levi* (»wie berauscht von Glückseligkeit«) besuchen. Am 12. Februar 1883 soll – einer Legende zufolge, die *Franz Werfel* in seinen »Roman der Oper« aufnahm – *Wagner* inmitten einer frohen Schar seiner Jünger auf einer Gondel über den Canal Grande gefahren sein; in einer anderen Gondel, deren Weg den seinen kreuzte, fuhr, einsam wie zumeist, *Giuseppe Verdi. Wagner* beachtete ihn nicht, aber *Verdi* erkannte den großen, von ihm bewunderten Rivalen. Er beschloß, ihn am nächsten Abend zu besuchen, um ihn endlich einmal kennen zu lernen.
Klopfte Verdi am 13. Februar 1883 an den Palazzo Vendramin? Niemand mehr weiß es. An diesem Tage, um ½4 Uhr nachmittags, war *Wagner* dort in den Armen *Cosimas* gestorben.

Quellen, Gedanken, Interpretationen zu »Parsifal«

1. *Wagners* »Parsifal« gehört zu jenen Werken des Musiktheaters, die ein tieferes Nachdenken und Sichversenken erfordern und die bei einem nur oberflächlichen Genuß lediglich einen sehr kleinen Teil ihres wahren Wesens und Wertes preisgeben. Hier ist *Stefan Zweigs* Kriterium voll anwendbar, der einmal den »mühelosen« dem »wirklichen« Kunstgenuß entgegensetzt. Mit der »Zauberflöte« *Mozarts,* der »Frau ohne Schatten« von *Hofmannsthal-Richard Strauss, Pfitzners* »Palestrina«, nicht wenigen Werken des 20. Jahrhunderts, sowie vielen weiteren Dramen *Wagners* zählt »Parsifal« zu den gedanklich tiefen, an ernste Menschheitsprobleme rührenden Opern, sofern wir dieses »Bühnenweihfestspiel« unter den Gattungsbegriff »Oper« einreihen können.
2. Bühnenweihfestspiel: vier Begriffe in einem (von *Wagner* geschaffenen) Wort vereint. Welcher davon der »wichtigste« sein mag, soll hier nicht entschieden werden.
   »Spiel« steht für »theatralische Aktion« und umfaßt deren verschiedenste Arten wie Drama, Lustspiel, Komödie, Tragödie, Mysterium usw., also auch die Oper mit ihren vielerlei Formen. Eine der Bedeutungen des Wortes »spielen« – in deutscher, aber auch in anderen Sprachen – ist mit »darstellen« gleichzusetzen, mit der Uridee des Theaters schlechthin, mit »sich verwandeln«, einen Wunschtraum verwirklichen, indem man aus dem eigenen Ich für begrenzte Zeit in eine fremde Figur schlüpfen kann.
   Festspiel: ein solches Spiel also in festlicher Überhöhung, mit ungewöhnlichem, mit Ausnahme-Charakter, eben: festlich. *Wagners* Gedanke von der Oper zielte seit sehr jungen Jahren auf dieses Außergewöhnliche, aus verschiedenartigen Gründen Festliche, Nichtalltäg-

liche. Und sehr früh schon faßte er die Idee, Werke für ein damals utopisches Theater zu schaffen, dessen Realisierung jedem Betrachter als reiner Größenwahn erscheinen mußte: ein eigenes Festspielhaus für das erst entstehende Werk. Zu den fesselndsten Zügen *Wagners* aber gehört seit jeher gerade dies: Utopisches wahr zu machen, feststehend scheinende Grenzen hinauszuschieben, zu überwinden, niederzureißen, Unmögliches möglich werden zu lassen. »Tristan und Isolde« sprengte jeden Rahmen, schien (und war) unaufführbar, bis ein König dieses Werk hören wollte; es war seiner eigenen Zeit um ein halbes Jahrhundert vorausgeeilt, psychologisch wie musikalisch, stimmlich wie orchestral, geistig wie dramaturgisch. Vollends als Ausnahmewerk geriet der »Ring des Nibelungen«, als *Wagner* aus der ursprünglichen Keimzelle von Siegfrieds Tod das kosmische Drama entwickelte, das vier vollständige Theaterabende zu seiner Aufführung benötigt.

Kein Wunder also, daß *Wagner* in seinem letzten Werk das völlig Nichtalltägliche anstrebt und verwirklicht: Der Dichter-Komponist will sich nicht vorstellen, »die geweihtesten Mysterien des christlichen Glaubens auf denselben Brettern« erleben zu müssen, »auf welchen gestern und morgen die Frivolität sich behaglich ausbreitet« (wie er 1880, also zwei Jahre vor der Uraufführung an *König Ludwig* schreibt). Um der sakralen Handlung willen gibt *Wagner* seinem »Parsifal« den Untertitel eines »Weihe«-Spiels; er kehrt damit zu den ältesten Quellen des Theaters zurück, zur kultischen Zeremonie, zu den Darstellungen zu Ehren Gottes oder der Götter. Nur nebenbei sei erwähnt, daß er um die gleiche Zeit einen Aufsatz über »Religion und Kunst« in den »Bayreuther Blättern« veröffentlicht. Die »Weihe«, auf die *Wagner* im Untertitel anspielt, ist also die einer religiösen, einer christlichen Kulthandlung.

Damit ist der – einmalige – Untertitel eines »Bühnenweihfestspiels« erklärt; jeder seiner Bestandteile besitzt

Wolfram von Eschenbach,
der im 13. Jahrhundert das Epos »Parzival« schrieb – eine der Quellen, aus denen Wagners Oper »Parsifal« entstanden ist.

Bedeutung. So entstand eine wohl gänzlich einmalige Bezeichnung, ein echt wagnerisches Wort, das die deutsche Sprache bis dahin nicht verzeichnete, das aber ebenso sinnvoll wie plastisch ist. Gibt es hier kaum eine Diskussion, um so stärker kann sie um eine andere Frage entbrennen: Wieweit ist »Parsifal« ein christliches Spiel? In unserem Buch werden einige Bedenken dazu angemeldet.

3. Als Quelle von *Wagners* »Parsifal« gelten zwei mittelalterliche Epen: der »Perceval« des *Chrestien* oder *Chrétien de Troyes,* und der »Parzival« des *Wolfram von Eschenbach.* Letzteres Buch nahm *Wagner,* wie im historischen Teil unseres Bandes geschildert wird, zu seinem Erholungsaufenthalt im nordböhmischen Marienbad mit. Soeben hatte er seine Oper »Tannhäuser« fertiggestellt, in deren äußerst dramatische und phantasievolle Handlung Legenden aus Minnesängertagen eingeflossen waren. *Wolfram von Eschenbach* hat darin eine maßgebende Rolle, ja er wird von *Wagner* zum großen Gegenspieler des Titelhelden gemacht. *Wagner* muß ihn also – wie man es im »Tannhäuser« spürt – zu dieser Zeit geliebt haben. Später änderte er, wie ebenfalls in diesem Band nachzulesen ist, seine Haltung gegenüber dem zweifellos bedeutenden deutschen Troubadour, der von ungefähr 1170 bis nach 1220 lebte und seinen »Parzival« in der Zeit zwischen 1198 und 1210 verfaßt haben dürfte. Er findet dann kaum mehr als Schwächen in seinen Schriften; wie so oft fällt er von einem Extrem ins andere, eine Wendung, die uns niemand mitzumachen zwingt. *Wolframs* »Parzival« ist eine bedeutende Dichtung und scheint, wie lange Zeit kaum erkannt wurde, eine bewundernswert genaue und anschauliche historische Abhandlung zu sein. *Wagner* verleiht den Gestalten, die er *Wolframs* Werk entnimmt, neue Dimensionen, fesselnde Zusammenhänge, tiefgehende Entwicklungen, aber manches erscheint schon im Original kaum weniger bedeutungsvoll und klar als beim moderneren Nachdichter.

4. *Wolfram von Eschenbach* stützt sich in seinem »Parzival« auf zwei Quellen: auf den 1191 verstorbenen *Chrétien de Troyes* und auf einen gewissen *Kyot. Chrétien* schildert einen keltischen Jüngling, der in eine Verbindung mit der Gralssage gebracht wird, und bei dem das »Torhafte«, also die naive, weltunkundige Anlage Parzivals und Parsifals vorweggenommen wird. *Chrétiens* Dichtung gehört zu den »chansons de geste«, den Heldensagen und Rittergeschichten, von denen viele zum ältesten literarischen Gut Europas zählen. Schwieriger ist die Ortung der zweiten Quelle, die *Wolfram* angibt; lange Zeit hindurch hielt man *Kyot, den Provenzalen* für eine dichterische Erfindung *Wolframs*, bis in jüngster Zeit immer deutlichere Spuren seiner tatsächlichen Existenz aufzutauchen scheinen.* Dieser *Kyot* muß ein Zeitgenosse Parzivals gewesen sein, also ein Ritter des 9. Jahrhunderts, der Leben und Fahrten eines historischen Parzival recht gut aufgezeichnet haben könnte; so wäre die Zeitspanne von annähernd 350 Jahren überbrückt, die zwischen den von *Chrétien* und *Wolfram* geschilderten Ereignissen und deren dichterischer Verarbeitung im Roman liegen müssen: *Chrétien* starb zu Ende des 12., *Wolfram* im ersten Viertel des 13. Jahrhunderts. Die auffallend genauen geschichtlichen und geographischen Angaben, die *Wolfram* uns zu vermitteln weiß, können nur von einem Zeitgenossen aufgezeichnet worden sein, der in vielen Fällen sogar Tatzeuge gewesen sein dürfte. Es muß uns hier nicht beschäftigen, ob *Kyot* mit der sehr bedeutenden Persönlichkeit des geschichtlichen (wenn auch merkwürdigerweise wenig beachteten) *Willehalm* identisch war (wie das genannte Buch *Greubs* nachzuweisen sucht). Auf jeden Fall wird vieles klarer, ja oftmals verblüffend deutlich, wenn wir annehmen, *Wolfram* habe sich in seiner Erzählung von der Tafelrunde des Königs Artus, vom Gralsheiligtum und dessen Bedeutung in jenen

* Werner Greub, Wolfram von Eschenbach und die Wirklichkeit des Grals, Dornach 1974.

mittelalterlichen Zeiten auf Augenzeugen stützen können.

5. Der Gral genießt zeitweise eine fast mystische Verehrung, ja Anbetung, die *Wagner* rekonstruiert. Dabei aber verändert er seinen Charakter: Bei ihm ist der Gral die heilige Schale, in der Jesus beim letzten Abendmahl den Wein mit seinen Jüngern trank und in die sein Blut vom Kreuze herab floß, so daß *Josef von Arimathia* es retten und aufbewahren konnte. Bei *Wolfram* hingegen ist unter »Gral« ein herrlicher und wundertätiger Edelstein zu verstehen, dem göttliche Kräfte verliehen sind. In vielen anderen Punkten folgt *Wagner* hingegen *Wolfram* genauer: Beide erzählen von Titurel, dem der Gral von Engelsscharen verliehen wurde und der für ihn ein Heiligtum erbaute; er wurde dessen erster König. Von ihm erbte sein Sohn Anfortas Burg, Herrschaft und hohe Aufgabe. Zum Gral gelangt nun, bei beiden, der junge, seiner selbst noch nicht recht bewußte Parzival. Er stellt die Fragen aber nicht, die man von ihm erwartet und wird darum ausgestoßen, auf die rauhen Wege des Lebens getrieben. Bis er eines Tages, nun reif geworden, zurückkehren kann, und die Königswürde für sich in Anspruch nehmen darf. Er wird, nach einer alten Fassung der Gralssage, zum Vater des Loherangrin, den *Wagner* vereinfacht Lohengrin nennt, als er ihm eine ganze romantische Oper widmet.
Als er dann, mehr als dreißig Jahre später, Parzival (den er nach 1877 »Parsifal« schreibt) auf die Opernbühne bringt, sind dessen Familienverhältnisse nicht mehr so klar wie im »Lohengrin«, dessen berühmte »Gralserzählung« bekanntlich mit den Worten schließt: »Mein Vater Parzival trägt seine Krone, sein Ritter, ich, bin Lohengrin genannt.« In den Quellen ist allerdings von einer Ehe Parzivals (mit Kondwiramur) die Rede, *Wagner* aber erwähnt nichts davon. Es könnte uns höchstens insofern interessieren, als *Wagners* Gralsritter im Zölibat leben (und deshalb für die Verführungen durch Klingsors »Blumenmädchen« besonders anfällig sind):

Darf ihr König heiraten? Oder, wie in diesem Falle umgekehrt zu argumentieren wäre: Darf ein verheirateter Ritter sich der Gralsrunde anschließen und gar noch ihr König werden?
Über verwandtschaftliche Beziehungen zwischen seinen Figuren hat *Wagner* – siehe im »Ring des Nibelungen« – sich recht oft großzügig hinweggesetzt. Bei ihm hat Parsifal Vater und Mutter (Gamuret und Herzeleide), aber weder Frau noch Kinder. Er ist ein »Auserwählter«, ein »Eingeweihter«, ein von der göttlichen Gnade Gezeichneter. Als solcher findet er allein den verborgenen Weg zum Gral, er besteht als einziger heil das Kundry-Abenteuer, er ist unverwundbar für den Speer Klingsors (den *Wagner* übrigens erst ziemlich spät mit dem heiligen Speer, mit dem *Longinus* Christus am Kreuze verwundete, identifiziert und so seinen Verlust durch Amfortas erst zur Katastrophe anwachsen läßt). Und durch diese Identifikation gewinnt die Zurückbringung des Speers in die Gralsburg die Bedeutung einer Erlösung; niemand kann Parsifals Berufung zum König in Frage stellen, denn er ist ein »Erlöser«. Besondere Bedeutung gewinnt dieses Heimbringen des heiligen Speers noch dadurch, daß Parzival hier nicht zum ersten Mal den Gral erblickt: Er stand ihm als junger Mensch gegenüber, unkundig der Welt und seines eigenen Herzens. Für *Wagner* gewinnt der Weg, den der junge Parsifal nach dem Verstoßen aus der Gralsburg zu beschreiten hat, entscheidende Bedeutung: Es ist der Weg zu sich selbst, zu seiner wahren Aufgabe.

6. *Wolfram* benennt den Ort, an dem die Gralsburg steht: Munsalvaesche, Muntsalväsch. Es dürfte ein Phantasiename sein, der nur den Völkern deutscher Zunge fremdländisch klingt. (Sollte es in diesem Wort einen Zusammenhang mit »Esche« geben, der »Weltesche«, die Erde und Himmelsbild der alten Germanen trug und in Wagners »Ring des Nibelungen« vorkommt?) In lateinischen Sprachen älteren und neueren Datums bietet er kein Geheimnis: mons silvaticus bedeutete für die

Römer ein bewaldeter, dann aber wohl auch (da die Wälder undurchdringlicher als die heutigen europäischen waren) »wilder Berg«. Mont salvaiges machten die Katalanen, Monte salvaje die Spanier, Mont sauvage die Franzosen, Monte selvaggio die Italiener daraus. *Wolfram* soll einen Teil seines Parzival-Epos auf der Burg Wildenberg im Odenwald geschrieben haben, wo er zu Gast weilte, bevor er zum *Landgrafen Hermann von Thüringen* auf die Wartburg zog (wo sich, irgendwann zwischen 1203 und 1207 der legendäre Sängerkrieg abgespielt haben soll, jenes Wettsingen, das *Wagner* in den Mittelpunkt seines »Tannhäuser« stellte und das, mehr als 850 Jahre später, durch den großen romantischen Maler und Schubert-Intimus *Moritz von Schwind* auf der Stirnwand des Festsaals dieses thüringischen Schlosses verewigt wurde). Hat *Wolfram* einfach den Namen der Burg, auf der er an seinem »Parzival« arbeitete, in eine fremde Sprache übersetzt? Angesichts seiner heute als beglaubigt anzunehmenden historischen Treue wäre das verwunderlich. Wie immer, die Neuzeit – und vielleicht schon das ausgehende Mittelalter – haben nicht aufgehört, nach der Gralsburg zu suchen. Irgendwie, irgendwann tauchte die Vermutung auf, das katalanische Kloster Montserrat in der Nähe von Barcelona sei der ersehnte Ort gewesen. Keinerlei bekannte Tatsache spricht dafür; doch *Wagner* nährt diesen Glauben durch die Ortsangabe, die er seinem Bühnenweihfestspiel voranschickt: in Spanien spiele es, an der Scheide der beiden Gebiete, die damals als »christlich« und »heidnisch« galten, also jenes bereits vom Abendland zurückeroberten Landes, das im 9. Jahrhundert nur einen winzigen Bruchteil der Halbinsel ausmachte, und jenes anderen, in dem die Mauren, die Araber herrschten. Will *Wagner* hier eine politische Komponente in sein Werk bringen? Liegt seine Gralsburg gewissermaßen als Außenposten des Christentums hart an jener »Grenze«, hinter der das »Heidentum« beginnt? Und befinden sich Klingsors Schloß und sein verführerischer Tropengarten schon jenseits dieser Grenzscheide, sind es die arabischen Genüsse und Verführungen, auf die *Wagner* anspielt und die ein wenig später dann die Kreuzritter im Morgenland so gefährlich kennenlernen sollten?

7. *Wagner* nennt seine Gralsburg – sowohl im »Lohengrin« wie im »Parsifal« – Montsalvat. Wußte er, daß er damit dem ursprünglichen Worte *Wolframs* einen ganz anderen, ja entgegengesetzten Sinn gab? Aus dem »wilden« Berg machte er einen »Berg des Heils«: aus »salvaesch, sauvage, salvaje« wurde ein Sprachstamm, der deutlich vom lateinischen »salvare« stammt und zu »salvar, sauver« wurde.* Bei *Wagner* ist dieser Berg nicht mehr wild, er ist heilig geworden, durch den Tempel, den er trägt. In dem von uns zitierten (dem anthroposophischen Gedankengut entstammenden) Buch *Greubs* wird die tausendmal aufgeworfene und nie glaubwürdig beantwortete Frage einer geographischen Ortung des Grals, der Gralsburg untersucht. Ohne seinen Überlegungen hier im einzelnen folgen zu wollen – da dies für das Verständnis von *Wagners* »Parsifal« nur eine sehr enge Bedeutung besäße – sei eine seiner Schlußfolgerungen dem Leser nicht vorenthalten: Es nimmt an, daß es nicht eine einzige Gralsburg gegeben habe, sondern ihrer mehrere. Jede bewahrte eine Reliquie, einen wundertätigen Stein auf, fühlte sich angerufen zu tätigem, aktivem Christentum, das damals mit höchsten ritterlichen Idealen in unlösliche Verbindung gebracht wurde.

   *Walter Hofstätter*** stellt fest, der Gral sei nach keltischer Sage ein heilbringendes Gefäß gewesen und setzt hinzu: »Viel gegrübelt hat man über den Gral. Er ist für *Wolfram* ein Symbol, in dem sich vieles vereinigt: Christliches, Orientalisches und Märchengut ...« Ein

* und den Wagner im Ersten Prosaentwurf von 1865 auch deutlich »Mons salvatoris« (Berg des Heils) nennt.

** in seinem Nachwort zu »Parzival, eine Auswahl«, Verlag Philipp Reclam Jun. Stuttgart 1967.

Gralstempel
nach einem Entwurf von Brückner/Joukovsky, Coburg für die Gralsszene im 2. Bild des 1. Akts (1882).

Symbol. Ein sehr altes Symbol sogar, wie wir aus vielerlei Forschungen wissen: ein Stein, ein Kelch, ein Abbild symbolisiert »das Göttliche«, dessen Verkörperung der edlere, der gefühlvollere Mensch auf Erden und im Himmel stets sucht, und es verleiht denen, die daran glauben und sich zu seinem Dienste unter strengen Moralgesetzen zusammentun, überirdische Kräfte. So verstanden wird es müssig, nach »der« Gralsburg zu suchen: Es könnte, müßte, ihrer mehrere, viele gegeben haben. Es ist auch nicht wichtig, ob jede von ihnen sich im alleinigen Besitz jener Schale gewähnt habe, die dann als »Gral« in die Sprache, ja in die Sprachen einging. Fast wird man an *Lessings* wunderbare Ringparabel aus »Nathan dem Weisen« gemahnt, die zu beweisen trachtet, daß es keinen alleinigen »echten« Glauben gebe, sondern jeder ehrlich und inbrünstig geglaubte Glauben »der echte« sein könne. Jeder Gralsritter war von der »Wunderkraft« (*Wagner* in »Lohengrin«) der

Bühnenbild der Gralsszenen bei den Osterfestspielen in Salzburg, 1980, von Günther Schneider-Siemssen.

in seinem Tempel aufbewahrten und verehrten Reliquie überzeugt; er wurde durch sie auch gestärkt, wenn »der Gral« ihn »in ferne Land' entsendet, zum Streite für der Tugend Recht ernannt«.
Die Ethnologie des Wortes »Gral« soll uns hier nicht eingehender beschäftigen; man pflegt es vom lateinischen gradalis abzuleiten, was »stufenförmig« bedeutet und sich auf den Bau des Heiligtums beziehen kann, das die frühesten Gralsritter rund um die Reliquie oder das angebetete »Heilige« errichteten.
Natürlich taucht bei näherem Durchdenken die Frage auf, ob wir es hier überhaupt mit einer christlichen Institution zu tun haben müssen. Sehr wahrscheinlich stammen Gralsglauben, Gralsgemeinschaften und ähnliche Gesellschaften aus viel älterer Vorzeit. Gibt es da nicht eine – geistige – Verbindung zu uralten Geheimbünden, Rosenkreuzern, Freimaurern und ähnlichen? Der gewaltigste Seher des frühen Christentums, der heilige *Jo-*

hannes, der auf der Insel Patmos die Vision der Apokalypse erlebte und einer sie zusehends weniger verstehenden Menschheit weitergab, konnte den seltsamen Satz schreiben: »In allen Religionen ist etwas Wahres, und dasjenige, was an allen Religionen wahr war, das war das Christliche in ihnen, bevor es ein Christentum dem Namen nach gab«, und nannte *Heraklit, Sokrates* und *Plato* »Christen«. Wenige Jahrhunderte später war diese universalistische Auffassung des Christentums verschüttet und verdrängt. Lebt in Parzival, *Wolframs* Parzival, eine letzte Erinnerung daran, die im 9. Jahrhundert nur noch in »Gralsburgen« ein mit heiliger Inbrunst genährtes Leben führte? Ist *Wagners* Parsifal ein »Eingeweihter« im uralten Sinne des Gralschristentums oder will *Wagner* ihn nur als »christlichen« Helden im neueren Geiste verstanden wissen? War *Wagner,* wie manchmal behauptet und zu beweisen gesucht wird, ein »Eingeweihter«? Deutet einiges – vor allem im »Parsifal« – darauf hin?

8. Daß »Parsifal« für ihn ein »christliches« Drama sei, scheint außer Zweifel zu stehen: »Vom Karfreitagsgedanken aus konzipierte ich schnell ein ganzes Drama«, erinnert er sich in »Mein Leben«, der Autobiographie, die er 1865 in München seiner sich damals ihm für immer verbindenden Gefährtin und Gattin *Cosima* zu diktieren begann. Er bezieht sich mit dieser Aussage auf einen herrlichen Frühlingstag, den er acht Jahre vorher, 1857 in Zürich, erlebt hatte und der ihm den über *Wolframs* Parzival-Epos hinausreichenden, entscheidenden Anstoß zu seinem eigenen Parsifal-Drama gab. Aus alten Lektüren war der Sagenkreis um den »Gral« ihm vertraut; gerade *Wagners* Jahrhundert, das »romantische«, hatte die Legendenwelt wieder lebendig ins Bewußtsein vieler Menschen zurückgeführt, die sich mit Themen frühchristlicher Jahrhunderte befaßten.
Wagner selbst hatte sich diesem Motivkreis besonders eng verbunden: »Tannhäuser«, »Lohengrin«, »Der Ring des Nibelungen«, Tristan und Isolde« waren so

entstanden, geboren aus oft seltsamen Verquickungen alter Götter- und Heldengeschichten mit den Anfängen des christlichen Denkens oder aus gewissermaßen letzten Erinnerungen an die untergehende »heidnische« Welt. Für *Wagner* gewinnt das Wort »Gral« eine andere Bedeutung als die früher erwähnte: Er leitet es – darüber gibt es schriftliche Zeugnisse, die unser Buch zitiert – von »sang réal«, dem »königlichen Blut« (Christi) ab, das er zu Sant Gral,* dem »heiligen Gral« werden läßt: Dadurch wird »der Gral« zum Gefäß, zur Schale für das Blut des gekreuzigten Erlösers. Wie so oft verbindet sich in *Wagners* Fantasie Verschiedenartiges, anscheinend sogar Unzusammenhängendes, wenn nicht Gegensätzliches zu höchster künstlerischer Einheit. Der Karfreitag, an den er sich (nicht ganz genau, wie seine Chronisten, *Martin Geck* und *Egon Voss,* nachweisen) als »höchsten Schmerzenstages« des Christentums – wie in »Parsifal« steht – erinnert, ist für ihn zugleich der wundervolle Augenblick, in dem die Natur nach dumpfem Winterschlaf zu frühlingshaftem Sprießen und Blühen erwacht, und gewinnt so eine neue, tiefe, symbolische Bedeutung, die ihm als »bedeutungsvolle Mahnung« zwölf Jahre vorher schon einmal in *Wolframs* »Parzival« ahnungsvoll nahegetreten war. Man kann also beinahe nachvollziehen, wie sich in *Wagners* Kopf und Herzen der Stoff gestaltet, formt, zu ungeahntem Ausdruck gelangt und Dimensionen annimmt, die niemand, nicht einmal *Wagner* selbst, am Anfang vermuten konnte.

Unter dem Eindruck jenes Zürcher Frühlingstages des Jahres 1857 skizzierte *Wagner* (»mit wenigen Zügen flüchtig«) den ersten Entwurf des späteren Dramas; es wäre hochinteressant, ihn zu lesen, aber er ist verschollen. Enthielt er schon wesentliche Gedanken des acht

* Zu diesem Punkt wäre noch einiges zu bemerken: Wagner zitiert auch »sangue réal«, entwickelt dann »San Gréal« daraus: im Deutschen wird das zu »Gral«, in mehreren lateinischen Sprachen aber hält sich dafür die Bezeichnung »gréal« oder »grial«, wie sie auch in ältesten französischen, spanischen usw. Quellen vorkommt.

Jahre später für *König Ludwig II.* niedergeschriebenen, mit geringfügigen Änderungen für *Cosima* kopierten »Ersten Prosaentwurfs«? Wie eng hielt *Wagner* sich 1857 noch an *Wolfram?* Hatte die große Umformung des Stoffes in seinen gestalterischen Gedanken schon eingesetzt? War 1857 *Wagners* Gral noch jener *Wolframs* oder hatte er schon Züge jenes angenommen, der uns im fertigen Drama entgegentritt? Von einer geographischen Ortung ist auch in den beiden Prosaentwürfen noch keine Rede; erst die endgültige Partitur erwähnt diese als in zwei benachbarten Gebieten »des gotischen Spaniens«.

9. Hat *Wagner* sich bei der Schöpfung des »Lohengrin« – also in den Jahren 1845 bis 1848 – Gedanken über eine solche »irdische« Ortung der Gralsburg überhaupt gemacht? Er läßt Lohengrin bekanntlich von einer Burg singen, die »in fernem Land unnahbar euren Schritten« liege. Sein Kommen, zur rechten Zeit um Elsa von Brabant gegen schwere und ungerechte Anklage zu verteidigen, ist von vorneherein nur als »Wunder« erklärlich; und so hat *Wagner* es auch dargestellt: In einem schwangezogenen Kahn erreicht der Gralsritter das Schelde-Ufer, wo König Heinrich mit dem brabantischen Volke versammelt ist. Bei einem solchen Verkehrsmittel ist der Abreisepunkt irrelevant. Lohengrin wird durch ein Wunder dorthin versetzt, wo sein Einsatz als Gralsritter notwendig geworden ist. Dem Gral stehen, Lohengrin selbst wird es bestätigen, Wunderkräfte zur Verfügung. Warum ortet *Wagner* dreißig Jahre später doch den Gral, fixiert ihm eine irdische Residenz? Diese Festlegung auf einen geographisch wenigstens angenäherten Punkt kennen wir aber von anderen Werken her, wagnerischen und nichtwagnerischen: Das Zauberreich der Liebesgöttin Venus liegt in der Tiefe eines Berges, besitzt aber (in »Tannhäuser«) einen Zugang, den nur Vorausbestimmte finden. In *Wolframs* »Parzival« wird etwas Ähnliches von der Gralsburg gesagt: Dem aus ihr vertriebenen jungen Toren bedeutet

ein Ortsansässiger, es gäbe dort in weitem Umkreis kein Haus und schon gar keine Burg. Hat *Wagner* sich in den Jahrzehnten, in denen dieser Stoff seine Fantasie beschäftigte, auch über eine denkbare irdische Lage der Gralsburg Gedanken gemacht? Hat er irgendeinen Grund gehabt, sie nach Spanien zu verlegen? Spielt da vielleicht der große Glaubenskrieg zwischen Christentum und Islam in jenen fernen Zeiten eine Rolle? Sehr viele Gründe sprächen eher gegen eine solche Ortung. Der seiner Mutter entlaufene Knabe Parzival gelangt – durch göttliche Fügung, die allerdings die Anwendung menschlicher Logik ausschließen könnte – in die Gralsburg; Parzivals Mutter hieß Herzeloyde (woraus *Wagner* Herzeleide macht) und stammte laut überlieferter Legende (die *Wagner* nicht übernimmt) aus »Gralsgeschlecht«. Sie ist in einer deutschsprachigen Gegend beheimatet, wie aus manchem, so allein schon dem Namen hervorzugehen scheint. Sie blieb in ihrer Heimat, als der aus fremdem Land gekommene Ritter Gamuret (oder Gachmuret) sie geheiratet hatte und in den Orient ritt, wo er in Kämpfen ums Leben kam. Parzival wird also sehr wahrscheinlich irgendwo in »deutschem« Lande geboren, entläuft seiner Mutter und gelangt nach kurzen Irrwegen durch göttliche Bestimmung auf Gralsgebiet. Das schon mehrfach zitierte Buch *Greubs*, das sich durch ungewöhnliche Kenntnisse des Parzival-Epos *Wolframs* auszeichnet, sucht »die Gralsburg«, von der in diesem die Rede ist, folgerichtig auf mitteleuropäischem Boden. Ohne den Gedankengängen nachzugehen, die uns zu weit von *Wagner* entfernen würden (dem das vorliegende Buch ja zur Erläuterung seines »Parsifal« einzig und allein zugedacht ist), sei doch erwähnt, daß *Greub* eine solche Gralsburg im Gebiet des Oberrheins, im Umkreis von Basel, Colmar, Arlesheim gefunden zu haben glaubt. Er untersucht alle Angaben *Wolframs* über Ritte und Abenteuer Parzivals, über Schlachten und andere Ereignisse und findet verblüffende Übereinstimmungen und Bestätigungen.

10. Wir haben uns gefragt, welche der später in »Parsifal« verarbeiteten Gedanken *Wagner* wohl beim ersten Entwurf bereits gefaßt haben mochte. Vieles übernahm er von *Wolfram:* Parsifals Elternpaar Gamuret und Herzeloyde (die bei *Wolfram* »Königin von Kanvoleis und Norgals« genannt wird, also von Nord- und Südwales, deren Ursprung bei anderen sehr frühen Autoren aber auch anders gedeutet erscheint), den Grals-Begründer Titurel, dem der Gral vom Himmel gesendet wurde (»herab von einer Engelsschar gebracht«, wie Wagner es im »Lohengrin« besingt), dessen Sohn Anfortas (nach 1877: Amfortas), der auszog, um den abtrünnigen Gralsritter Klingsor zu bekämpfen, aber in die verführerischen Schlingen von dessen Zaubermädchen fiel und dabei, um sich selbst zu retten, seine Waffe zurücklassen mußte (aus der *Wagner,* wie wir sahen, den »heiligen Speer« macht).

    Wagner übernimmt von *Wolfram* die vielen Kämpfe, Fahrten und Abenteuer, denen Parsifal/Parzival unterworfen wird, um sich in irdischen Leiden und Nöten zu läutern. *Wolfram* schildert sie, einem Epos gemäß, in breiter Ausführlichkeit. *Wagner* muß, da er seine Handlung an drei Knotenpunkten höchster Entscheidung zusammenzieht, raffen. Wir erleben sie nicht, wir hören nur von ihnen: im ersten Akt durch Parsifals naive Schilderung (die durch Kundry unterstrichen wird), im dritten Akt durch seinen Gurnemanz gegenüber abgelegten Bericht, in dem Parsifal hervorhebt, daß er selbst in schwersten Gefahren den heiligen, von ihm zurückeroberten Speer nicht ins Treffen führte, um ihn nicht zu entweihen.

    Wagner übernimmt eine wichtige Einzelheit von Parzivals, auch bei *Wolfram* geschildertem, ersten, jugendlichen Gralsbesuch; aber er ändert, wie so oft, die Motivierung: Parzival/Parsifal erlebt staunend die Gralsburg und die merkwürdigen Ereignisse, deren Zeuge er dort wird. Er fragt, weder bei *Wolfram* noch bei *Wagner*, nach deren Ursprung und Sinn: Er tut die Frage nach

der Wunde und den Leiden des Königs Anfortas/Amfortas nicht und wird darum davongejagt, da er offenkundig gefühllos ist und sich für den Sinn dieser Qualen nicht interessiert.
Wolfram begründet dieses bedeutungsvolle Nicht-Fragen stärker als *Wagner:* Gurnemanz, ein alter, edler und weiser Ritter, der Parzival in vielen ritterlichen Künsten unterwies, riet ihm, nicht – wie er es zu tun pflegte – stets von der Mutter zu sprechen und vor allem nicht so viel zu fragen, da beides auf einen unmündigen und damit unritterlichen Geist schließen ließe. Bei *Wagner* hingegen ist die Motivierung des gleichen Vorgangs eine gänzlich andere: Parsifal ist Gurnemanz, einem alten Gralsritter, begegnet, zwar bei einer unwürdigen Gelegenheit – der Tötung eines Schwans durch den jungen Weltunkundigen –, aber trotzdem eindringlich genug, um diesen an die Prophezeiung denken zu lassen, laut der ein »reiner Tor« der sehnlichst erwartete Erlöser des Grals und seines Königs Amfortas sein werde, die in tiefster Schmach und Verzweiflung ihr Ende voraussehen. In dieser Hoffnung, der Retter sei gekommen, führt Gurnemanz den fremden Jungen (der noch nichts von seinem Namen Parsifal weiß, worin ein tiefes Symbol steckt) zum Gralstempel, wo er das Leid des Königs und die Niedergeschlagenheit der Ritterschaft erlebt. Er greift sich im höchsten Schmerzensausbruch Amfortas' einmal ans eigene Herz, aber er öffnet den Mund zu keiner Frage. Gurnemanz verweist ihn barsch aus dem Gralsgebiet: Er glaubt, sich geirrt zu haben in der Hoffnung, der Erretter sei gekommen.
Abgesehen von der Frage, ob in dieser Szene, deren äußerlichen Ablauf *Wagner* bei *Wolfram* vorgebildet findet, *Wolfram* nicht die stärkere Begründung für Parzivals »Versagen« gebe als *Wagner*, wären hier vielleicht weitere Gedanken am Platze. Was hätte Parsifal (bei *Wagner*) tun sollen? Er ist jung, gänzlich unerfahren im Umgang mit Menschen und steht schüchtern einer Zeremonie gegenüber, deren wahre Bedeutung er nicht

erfassen kann, vor deren tiefem Ernst er aber unbewußte Scheu empfindet. Sein Griff ans eigene Herz müßte zeigen, daß er keineswegs gefühllos fremden Leiden gegenübersteht; hat er nicht, wenig vorher in der Waldszene, zerknirscht seinen Bogen zerbrochen, als Gurnemanz ihn eindringlich das Unrecht seines Schwanenmordes sehen ließ? Hat Gurnemanz mehr von ihm erwartet, eine neugierige oder teilnehmende Frage über die Qualen des Königs? Mehr als das benommene Kopfschütteln, mit dem er Gurnemanz' Frage beantwortet, ob er wisse, was er gesehen? Was wäre geschehen, wenn Parsifal die von ihm erwartete Frage tatsächlich getan hätte? Wenn er hätte wissen wollen, was das anscheinend überirdisch heilige Gefäß bedeute und was es mit der Wunde Amfortas' auf sich habe? Wäre er sofort Gralskönig geworden oder hätte der Gral ihn dazu erzogen? Es liegt ein tiefes Symbol darin, daß er fortgewiesen wird auf die weiten und wilden Pfade der Welt, die ihn zum Bewußtsein seiner Aufgabe führen, »durch Mitleid wissend« machen, und damit zum Erlöser.

11. Keine andere Figur seines Bühnenweihfestspiels hat *Wagner* so viele Gedanken gekostet als deren seltsamste: Kundry. Auch sie kommt bei *Wolfram* bereits vor, aber keine andere ist so völlig umgestaltet, so mit neuem Inhalt erfüllt worden. Immerhin, ein recht ungewöhnliches Wesen war Kundry schon bei *Wolfram:* Er nennt sie »Kundrie, la Surzière«, was dem neufranzösischen »la sorcière«, die Zauberin, entspricht. Daß er sie auf französisch zitiert, weist auf einen gallischen Ursprung der Figur hin (was neben manchem anderen ähnlich gelagerten Motiv vielleicht auf den Ursprung des ganzen Sagenkreises, der hier behandelt wird, im deutsch-französischen Grenzgebiet hinweisen könnte, vielleicht ins Elsaß, nach Lothringen oder eben zum Oberrhein, wie früher erwähnt). *Wolfram* schildert diese Zauberin als »weise, von rascher Zunge, wortgewandt«, nennt sie gelehrt, da sie »Französisch, Heidnisch und Latein« sprach (wobei »heidnisch« mit »arabisch« gleichzuset-

zen ist), in Geometrie und Dialektik bewandert war und sogar astronomische Kenntnisse besaß.
Allerdings »sah sie denen wenig gleich, die man um ihrer Schönheit nennt« (wie es in der Übersetzung von *Wilhelm Hertz* heißt): »Die Nase war erborgt vom Hund; es krümmen sich aus ihrem Mund zwei spannenlange Eberzähne, und jede Wimper starrt als Strähne. Sie hatte Ohren gleich dem Bären; zu rauh für zärtliches Begehren war ihr Gesicht . . .« Die Beschreibung geht in ähnlichem Tone weiter und gipfelt in der Feststellung, Kundrie habe wohl kaum je das Motiv für einen ritterlichen Zweikampf abgegeben.
Wagner aber macht etwas gänzlich anderes aus ihr: das seltsamste, interessanteste Geschöpf aus der langen Reihe seiner Figuren. Er gibt ihr zwei einander völlig entgegengesetzte Persönlichkeiten, schildert sie als ein Wesen mit Doppelexistenz, das zudem eine lange Reihe von Wiedergeburten durchlaufen hat. Die eine Seite Kundrys (deren Namen er, wie *Wolfram,* aus dem älteren Gundryggia ableitet) ist die einer demütigen Gralsdienerin, von wildem Aussehen und mit geheimnisvollen Absenzen, aber stets unterwürfig, unbemerkt, bescheiden und unauffällig in ihrer physischen Präsenz, stets zum sklavischen Dienste bereit, als büße sie damit eine uralte Schuld. Die andere: eine wunderbar schöne Frau von höchster erotischer Ausstrahlung, willenloses Werkzeug ihres Meisters, des Zauberers Klingsor, eines ehemaligen Gralsritters, der abtrünnig geworden sein Schloß an den Grenzen des Gralsgebiets errichtete, um dort zu irdischen Aufgaben ziehende Ritter in die Netze seiner Blumenmädchen oder gar der »Urteufelin« Kundry fallen und so dem Gral für immer verloren gehen zu lassen. Kundrys Wiedergeburten werden von *Wagner* ausdrücklich erwähnt; sie sind nicht unbedingt mit den Reinkarnationen orientalischer Religionen gleichzusetzen, die ein gesetzmäßiger Vorgang im Sinne einer Höherentwicklung sind, sondern stellen hier die Folge eines Fluchs, einer Strafe dar (ein wenig wie beim

»Fliegenden Holländer«), einer Sehnsucht nach Sühne. Diese Problematik von Simultanexistenzen und Wiedergeburten konnte keinem christlichen Dichter des Mittelalters einfallen, keinem Minnesänger, keinem Troubadour. *Wagner* hat viel älteres Gedankengut belebt und bearbeitet.

12. Hier greift *Wagners* Werk weit über jede christliche Deutung hinaus, hier gibt es Brücken zu fernöstlichen Religionen (in deren Geist *Wagner* durch viele Jahrzehnte ein Drama »Die Sieger« plante, ohne es je auszuführen), zu Philosophien aller möglicher Herkunft. Hier finden natürlich auch die okkulten, okkultistischen, geheimwissenschaftlichen Deutungsversuche des »Parsifal« (ja des gesamten Werkes *Wagners*) ihren glaubwürdigsten Ansatzpunkt.
Woher kam *Wagner* der Gedanke zu einer Figur wie Kundry? Bei *Wolframs* Kundrie kaum, obwohl er deren Namen übernimmt; eher bei der ebenfalls von *Wolfram* geschilderten Verführerin Orgeluse, aber auch diese steuert nur einzelne Züge zu einem überaus reichen Gesamtbild bei. Die von *Wolfram* wie von *Wagner* genannte Gundryggia war eine tolle, unheilbringende Reiterin der nordischen Sagenwelt; auch sie trug ein wenig zur Gestalt Kundrys bei (abgesehen von der Ähnlichkeit des Namens, die für *Wagner* sicherlich eine Bedeutung hatte). Und Kundrys »Vergehen«? Eine Überlieferung beschuldigt Herodias, Mutter der Salome, angesichts des abgeschlagenen Kopfes Johannes des Täufers gelacht zu haben; *Wagner* überträgt dieses Lachen auf Kundry, die Jesus am Kreuz gehöhnt habe.
Wieder streift jede Kundry-Interpretation die Frage, ob *Wagner* ein »Eingeweihter« gewesen sei. Daß er sich als geistig interessierter Mensch mit dem Gedankengut anderer Religionen, Rassen und Völker befaßte, war klar, aber in seinem Kopf gestalteten alle Gedanken, fremde wie eigene, sich zu völlig persönlichen Bildern, die kaum irgendwo als Lehre, als Doktrin gar, aufscheinen könnten. In »Parsifal«, seinem reifsten Drama, in ge-

wissem Sinne der Zusammenfassung seiner Erfahrungen und Erkenntnisse, steht er, was oft übersehen wird, dem Urchristentum – das von vielen auch Gralschristentum genannt wird – näher als der späteren offiziellen Lehre der Kirche.

13. Es bedürfte eines eigenen Buches, wollte (und könnte) man der Entstehung der Kundry-Gestalt in *Wagners* Denken nachgehen. In dem langen, überaus eingehenden Brief, den er aus Luzern am 29. und 30. Mai 1859 an *Mathilde Wesendonk* schreibt, und der sich (obwohl er aus der Endphase der »Tristan«-Komposition stammt) vor allem mit dem wieder in seinem Kopfe arbeitenden Parsifaldrama beschäftigt, wird die Gestalt des Amfortas (damals noch Anfortas) genau besprochen, sowie deren Verhältnis zu Parsifal (damals noch Parzival). Es ist viel von *Wolfram von Eschenbach* die Rede, den *Wagner* nun recht böse beurteilt (»eine durchaus unreife Erscheinung, woran allerdings sein barbarisches, gänzlich konfuses, zwischen dem alten Christentum und der neueren Staatenwirtschaft schwebendes Zeitalter schuld«), viel vom Gral (»daß dieses Wunder ein kostbarer Stein sein sollte, kommt allerdings in den ersten Quellen, die man verfolgen kann, nämlich in den arabischen der spanischen Mauren, vor. Leider bemerkt man nämlich, daß alle unsere christlichen Sagen einen auswärtigen, heidnischen Ursprung haben. Unsere verwundert zuschauenden Christen erfuhren nämlich, daß die Mauren in der Kaaba zu Mekka, aus der vormohamedanischen Religion stammend, einen wunderbaren Stein – Sonnenstein oder Meteorstein, allerdings vom Himmel gefallen – verehrten. Die Sagen von seiner Mirakelkraft faßten bald aber die Christen auf ihre Weise auf, und brachten das Heiligtum mit dem christlichen Mythus in Berührung . . ., was ganz mit dem Reliquienenthusiasmus der ersten christlichen Zeit stimmt«), aber nichts ist über Kundry zu finden.
Erst über ein Jahr später, Anfang August 1860, lesen wir in seinem Brief an die gleiche vertraute Adressatin,

geschrieben in Paris: »Sagte ich Ihnen schon einmal, daß die fabelhaft wilde Gralsbotin ein und dasselbe Wesen mit dem verführerischen Weibe des zweiten Aktes sein soll? Seitdem mir dieses aufgegangen, ist mir fast alles an diesem Stoffe klar geworden. Dies wunderbare, grauenhafte Geschöpf, welches den Gralsrittern mit unermüdlichem Eifer sklavenhaft dient, die unerhörtesten Aufträge vollzieht, in einem Winkel liegt, und nur harrt, bis sie etwas Ungemeines, Mühevolles zu verrichten hat, verschwindet zu Zeiten ganz, man weiß nicht wie und wohin?«

Diese entscheidende Ausgestaltung der Kundry-Figur scheint also zwischen der Mitte des Jahres 1859 und der des Jahres 1860 in *Wagners* Geist vor sich gegangen zu sein. Im »Ersten Prosaentwurf« 1865 ist Kundry in den wichtigsten Zügen festgelegt: nicht nur in ihren beiden »Existenzen«, sondern auch in ihrer schicksalhaften Begegnung mit Parsifal, die zur Schlüsselszene des Werkes geworden ist.

14. Parsifal ist »der reine Tor«, der zur Erlösung der Gralsburg vom Unglück, das sie durch ihres Königs Amfortas Fehltritt befallen hat, berufen ist. Aber er muß – dies der andere Teil der Prophezeiung – »durch Mitleid wissend« geworden sein. Und das geschieht, nach *Wagners* ureigenster Idee, im Augenblick, da Kundry ihn küßt. In diesem Augenblick ersteht das Bild des Amfortas vor seiner Seele; er sieht ihn in Kundrys Umarmung, wie jetzt sich selbst. Und er glaubt, den brennenden Schmerz seiner Wunde, aber mehr noch seiner Reue, in sich selbst zu fühlen. Es ist, wie *Wagner* stets hervorhebt, der entscheidende Augenblick, der Wendepunkt des Dramas.

Ludwig II. fragt bei der Lektüre des Prosaentwurfs, den *Wagner* ihm 1865 sendet, nach dem genauen Sinn dieses Vorgangs: »Welche Bedeutung es mit dem Kusse Kundrys hat? Das ist ein furchtbares Geheimnis, mein Geliebter!«, antwortet *Wagner,* aber seine Erklärung dieses Geheimnisses ist so gehalten, daß der König vor neuen Rätseln gestanden haben dürfte, da *Wagner* in kaum verständlichen Gleichnissen spricht (die der Leser in der »Geschichte« nachlesen kann). Erst danach wird er klarer: »Der Kuß, der Anfortas der Sünde verfallen läßt, er weckt in Parzival das volle Bewußtsein jener Sünde, nicht aber als die seinige, sondern die des jammervoll Leidenden, dessen Klagen er zuvor nur dumpf empfand, davon ihm nun aber, am eigenen Mitgefühl der Sünde, der Grund hell aufging: mit Blitzesschnelle sagt er sich gleichsam: ›ach, das ist das Gift, an welchem Jener siecht, dessen Jammer ich bisher nicht verstand!‹ – So weiß er mehr als alle andren, namentlich auch als die gesamte Gralsritterschaft, welche doch immer nur meinte, Anfortas klage um der Speerwunde willen! Parzival blickt nun tiefer . . .«

15. Hier berührt *Wagner* einen ebenfalls sehr wichtigen Punkt: Parsifal sähe mehr, tiefer als die Gralsritter. Wird er dadurch befähigt zu tun, was jenen verwehrt ist: den heiligen Speer aus den Händen des Zauberers Klingsor zurückzuholen?
Diese Frage hat viele Forscher, Deuter und Erklärer des »Parsifal« auf den Plan gerufen. Warum zieht die Ritterschaft des Grals nicht aus, die verlorene Waffe zurückzuerobern? Sind die Gralsritter auf ihren Missionen in der Welt nicht von jener »heiligen Kraft« unbesiegbar gemacht, von der Lohengrin singt? Was hindert sie also, den ihrem König entwundenen Speer zu holen? Unternimmt Amfortas diesen Zug nicht, da er für seine Ritterschaft eine ähnliche Versuchung voraussieht wie diejenige, der er selbst erlag?
Nun muß man allerdings bedenken, daß *Wagner* dem Speer-Motiv nicht von Anfang an die gleiche ungeheure Bedeutung beimaß wie später; lange Zeit hindurch erklärt er – so in einem Brief an *Mathilde Wesendonk* –, Amfortas sei »durch den Speer eines Nebenbuhlers bei einem leidenschaftlichen Liebesabenteuers« verwundet worden. Selbst im Ersten Prosaentwurf von 1865 wird die Identität dieser Waffe nicht sofort mit dem »heiligen

Speer« vollzogen, der auf Golgotha eine Rolle spielte und zu den Reliquien Jesus' gehört. Hier ereignet sich etwas Seltsames, aber für Wagner Charakteristisches: Zu Beginn dieses Entwurfs scheint die Waffe, die Amfortas verwundet, irgendein feindlicher Speer zu sein, doch nur einen einzigen Tag später – als *Wagner* den zweiten Akt skizziert – ist diese Gleichsetzung mit dem heiligen Speer des römischen Soldaten *Longinus* bereits erfolgt. *Wagner* erkennt natürlich sofort die Bedeutung dieses Gedankens, der ihm plötzlich während der Arbeit gekommen sein dürfte. Damit müßte sich aber nun die Frage erheben, warum die Gralsritter den Zug gegen Klingsor scheuen oder nicht unternehmen können. *Wagner* umgeht das Problem: Im ersten Akt schlägt ein Knappe im Gespräch mit Gurnemanz vor, die von diesem als »treu und kühn in Wehr« geschilderte Kundry nach dem »verlor'nen Speer« zu senden, worauf der alte Gralsritter »düster« abwehrt: »Das ist ein an'dres, jedem ist's verwehrt.« Wer hat es verwehrt? Gott selbst, der die Gralsritter und ihren verwundeten König Amfortas durch eine geheimnisvolle Prophezeiung wissen ließ, die Erlösung komme von einem »durch Mitleid wissenden reinen Toren«? Schließt das jeden Versuch einer Rückeroberung durch die Ritterschaft oder durch einen von ihnen, der wie etwa Gawan als besonders heldenhaft und kühn geschildert wird, völlig aus? Der Gedanke des Verlustes der heiligen Waffe durch Amfortas muß *Wagner* lange und in den verschiedensten Formen durch den Kopf gegangen sein. Er sah wohl die Schuld Amfortas' – noch bevor er sich in das Liebesabenteuer mit Kundry einließ – auch darin, daß er die Reliquie in den Kampf gegen den abtrünnigen Klingsor mitgeführt habe. Demgegenüber betont dann, im letzten Akt, Parsifal ganz bewußt, er habe den heiligen Speer, den zurückzuerobern ihm gelungen, nie im Kampfe verwendet, sondern trage ihn »unentweiht« mit sich. Die Frage der Rückgewinnung des Speers läßt bei *Wagner* viele Deutungen zu; und sie spielt auch in der lawinenartig angeschwollenen *Wagner*-Literatur eine gewichtige, viel diskutierte Rolle.

16. Doch nicht nur das Schrifttum über *Wagner* findet immer wieder neue Aspekte, neue Kriterien, neue Argumente zur Bewältigung seines gewaltigen Werkes. Sehr unterschiedlich waren seit jeher die Urteile, die große Musiker und bedeutende geistige Persönlichkeiten über *Wagner* im allgemeinen und über »Parsifal« im besonderen abgegeben haben. Sie bewegen sich zwischen den bösesten Ansichten *Nietzsches* (»Fußfall vor dem Kreuz«) und der Begeisterung *Liszts* (»das Erhabenste vom Erhabenen«). *Debussy* und *Tschaikowksy* fühlen, trotz ihrer weiten Distanz zum Meister von Bayreuth, dessen unleugbare Größe. *Gustav Mahler* tritt, wie er sagte, »keines Wortes fähig aus dem Festspielhause und wußte, daß ihm das Größte, Schmerzlichste aufgegangen war, und daß er es unentweiht mit sich durch sein Leben tragen werde.«
Den Reaktionen der Presse nachzugehen, wäre vielleicht amüsant, aber sinnlos, da die Mehrzahl der Kritiker mit der Beurteilung neuer Phänomene zu jeder Zeit hoffnungslos überfordert ist. Erwähnt sei lediglich eine einzige Äußerung. Das als seriös geltende »Berliner Tageblatt« bezeichnet *Wagner* als einen »Komponisten für Unmusikalische« und meint es abfällig, ohne zu erkennen, daß es im Grunde ein tiefes Lob ausgesprochen hat: Tatsächlich ist *Wagners* Musik dem sich um sie bemühenden Laien leichter verständlich als die vieler anderer Meister; seine Motive sind einfach und haften im Gedächtnis von selbst hörungewohnten Menschen, die Verquickung von Text, Drama und Musik ist so eng, daß eines dem andern zum deutlicheren Verständnis und Genuß des Werkes verhilft. In »Parsifal« fühlt selbst der »Unmusikalische« (wenn es ihn überhaupt gibt), der seine Empfindsamkeit behalten hat, die Größe und Erhabenheit eines Werkes von ungewöhnlicher Bedeutung. Je weiter man hier eindringt, desto größer wird der Genuß –, desto höher türmen sich al-

lerdings auch die Probleme, die er aufwirft. »Parsifal« ist ein Werk, über das man, auch ohne Philosoph, Musiker oder Dichter zu sein, in endlose Auseinandersetzungen geraten kann, ja muß. Darf und soll das der Zweck einer Oper, eines Kunstwerks im allgemeinen sein? Gewiß nicht in erster Linie. »Parsifal« kann jedem Betrachter und Hörer Wertvolles bieten: den sinnlichen Genuß der Musik dem einen, die geistige Auseinandersetzung dem andern, die Möglichkeit der Polemik über ein Dutzend wichtiger Lebensfragen dem dritten, vierten, fünften. Es lohnt sich, »Parsifal« von allen möglichen Seiten zu analysieren, doch wichtiger ist es, danach alle seine Bestandteile in einer großen Synthese wieder zu vereinen zum einheitlichen, überzeitlichen Kunstwerk, das es darstellt.

17. Einige Monate nach der Uraufführung des »Parsifal« schrieb *Wagner* in Venedig, das kurz danach sein Sterbeort werden sollte, einen Bericht über die Festspiele dieses Sommers 1882 für die gegen Jahresende erscheinenden »Bayreuther Blätter«, sein Sprachrohr. Der Rückblick ist zu umfangreich, um hier vollständig abgedruckt zu werden, aber einiges sei zitiert: ». . . Wer mit richtigem Sinne und Blicke den Hergang alles Dessen, was während jener beiden Monate in den Räumen dieses Bühnenfestspielhauses sich zutrug, dem Charakter der hierin sich geltend machenden produktiven wie rezeptiven Tätigkeit gemäß zu erfassen vermochte, konnte dies nicht anders als mit der Wirkung einer Weihe bezeichnen, welche, ohne irgend eine Weisung, frei über Alles sich ergoß. Geübte Theaterleiter frugen mich nach der, bis für das geringste Erfordernis jedenfalls auf das Genaueste organisierten Regierungsgewalt, welche die so erstaunlich sichere Ausführung aller szenischen, musikalischen wie dramatischen Vorgänge auf, über, hinter und vor der Bühne leitete; worauf ich gutgelaunt erwidern konnte, daß dies die Anarchie leiste, indem ein Jeder täte, was er wolle, nämlich das Richtige. Gewiß war es so: ein Jeder verstand das Ganze

und den Zweck der erstrebten Wirkung des Ganzen. Keiner glaubte sich zu viel zugemutet, Niemand zu wenig sich geboten. Jedem war das Gelingen wichtiger als der Beifall, welchen in der gewohnten missbräuchlichen Weise vom Publikum entgegenzunehmen als störend erachtet wurde ...«

18. Zwei Punkte aus diesen Gedanken seien zu Ende dieser Betrachtungen noch einzeln und näher besprochen, da sie Wichtiges und Prinzipielles betreffen. Da ist einmal die Anarchie, die *Wagner* hier lächelnd (»gutgelaunt« nennt er es selbst) als Urheberin des richtigen Tuns darstellt: Kehrt der anarchistische Revolutionär von 1848/49 am Ende seines Lebens zu seinen alten Glaubenssätzen zurück? Im »Künstlertum der Zukunft« schrieb er, der sich damals Freiheit nur in der Anarchie vorstellen konnte: »Freiheit heißt: keine Herrschaft über uns dulden, die gegen unser Wesen, unser Wissen und Wollen ist.« *Wagner* hat sehr viel über diese Fragen nachgedacht. Es mag interessant erscheinen, daß soeben ein neues (das wievielte?) Buch über »Parsifal«* gerade *Wagners* Verhältnis zur Anarchie neu überdenkt; es erklärt viele Züge der Parsifal-Gestalt als »anarchistisch« in *Wagners* Sinne.

Wagner schien während vieler Jahrzehnte von diesem, seinem einstigen Glauben weit abgerückt. Seit dem Ereignis des »Wunders«, seiner materiellen, psychischen, geistigen, ja physischen Errettung durch *König Ludwig II.* von Bayern im Jahre 1864, hatten seine Schöpfungen, sicherlich unbewußt, einen anderen Charakter angenommen. Der »Ring des Nibelungen«, einst als »sozialistisches« Drama konzipiert, das in den müdgewordenen, in eigenen Gesetzen gefangenen Göttern Walhalls das verbrauchte Bürgertum, im jungen Siegfried das siegreich vorstürmende Proletariat sah, hatte, nach vier langen Theaterabenden, nun in einer »Götterdämmerung« geendet, die aber zugleich ein Holo-

* Walter Keller, Parsifal-Variationen, Hans Schneider-Verlag, Tutzing 1979

caust der Menschheit wurde. An die Stelle eines klassenpolitischen Gedankens war, nach der kurzen Euphorie der Beziehungen zum König, ein tiefer, schopenhauerischer Lebenspessimismus getreten. Ist es möglich, daß nun, immer näher seinem Ende, mancher alte Glaubenssatz von Sozialismus und Anarchie neues Leben in ihm erlangt? Die Frage wäre zu überdenken.

19. Die andere im Bericht angeschnittene Frage ist die des Applauses nach »Parsifal«. Sie spukt bekanntlich seit den Tagen der Uraufführung in den Köpfen der Theaterleiter und -besucher. *Wagner* nennt den Applaus schlechthin »mißbräuchlich«. Er empfindet es – wie so viele Künstler – als entwürdigend, für die Hingabe des »Herzbluts«, der stärksten seelischen, der letzten physischen Kräfte mit Händeklatschen belohnt zu werden. Eine alte Frage, ein altes, unlösbares Problem. Es kann hier nicht allgemein, sondern nur im Zusammenhang mit »Parsifal« neu aufgerollt werden. Darf einem »Bühnenweihfestspiel« applaudiert werden, einer sakralen Handlung, die »christliche Mysterien« auf die Bühne bringt? Natürlich: nein. Doch . . . ist »Parsifal« wirklich ein christliches Drama? Ist es nicht auch Theater im besten Sinne des Wortes? Und: Gibt es Theater ohne Applaus? So lange keine andere Form des Publikumsdankes, der spontanen Begeisterung, gefunden wird, stellt der Beifall eine legitime Äußerung des Publikums dar. Ein Dilemma, aus dem es keinen Ausweg gibt. Dokumentieren wir es an *Wagners* eigener Stellungnahme: Er wies den Applaus weder bei der Generalprobe noch bei der Uraufführung zurück, obwohl seine Machtfülle im eigenen Theater, seine unangezweifelte Autorität ihm leichte Handhabe hierzu geboten hätten. Näheres ist im Kapitel »Geschichte« nachzulesen. Daraus geht zumindest hervor, daß *Wagner* sich über diese Frage den Kopf zerbrochen haben dürfte. Wenn er keinen Ausweg fand, wie soll ihn, hundert Jahre später, das Publikum finden? *Mozart* freute sich, als er kurz vor seinem Tode noch seine »Zauberflöte«

hörte, über den starken Applaus, aber – so schreibt er seiner Gattin – noch viel mehr über den »stillen Beifall«. Die meisten heutigen Theater ziehen bei »Parsifal« den stillen Beifall vor. Die Frage des lauten Beifalls nach »Parsifal«-Aufführungen hat immer wieder die Gemüter bewegt. So, natürlich und vor allem, in Bayreuth. Dort sah die Festspielleitung sich eines späteren Tages zur Bekanntgabe dieses Textes veranlaßt (der dann von vielen Bühnen nachgedruckt und dem Publikum zugänglich gemacht wurde):

☛ Da es zu lauten Klagen über den Umstand gekommen ist, dass nach den Aktschlüssen bei den Aufführungen des Parsifal von einem Teil des Publicums gezischt worden ist, um den Applaus zu unterdrücken, sieht sich die Festspielleitung veranlasst die von dem Meister im Jahre 1882 selbst geäusserten Wünsche in Bezug auf Applaus und Nicht-Applaus dem verehrten Publicum kundzuthun.

Das ruhige Verklingen des ersten Aktes schliesst einen Applaus von selbst aus. Dagegen wünschte der Meister es ausdrücklich, dass nach dem 2. und 3. Akt das Publicum den Künstlern seinen Dank durch Beifall ausdrücke. Das Öffnen des Vorhanges am Schluss ist auf seinen Wunsch hin angeordnet worden und an dieser Bestimmung wird festgehalten.

Biographische Daten aus dem Leben Richard Wagners

(unter besonderer Berücksichtigung der Entstehungsgeschichte des »Parsifal«)

1813 Am 22. Mai wird Richard Wagner in Leipzig geboren und am 16. August in der Leipziger Thomaskirche – an der Bach während der letzten 27 Jahre seines Lebens tätig gewesen war – getauft.
Am 23. November stirbt sein Vater Carl Friedrich Wilhelm Wagner, 43jährig, an Typhus.

1814 Wagners Mutter, Johanne Rosine, geborene Pätz aus Weißenfels, heiratet mit 36 Jahren den Schauspieler und Dichter Ludwig Geyer.
Übersiedlung nach Dresden, wo Geyer am Theater tätig ist.

1821 Tod Ludwig Geyers (30. September).

1822 Wagner kommt – übrigens unter dem Namen »Richard Geyer«, den er bis zu seiner Konfirmation beibehielt – auf die Kreuzschule.

1827 Wagner wird am 8. April in der Dresdner Kreuzkirche konfirmiert.

1828 Nach der Übersiedlung von Dresden nach Leipzig tritt Wagner in das dortige Nicolaigymnasium ein.

1829 Er erlebt die große dramatische Sängerin Wilhelmine Schröder-Devrient in ihrer Rolle als »Fidelio« und wird dadurch entscheidend zum Künstlerberuf gedrängt, schwankt aber noch jahrelang zwischen seinen beiden Talenten: der Musik und der Dichtung. Schließlich wird ihm bewußt, daß er – wie nur sehr wenige vor ihm – beide verbinden könnte und müßte.

1830 Im Dezember wird im Leipziger Theater zum ersten Mal ein Werk Wagners öffentlich aufgeführt: eine »Ouvertüre für Orchester in B-Dur«.

1831 Wagner beginnt ernste musikalische Studien beim Kantor der Thomaskirche, Theodor Weinlig, dessen

Wagners Geburtshaus in Leipzig.
(»Haus zum Rot und Weißen Löwen« am Brühl.)

Johanne Rosine Geyer, verw. Wagner, geb. Pätz –
Richard Wagners Mutter. (Ölporträt von Ludwig Geyer).

er in seinen Memoiren dankbar gedenken wird, allerdings nicht ohne hinzuzufügen, daß sich »das Komponieren in Wahrheit nicht lehren« ließe.

1832 Erster Druck einer Komposition Wagners, einer »Klaviersonate in B-Dur«, bei Breitkopf & Härtel in Leipzig.
Fragmente einer Oper »Die Hochzeit«.

1833 Wagner arbeitet an seiner ersten, wirklich fertiggestellten Oper: »Die Feen«.
Er wird Chordirektor am Theater in Würzburg.

1834 Wagner betätigt sich erstmals musikschriftstellerisch (»Die deutsche Oper«).
Im Juli nimmt er eine Stellung an der kleinen Som-

Theodor Weinlig.
Thomas-Kantor und Wagners Lehrer in Leipzig, 1831.

merbühne in Bad Lauchstädt an, wo er seine spätere Gattin, die Schauspielerin Minna Planer, kennenlernt.
Im Herbst wird er Kapellmeister in Magdeburg.

1835 Wagner arbeitet an der Oper »Das Liebesverbot«.

1836 Uraufführung der Oper »Das Liebesverbot« in Magdeburg.
Wagner geht nach Königsberg.
In Königsberg heiratet Wagner Minna Planer (am 24. November).

1837 Wagner wird Kapellmeister in Königsberg, aber nach wenigen Monaten bricht das Theater unter einer Schuldenlast zusammen. Auch Wagner kann – nicht

Minna Wagner, geb. Planer
– Richard Wagners erste Frau.

zum ersten und schon gar nicht zum letzten Mal – seinen persönlichen Verpflichtungen nicht nachkommen.

Er entwirft »Rienzi« und reist nach Riga, mit dessen Theater er für die kommende Saison einen Vertrag als Kapellmeister abgeschlossen hat.

1838 Wagner wird wahrscheinlich zu diesem Zeitpunkt schon auf die Legende eines Gespensterschiffes aufmerksam.

Er komponiert, nach Beendigung des Textbuches, den »Rienzi«.

1839 Wagner flieht, seines Postens verlustig und von Gläubigern bedrängt, heimlich mit Minna und seinem Neufundländerhund von Pillau (Ostsee) auf einem kleinen Segler nach Westeuropa. Die Fahrt auf dem Meer verläuft äußerst stürmisch und gibt Wagner eine Fülle von Anregungen zur Gestaltung einer neuen geplanten Oper »Der Fliegende Holländer«, als deren Grundlage er die früher erwähnte Sage vom Gespensterschiff sowie Heinrich Heines Erzählung »Aus den Memoiren des Herrn von Schnabelewopski« verwendet.

Ankunft in London, von wo aus er eine Woche später (20. August) nach Frankreich weiterreist.

In Boulogne-sur-Mer lernt er Giacomo Meyerbeer kennen, der zum »Beherrscher« des Pariser Opernlebens geworden ist.

Im September Ankunft in Paris, wo eine der bedrückendsten Perioden im Leben Wagners beginnt.

1840 Eine Pariser Bühne nimmt auf Meyerbeers Empfehlung »Das Liebesverbot« Wagners an, macht aber vor der Premiere Bankrott.

Richard Wagners Wohnhaus in Riga.

Wagner beendet »Rienzi« und arbeitet gleichzeitig am »Fliegenden Holländer«, dessen Prosaentwurf er dem Direktor der Pariser Oper unterbreitet.

Er schreibt »Eine Pilgerfahrt zu Beethoven«, die in der »Gazette Musicale« in Fortsetzungen veröffentlicht wird.

Angebot an die Dresdener Oper, »Rienzi« uraufzuführen.

1841 Begegnung Wagners, der in Paris eine unbeachtete, äußerst schwierige, oft erniedrigende Existenz führt, mit Franz Liszt, dem längst berühmtesten Klaviervirtuosen der Welt.

Wagner zieht mit seiner Frau in eine billige Sommerwohnung in Meudon bei Paris, wo er in wenigen Tagen den Text des »Fliegenden Holländers« niederschreibt, der schon weitgehend mit der endgültigen Fassung übereinstimmt.

Er erhält, nachdem Meyerbeer sich tatkräftig eingeschaltet hat, die Zusage aus Dresden, »Rienzi« aufzuführen.

Theater in Riga,
an dem Richard Wagner als Musikdirektor wirkte.

Richard Wagner
– während seines Pariser Aufenthalts (1840–42) – von seinem Freund E.B. Kietz in einer Bleistiftzeichnung festgehalten.
(Original im »Haus Wahnfried«, Bayreuth.)

Die Pariser Oper unterbreitet ihm ein Angebot für den »Fliegenden Holländer«, aber es lautet wesentlich anders als erwartet: Man will ihm Idee und szenischen Entwurf abkaufen, um sie einem anderen, französischen, Komponisten (Pierre Louis Philippe Dietsch, 1808–65) zur Vertonung zu übergeben. Wagner erhält 500 Francs, behält sich aber das Recht vor, das Werk selbst ebenfalls als Oper zu gestalten. Er arbeitet nun intensiv daran, wie aus seinen Anmerkungen im Entwurf hervorgeht. Hiernach schrieb er den 1. Akt vom 11. bis 23. Juli, beendete am 13. August bereits den zweiten und am 22. August den dritten und letzten Akt. An dessen Ende setzt er: »Finis Richard Wagner, Meudon, in Noth und Sorgen«, nachdem er bereits zum zweiten Akt angemerkt hatte: »Morgen geht die Geldnot wieder los.« Die Partitur des Werkes wird am 21. Oktober abgeschlossen, die Partitur der Ouvertüre am 19. November fertig hinzugefügt. Bereits am nächsten Tag bietet Wagner dieses sein erstes echtes Musikdrama der Berliner Hofoper zur Uraufführung an.

1842 Wagner beginnt, sich mit dem Tannhäuser-Stoff zu befassen; auch die Lohengrin-Legende tritt zum ersten Mal in sein Blickfeld.

Am 7. April verlassen Wagner und Minna Paris, am 21. April kommen sie in Dresden an, wo »Rienzi« vorbereitet wird.

Wagner schreibt den ersten Entwurf des »Tannhäuser«, damals noch unter dem Titel »Der Venusberg«.

Am 20. Oktober findet die Uraufführung des »Rienzi« in Dresden statt, der Erfolg ist überwältigend. Sofort stellt Wagner alle seine Zukunftspläne auf diese Stadt um.

1843 Am 2. Januar wird nun auch »Der Fliegende Holländer« in der Dresdner Oper uraufgeführt. In der weiblichen Hauptrolle der Senta bietet die von Wagner seit seiner Jugend verehrte Wilhelmine Schröder-Devrient (Beethovens bester »Fidelio«) eine Glanzlei-

stung, was dem Werk wenigstens zu vier Vorstellungen verhilft. Das Publikum, das nur zweieinhalb Monate früher den »Rienzi« bejubelt hatte, versteht den so ganz anders gearteten »Fliegenden Holländer« offenbar überhaupt nicht.
Am 2. Februar wird Wagner Königlich-Sächsischer Hofkapellmeister.

1844 Am 7. Januar wird »Der Fliegende Holländer«, wie in Dresden unter Wagners persönlicher Leitung, in der Berliner Hofoper aufgeführt.
In Hamburg dirigiert Wagner zwei Aufführungen des »Rienzi«.
Am 14. Dezember ist Wagner die Hauptgestalt bei der Überführung und feierlichen Beisetzung der sterblichen Reste des vor 17 Jahren in London verstorbenen »Freischütz«-Komponisten Carl Maria von Weber nach Dresden: Er hält eine programmatische Rede und hat sowohl einen Männerchor wie eine Trauermusik (für 80 Bläser und Trommeln) verfaßt. Es ist offenkundig, daß er sich als »Erbe« Webers fühlt, als Bannerträger der deutschen Oper.

1845 Wagner vollendet »Tannhäuser«, der am 19. Oktober in Dresden uraufgeführt wird. Er tritt am 3. Juli einen Erholungsurlaub in Marienbad (Nordböhmen) an, wo er durch die Lektüre mittelalterlicher Dichter und Epen zum ersten Mal mit den Gestalten aus seinem späteren »Parsifal« in Berührung kommt, vor allem in der Darstellung Wolfram von Eschenbachs. Am 3. August beendet Wagner den Prosaentwurf zu »Lohengrin«.

1846 Wagner bearbeitet Glucks »Iphigenie in Aulis« für eine Aufführung in Dresden. Arbeit an »Lohengrin«.

1847 Wagner exponiert sich mehrmals in Fragen, die als »politisch« angesehen werden, die Arbeit an »Lohengrin« schreitet gut fort, aber der Intendant der Dresdener Hoftheater, Wagners Vorgesetzter, erteilt anscheinend heimlich den Auftrag, die geplante Uraufführung dieses Werkes nicht weiter voranzutreiben,

da der Komponist bei König und Hof nicht mehr persona grata sei.
Ein Berliner Gastspiel mit dem von ihm dirigierten »Rienzi« verläuft in vielerlei Hinsicht unerfreulich.

1848 Vollendung des »Lohengrin«, in dem Parzival als Vater der Titelgestalt genannt wird.
Wagners Mutter stirbt in Leipzig.
Wagner tritt in Verbindung mit dem aus Rußland emigrierten Anarchistenführer Michail Bakunin und hält, ohne sich mit dessen Ideen oder dem aufkommenden Kommunismus zu identifizieren, »sozialrevolutionäre« Reden. In seinem Aufsatz »Die Nibelungen« erwähnt er »den heiligen Gral«, dessen Mysterium ihn offenkundig stark beschäftigt.

1849 Im Mai brechen die revolutionären, seit einem Jahr in vielen Städten Europas aufflammenden Bürgerkriegsunruhen auch in Dresden aus. Wagner sympathisiert mit den Revolutionären, ohne sich wahrscheinlich direkt an den Kämpfen zu beteiligen; er muß am 9. Mai flüchten und wird von der Polizei steckbrieflich verfolgt. Über Chemnitz und Altenburg trifft er am 13. Mai in Weimar ein, wo Liszt, der im Theater gerade »Tannhäuser« einstudiert, ihn freundlich aufnimmt; er stattet ihn mit einem falschen Paß sowie mit Geld aus, so daß Wagner seine Flucht südwärts antreten und am 28. Mai in Zürich ankommen kann, wo er für mehrere Jahre Aufenthalt nimmt.

1850 Wagner verbringt einige Monate in Frankreich, wo er in eine leidenschaftliche Liebe zu Jessie Laussot verstrickt wird. Am 3. Juli kehrt er wieder zu seiner Gattin Minna nach Zürich zurück. Mit ihr reist er am 28. August nach Luzern, wo er auf der Terrasse des Hotels »zum Schwan« in Gedanken und mit der Uhr in der Hand die in Weimar unter Leitung Liszts stattfindende Uraufführung des »Lohengrin« verfolgt.
Wagner arbeitet an Text- und Musikskizzen zum »Ring des Nibelungen«, der in der umgekehrten Rei-

henfolge zu entstehen beginnt: »Siegfrieds Tod« (die spätere »Götterdämmerung«, das vierte Drama) und »Der junge Siegfried« (später »Siegfried«, das dritte Drama).
Er beschäftigt sich viel mit Prosaschriften und theoretischen Aufsätzen (»Die Kunst und die Revolution«, »Das Kunstwerk der Zukunft«, die anonyme Publikation »Das Judentum in der Musik«, »Oper und Drama«, »Eine Mitteilung an meine Freunde«, die im Laufe der frühen Fünfzigerjahre entstehen). Erste Andeutung des Festspielgedankens und eines damit zusammenhängenden Theaters.

1851 Der »Ring des Nibelungen« nimmt allmählich (im Entwurf) die Gestalt eines vierteiligen Dramas an. Nach Frau Taylor, der Mutter Jessie Laussots, setzt nun auch Frau Ritter (Dresden) Wagner eine Rente aus (die er bis 1859 bezieht).

1852 Bekanntschaft mit Otto und Mathilde Wesendonk. Wagner dirigiert 4 Aufführungen seines »Fliegenden Holländers« sowie Konzerte in Zürich; er bereist Oberitalien und die Schweiz. – Die »Ring«-Dichtung abgeschlossen.

1853 Wagner liest in einem Zürcher Hotel vor geladenen Gästen an vier Abenden den »Ring des Nibelungen«, der soeben als Privatdruck erschienen ist. Er dirigiert in Zürich drei Konzerte mit eigenen Werken. Liszt besucht Wagner, gemeinsam mit dem Dichter Georg Herwegh bereisen sie die Schweiz. Wagner und Herwegh reisen, von Wesendonk unterstützt, weiter nach Italien. Dort erste musikalische Gedanken zu »Rheingold«.
Am 10. Oktober erste Begegnung mit Cosima in Paris, wohin Wagner mit Liszt gefahren ist.

1854 Geplant: »Tristan und Isolde«, mit Einschluß der Parsifal-Gestalt im dritten Akt, die Wagner später daraus strich. Komposition des »Rheingold« beendet, der »Walküre« in Skizze vollendet.

1855 Wagner dirigiert 8 Konzerte in London.
»Tristan bestimmter konzipiert ... mit Hineinflechtung des gralsuchenden Parzival«.

1856 Wagner beendet »Die Walküre«, gibt den beiden letzten »Ring«-Teilen die endgültigen Namen »Siegfried« und »Götterdämmerung«, entwirft ein (nie ausgeführtes, stark von buddhistischen Gedankengängen erfülltes) Drama »Die Sieger«, beginnt die Komposition des »Siegfried«, skizziert erste Themen des »Tristan«, dirigiert gemeinsam mit Liszt ein Konzert in St. Gallen und führt zu dessen 55. Geburtstag in einem Zürcher Hotel den 1. Akt der »Walküre« vor.

1857 Am Karfreitag (?) entwirft Wagner »Parzival«. Er erhält eine vom brasilianischen Kaiser Dom Pedro II. inspirierte Einladung, sich in Rio de Janeiro niederzulassen, die er aber nicht annimmt. Er bezieht im April mit Minna das »Asyl auf dem grünen Hügel«, die Villa, die Otto Wesendonk ihnen neben der seinen (in Zürichs Vorort »Enge«) zur Verfügung stellt. Im Juni unterbricht er die Arbeit an »Siegfried« und wendet sich, wohl unter dem Einfluß der beginnenden Liebe zu Mathilde Wesendonk, dem »Tristan« zu.
Hans von Bülow, glänzender Dirigent und seit seiner Jugend »Wagnerianer«, trifft mit seiner ihm eben angetrauten Gattin Cosima, der Tochter Liszts, zu Besuch bei Wagner ein: Minna, Mathilde und Cosima – die vielleicht wichtigsten drei Frauen in Wagners Leben – sitzen ein einziges Mal am gleichen Tisch.
Wagner beginnt, fünf Gedichte Mathildes zu vertonen.

1858 Erste »nachbarliche Verwirrung« (Wagner), Zerwürfnis zwischen Minna und Mathilde, vorübergehende Entfernung Minnas, Reise Wagners nach Paris. Am 17. August endgültiger Abschied, ja Flucht Wagners vom Zürcher »Asyl«, nach schweren Zerwürfnissen der beiden Frauen, über Genf nach Venedig, wo er den zweiten Akt des »Tristan« beendet.

Mathilde Wesendonk

1859 Wagner verläßt auf Veranlassung der österreichischen Behörde Venedig und läßt sich in Luzern nieder. Dort vollendet er am 6. August »Tristan und Isolde«. Danach Aufenthalt in Zürich (bei Wesendonks) und Paris, wohin Minna bald nachkommt.

1860 Am 25. Januar Konzert unter Wagners Leitung in Paris, wo das Vorspiel zu »Tristan« erstmals erklingt,

weitere Konzerte, auch in Brüssel. Amnestie in Deutschland – außer Sachsen –, Reise Wagners nach Frankfurt/Main, Darmstadt, Heidelberg, Baden-Baden, Mannheim, Rheinfahrt bis Köln. Im Oktober vollendet Wagner die Neufassung des »Tannhäuser«, die an der Pariser Oper einstudiert wird.
In Briefen an Mathilde werden das Grals- und Parsifal-Thema öfter erwähnt.

1861 Im März drei Aufführungen des »Tannhäuser« an der Pariser Oper, die in einem berühmt gewordenen Skandal enden. Am 11. Mai hört Wagner zum ersten Mal seinen »Lohengrin« in Wien, elf Jahre nach der Uraufführung. Hoffnung auf Aufführung des »Tristan« an gleicher Stelle, aber Zurückweisung des Werkes als »unaufführbar«, nach mehr als 70 Proben.

1862 Wagner schreibt den Prosaentwurf der »Meistersinger von Nürnberg« und liest am 5. Februar den fertigen Text im Mainzer Verlagshaus Schott vor geladenen Gästen.
Intensive Reisetätigkeit, um eine Uraufführung des »Tristan« zustande zu bringen. Konzert in Leipzig mit dem »Meistersinger«-Vorspiel. Endgültiger Bruch mit Minna.
In Gesprächen erwähnt Wagner seine künftigen Pläne: Vollendung der »Meistersinger«, dann des »Rings« und »als letztes Werk seines Lebens« dann »Parsifal«.

1863 Starke Unrast, zahlreiche Reisen (Prag, Wien, Biebrich, Petersburg, Moskau, Berlin, Budapest, Nürnberg, Stuttgart, Karlsruhe, Baden-Baden, Zürich, Mainz, Breslau usw.), teils um Konzerte zu dirigieren, teils um Aufführungen seiner neuen Werke zu erreichen. Wagners materielle und psychische Verfassung verschlechtern sich unaufhaltsam. »Nur ein Wunder ...« nennt er in einem Brief an den Freund und Komponisten Peter Cornelius als Rettungsmöglichkeit.

1864 Das Wunder ist eingetreten: Am 3. Mai überbringt

Der junge Bayernkönig Ludwig II.

ein Abgesandter des jungen Bayernkönigs Ludwig II. dessen Einladung. Am 4. Mai steht Wagner in München vor dem Monarchen, der in seiner Begeisterung für Wagners Kunst dessen Leben völlig verwandelt. In einem Brief an (die ihm sehr nahestehende) Mathilde Maier kündigt Wagner an: »Nächstes Frühjahr ›Tristan‹ . . ., zum Herbst dann ›Meistersinger‹, in drei Jahren ›Nibelungen‹, dann ›Sieger‹, endlich ›Parzival‹.« Die Daten verschieben sich, zum Teil wesent-

Cosima und Richard Wagner
(nach Gemälden von Franz von Lenbach).

lisieren konnte, stimmt Wagners Vorhersage und zeigt seine neu erwachten Lebensgeister.
Hans und Cosima von Bülow lassen sich ebenfalls in München nieder, Ludwig II. plant, dort für den »Ring«, für den er Wagner ein fürstliches Honorar im vorhinein ausbezahlen läßt, ein eigenes festliches Theater errichten zu lassen.

1865 Wagners und Cosimas erstes Kind, die Tochter Isolde, wird, noch während der Ehe Cosimas mit Bülow, in München geboren. Am 10. Juni Uraufführung von »Tristan und Isolde« auf königlichen Befehl im Münchener Nationaltheater, eines der großen Daten der Musikgeschichte.
Wagner beginnt, Cosima seine Autobiographie zu diktieren (»Mein Leben«).
Wagner unterbreitet Ludwig II. ein »Programm«, in

dem er einen Aufführungsplan seiner Werke für München zusammenstellt; darin steht für »August 1872: Parzival. Mit Wiederholungen (im neugebauten Festtheater)«. Bei einer Teegesellschaft im Hause Bülow erzählt Wagner von »seinem noch kaum begonnenen ›Parzival‹« (laut Erinnerungen einer Teilnehmerin). Wagner notiert am 26. August: »Wie wunderbar! – der König verlangt sehnlich von Parzival zu hören.« Er schreibt an Ludwig (am 29. August), er werde für ihn »zum ersten Mal meinen Plan zu ›Parzival‹ schriftlich aufzeichnen« und beginnt sofort, einen ersten Prosaentwurf zu verfassen. Hierauf kommt ein reger Briefwechsel mit dem König über dieses Thema in Gang. Ludwig gerät wegen seiner Freundschaft und »Verschwendungssucht« für Wagner in immer größere Bedrängnis bei Regierung und Volk Bayerns, bis Wagner am 10. Dezember aus München abreisen muß; er wendet sich wiederum in die Schweiz.

1866 Minna, längst von Wagner getrennt, stirbt einsam in Dresden.
Cosima zieht zu Wagner, der sich in Tribschen bei Luzern nun für einige Jahre niederläßt. Ludwig II. besucht Wagner, der fast ausschließlich aus dessen Zuwendungen lebt, dort mehrmals inkognito.

1867 Cosimas und Wagners zweite Tochter, Eva, im Tribschen geboren. Arbeit an den »Meistersingern«. Vorübergehender Aufenthalt in München zur Einstudierung des »Lohengrin«. Liszt besucht Wagner, um sich mit ihm über Cosimas Verhalten auszusprechen.

1868 Am 21. Juni festliche Uraufführung der »Meistersinger von Nürnberg« im Hoftheater zu München; Wagner nimmt von der Königsloge die Ovationen des Publikums entgegen. Rückkehr nach Tribschen. Reise mit Cosima nach Italien.
Nietzsche tritt in Wagners Kreis.
In einem Brief an den Verlag Schott kündigt Wagner nach den »Nibelungen« an: »Dann kommt noch et-

was Neues ... nämlich ein ›Parzival‹, im Genre des ›Lohengrin‹.«

1869 Arbeit an »Siegfried«.
Bülow willigt schweren Herzens und in eine unwürdige Situation gedrängt, in die Scheidung von Cosima, nachdem diese ein drittes Kind Wagners (Siegfried) geboren hat. Gegen Wagners ausdrücklichen Wunsch ordnet Ludwig II. die Aufführung des »Rheingold« in München an (22. September). Zu Weihnachten weilt Nietzsche zu Gast im Tribschen, wo Wagner seinen »Parzival«-Entwurf vorliest.

1870 Wieder gegen Wagners schärfsten Protest läßt Ludwig II. nun auch »Die Walküre« in München aufführen (26. Juni). Scheidung des Ehepaars Bülow.
Am 25. August heiratet Wagner in der Protestantischen Kirche Luzern Cosima von Bülow, geborene Liszt. Für sie und ihrer beider Sohn Siegfried komponiert Wagner das »Siegfried-Idyll« und dirigiert es am 25. Dezember im Treppenhaus der Tribschener Villa.

1871 Am 16. April kommen Wagner und Cosima in Bayreuth an und entschließen sich, hier das Festspielhaus, das sie planen, zu errichten. Vollendung des »Siegfried«.
Am 1. November wird zum ersten Mal ein Wagner-Werk (»Lohengrin«) in Italien aufgeführt (worüber im Band »Aida« dieser Reihe »Opern der Welt« Näheres zu finden ist).
Mehrere Reisen Wagners nach Bayreuth, Gründung von Wagner-Vereinen in verschiedenen Städten zur Propagierung der Festspielidee.

1872 Wagner beginnt, mit Hilfe Ludwigs II. sein künftiges Heim »Wahnfried« in Bayreuth zu bauen. Am 22. Mai (Wagners Geburtstag) Grundsteinlegung zum Festspielhaus, nachmittags Aufführung der 9. Sinfonie Beethovens unter Wagners Leitung. Wagner übersiedelt mit seiner Familie nach Bayreuth. Liszt besucht ihn dort. Auf Reisen durch deutsche Städte trifft Wagner eine vorläufige Auswahl von

Künstlern für die geplanten ersten Festspiele, die dann allerdings mehrmals verschoben werden müssen.
Intensives Studium der Gralssage »über Wolfram von Eschenbach und Chrétien de Troyes hinaus« durch Wagner (Bericht des Grafen du Moulin Eckart). Bericht Liszts (an die Fürstin Caroline Sayn-Wittgenstein), die »Parsifal«-Skizze, die Wagner ihm vorgelesen habe, sei »von reinster christlicher Mystik durchdrungen«.

1873 Vielfache Schwierigkeiten bei Finanzierung und Bau des Bayreuther Festspielhauses, doch Ludwig II. springt immer wieder helfend ein.
Vollendung der »Götterdämmerung«. Konzerte in mehreren Städten Deutschlands.

1874 Wagner bezieht (am 28. April) sein Haus Wahnfried in Bayreuth. An Ludwig II.: »Ja, ja – an den ›Parzival‹ glaube ich nun auch!« Er liest im November einer Freundesgruppe den Entwurf zu dieser Oper aus dem Jahre 1865 vor.
Am 21. November wird mit »Götterdämmerung« der gesamte »Ring des Nibelungen« abgeschlossen. Vorproben zu dessen Uraufführung mit einzelnen Künstlern.

1875 Wagner dirigiert in verschiedenen Städten – in Budapest gemeinsam mit Liszt – Konzerte zugunsten des Festspiel-Fonds.
In Bayreuth beginnen unter Hans Richter die Proben zum »Ring des Nibelungen«.

1876 Wagner erlebt am 13. August den wohl strahlendsten Tag seines Lebens: In Anwesenheit des glanzvollsten Publikums hebt sich der Vorhang zur Einweihung der Bayreuther Festspiele über »Rheingold«. Am 14. folgt »Die Walküre«, am 16. »Siegfried«, am 17. »Götterdämmerung«. Ludwig II. ist nicht dabei: Der menschenscheue Bayernkönig ist nach den Proben abgereist. Am 14. September reist Wagner mit seiner Familie nach Italien: Verona, Venedig, Bologna,

Vor dem Eingang zum »Saal« von »Haus Wahnfried«, Bayreuth: Obere Reihe von links: Blandine von Bülow, Heinrich von Stein, Cosima und Richard Wagner.
Untere Reihe von links: Isolde Wagner, Daniela von Bülow, der Neufundländer »Marke«, Eva Wagner, Paul von Joukovsky und Siegfried Wagner.
(Foto: Adolf Gross, August 1881)

Neapel, Sorrent, Rom, Florenz. In Sienas Dom hat Wagner eine deutliche Parsifal-Vision.

1877 »Ich beginne den Parzival und lasse nicht eher von ihm, als er fertig ist«, sagt Wagner am 25. Januar zu Cosima. In zahllosen weiteren Tagebucheintragungen Cosimas ist immer wieder von der Idee, der Arbeit und den Fortschritten dieses Werkes die Rede.
Im Februar oder März entschließt Wagner sich zur endgültigen Orthographie einiger Gestalten: Parsifal (statt Parzival), Amfortas (statt Anfortas). Am 17. Mai erste vollständige Lesung des Textes in London; Wagner schickt sie im Juni an König Ludwig. Am 1. August trägt Cosima in ihr Tagebuch ein, sie habe »einige erste Töne« des »Parsifal« aus Wagners Arbeitszimmer gehört.
Sorgen um die Deckung des 148000-Mark-Defizits der Festspiele 1876; zur teilweisen Deckung 8 Konzerte in London.

1878 Arbeit an »Parsifal«. Entfremdung zwischen Nietzsche und Wagner. Cosima berichtet wiederum in zahlreichen Tagebucheintragungen über die Arbeit am »Parsifal«. Am 11. Oktober wird der 2. Akt vollendet. Am 25. Dezember dirigiert Wagner das Vorspiel in seinem Hause in Bayreuth, wozu ihm der Herzog von Meiningen für einige Tage sein Hoforchester gesendet hat.

1879 Ende April beendet Wagner die Komposition des »Parsifal« und macht sich an die Ausarbeitung der Orchesterpartitur.

1880 Ankunft der Familie Wagner in Neapel am 4. Januar. An Wagners Geburtstag (22. Mai) wird dort in der Villa Angri, wo Wagner Aufenthalt genommen hat, die Gralsszene aus dem ersten Akt des »Parsifal« gesungen. Am 26. Mai besucht Wagner mit Gästen den Palazzo Rufolo in Ravello und ruft aus, er habe »Klingsors Zaubergarten« gefunden. Am 28. September erörtert Wagner in einem Brief an Ludwig II. seinen Wunsch, »Parsifal« ausschließlich seinem Bayreuther Festspielhaus vorzubehalten. Am 30. Oktober kehrt Wagner nach Deutschland zurück. Am 10. November Sondervorstellung des »Lohengrin« im Münchener Nationaltheater, der nur Ludwig II. in Begleitung Wagners beiwohnt. Am 12. November dirigiert Wagner, ebenfalls für den König als (fast) einzigem Hörer das Vorspiel zu »Parsifal«; es ist die letzte Begegnung dieser einander schicksalhaft verbundenen Männer. Wiederaufnahme der Arbeit an »Parsifal« nach der im November erfolgten Rückkehr nach Bayreuth.

1881 Engelbert Humperdinck zieht nach Bayreuth, um die entstehende Partitur des »Parsifal« sofort einer Reinschrift und Kopie zu unterziehen. Am 25. April wird der 1. Akt, am 20. Oktober der 2., am 13. Januar 1882 der 3. Akt von Wagner abgeschlossen.
Am 1. November Aufbruch nach Italien, langer Aufenthalt in Palermo.

1882 Der Verlag Schott erwirbt »Parsifal« für 100000 Mark. Im April Reise über Neapel und Venedig heim nach Bayreuth. Intensive Probenarbeit an »Parsifal«, an dem noch kleine Änderungen und Retouchen angebracht werden. Am 26. Juli Uraufführung des Bühnenweihfestspiels »Parsifal« unter Leitung von Hermann Levi; die Titelrolle singt Hermann Winkelmann, den Amfortas Theodor Reichmann, den Titurel August Kindermann, den Gurnemanz Emil Scaria, die Kundry Amalie Materna, den Klingsor Karl Hill. Nach Beendigung der Aufführung bricht im Publikum ungeheurer Jubel aus (was die spätere Tradition, »Parsifal« ohne Applaus anzuhören, fragwürdig macht). Am darauffolgenden Tag, neuerliche Aufführung, dieses Mal mit »zweiter Besetzung« (Gudehus, Siehr, Fuchs, Frl. Brandt). Es folgen weitere 14 Aufführungen. Bei der letzten, 16., am 29. August dirigiert Wagner, unbemerkt vom Publikum, einen Teil des 3. Akts: vom 23. Takt der »Verwandlungsmusik« bis zum Ende.

Richard Wagner am Vorabend seines Todes.
(Bleistiftzeichnung von Paul von Joukovsky)

Am 14. September, viel früher als gewohnt, reist Wagner mit seiner Familie nach Italien, kommt am 15. in Verona, am 16. in Venedig an, wo er am 18. in den am Canale Grande gelegenen Palazzo Vendramin zieht. Dort besucht ihn Liszt im November. Am 24. Dezember dirigiert Wagner in Venedigs Teatro

Fenice anläßlich von Cosimas 45. Geburtstag seine aus Jugendtagen stammende C-Dur-Sinfonie.

1883 Am 13. Februar stirbt Wagner in Cosimas Armen um halb vier Uhr nachmittags. Am 16. erfolgt die Überführung der Leiche aus Venedig über München nach Bayreuth, wo sie am 18. im Garten der Villa Wahnfried beigesetzt wird.

1913 Die urheberrechtliche »Schutzfrist« für Wagners Werke erlischt – 30 Jahre nach seinem Tode – und eine ungeahnt große Zahl von Theatern in vielen Ländern beeilt sich, entgegen seinem oft geäußerten Wunsch, den bis dahin nur in Bayreuth erklungenen »Parsifal« aufzuführen. Ein kurz zuvor von der New Yorker Metropolitan Opera angeregtes Projekt, laut dem alle Bühnen freiwillig auf Aufführungen dieses Werkes verzichten sollten, führt zu keinem Ergebnis. Seit 1913 ist Parsifal Repertoirestück der wichtigen Theater der Welt, entgegen dem ausdrücklichen Wunsch seines Schöpfers Richard Wagner.

Die Bühnenwerke Richard Wagners

Die Feen: dreiaktige romantische Oper, Text von Wagner nach Gozzis »La donna serpente« (»Die Frau als Schlange«). Komponiert 1833. Uraufführung: München, 29. Juni 1888.

Das Liebesverbot: Oper mit Text von Wagner nach Shakespeares »Maß für Maß«. Komponiert 1834–1836, einmalige Aufführung: Magdeburg, 29. März 1836.

Rienzi, der Letzte der Tribunen: große tragische Oper in fünf Aufzügen. Text von Wagner nach dem gleichnamigen Roman von Edward George Bulwer-Lytton. Erster Gedanke 1837, Dichtung und Beginn der Komposition 1838/39 in Riga, Vollendung im November 1840 in Paris. Uraufführung in Dresden am 20. Oktober 1842 unter der Leitung von Karl Reissiger.

Der Fliegende Holländer: romantische Oper in drei Akten (laut einem ersten Entwurf: in einem Akt). Text von Wagner unter Verwendung einer Erzählung von Heinrich Heine. Erster Gedanke wahrscheinlich 1838 in Riga, textliche Ausarbeitung 1839/40 in Paris. Endgültige Dichtung: Paris, 1841. Komposition noch im gleichen Jahr. Uraufführung in Dresden am 2. Januar 1843 unter Leitung von Richard Wagner.

Tannhäuser und der Sängerkrieg auf der Wartburg: große romantische Oper in drei Akten, Text von Wagner unter Verwendung alter deutscher Volkssagen. Erster Gedanke: Paris, 1841. Erster Entwurf (»Der Venusberg«): Teplitz, 1842. Dichtung: Dresden, 1843. Komposition: 1844/45. Uraufführung: Dresden, 19. Oktober 1845 unter Leitung Wagners. Zweite, sogenannte Pariser Fassung (Ausbau der Venusberg-Szenen, teilweise Neuinstrumentation) für die dortigen Aufführungen vom März 1861.

Lohengrin: romantische Oper in drei Akten, Text von Richard Wagner. Erster Entwurf: Marienbad, 1845. Noch im gleichen Jahr Vollendung des Textes. Beendigung der Komposition: Dresden, 1848. Uraufführung Weimar, 28. August 1850 unter Leitung von Franz Liszt. Wagner, exiliert in der Schweiz, hört sein Werk erst am 11. Mai 1861 in Wien.

Der Ring des Nibelungen: Ein Bühnenfestspiel für drei Tage und einen Vorabend. Text von Richard Wagner.

I. Das Rheingold: gedichtet 1852, komponiert 1853/54. Uraufführung auf Befehl König Ludwigs II. von Bayern in München am 22. September 1869, gegen den Willen Wagners, der den Zyklus im gesamten aufgeführt wissen will. Erstaufführung im Rahmen des Gesamtwerkes: Bayreuth, 13. August 1876, als Einweihung des Festspielhauses.

II. Die Walküre: gedichtet 1852, komponiert 1854. Uraufführung, gegen Wagners Willen, am 26. Juni 1870 in München. Erstaufführung im Rahmen des Gesamtwerkes: Bayreuth, 14. August 1876.

III. Siegfried: gedichtet als »Der junge Siegfried« im Mai 1851 (als erstes Werk des späteren »Nibelungen«-Zyklus), später zerlegt in »Siegfried« und »Götterdämmerung«. Beginn der Komposition: 22. September 1856, Unterbrechung am 26. Juni 1857, um sich »Tristan und Isolde« zu widmen, Beendigung erst 1865 (2. Akt) bzw. 1869 (3. Akt), der Partitur am 5. Februar 1871. Uraufführung im Rahmen des Gesamtwerks bei den ersten Bayreuther Festspielen, am 16. August 1876.

IV. Götterdämmerung: gedichtet als erstes Drama des künftigen Zyklus (»Siegfrieds Tod«) im November 1848 in Dresden. 1852: Umarbeitung zu »Götterdämmerung«, als Schlußwerk eines vierteiligen Zyklus. Komposition: 1869–72, Vollendung der Partitur: 21. November 1874. Uraufführung bei den ersten Bayreuther Festspielen, am 17. August 1876, wie der gesamte »Ring des Nibelungen« unter der Leitung von Hans Richter.

Tristan und Isolde: Nach dichterischen Vorarbeiten Ausführung des Textes im August und September 1857 in Zürich. Hier Beginn der Komposition des 1. Akts noch im gleichen Jahr. Fortsetzung in Venedig und Luzern, dort Beendigung am 6. August 1859. Uraufführung in München unter Leitung von Hans von Bülow am 10. Juni 1865.

Die Meistersinger von Nürnberg: Oper in drei Aufzügen. Erster Gedanke: 1845. Vollendung der Dichtung: Januar 1862. Der Partitur: 24. Oktober 1867. Uraufführung in München unter Leitung von Hans von Bülow am 21. Juni 1868.

Parsifal: ein Bühnenweihfestspiel in drei Aufzügen. Erster Gedanke: April 1857 in Zürich. Prosaskizze für König Ludwig II.: August 1865. Dichtung: 1877. Beendigung der Partitur. 13. Januar 1882. Uraufführung unter Leitung von Hermann Levi bei den zweiten Bayreuther Festspielen am 26. Juli 1882.

Diskographie

Zusammengestellt von Albert Thalmann, Bern.

Falls nichts anderes angegeben, sind die Aufnahmen in deutscher Sprache gesungen.

P: Parsifal, Kun: Kundry, G: Gurnemanz, A: Amfortas, T: Titurel, Kl: Klingsor, *Dir:* Dirigent, Or: Orchester, Ch: Chor

1937 P: Torsten Ralf, Kun: Kerstin Thorborg, G: Ludwig Weber, A: Herbert Janssen, T: Robert Easton, Kl: Adolf Vogel, *Dir:* Fritz Reiner, Or & Ch: Covent Garden Opera London
UORC (gekürzt, live)

1938 P: Lauritz Melchior, Kun: Kirsten Flagstad, G: Emanuel List, A: Friedrich Schorr, T: Norman Cordon, Kl: A. Gabor, *Dir:* Artur Bodanzky, Or & Ch: Metropolitan Opera New York
Golden Age-EJS (live)

1950 P: Africo Beldelli, Kun: Maria Callas, G: Boris Christoff, A: Rolando Panerai, T: Dimitri Lopatto, Kl: Giuseppe Modesti, *Dir:* Vittorio Gui, Or & Ch: Radio Italiana Roma
MCW/ Foyer/ HRE/ WEA/ LAR (in italienisch, live)

1951 P: Wolfgang Windgassen, Kun: Martha Mödl, G: Ludwig Weber, A: George London, T: Arnold van Mill, Kl: Hermann Uhde, *Dir:* Hans Knappertsbusch, Or & Ch: Bayreuther Festspiele
Decca

1953 P: Ramon Vinay, Kun: Martha Mödl, G: Ludwig Weber, A: George London, T: Josef Greindl, Kl: Hermann Uhde, *Dir:* Clemens Krauss, Or & Ch: Bayreuther Festspiele
Melodram /Document OR (live)

1954 P: Set Svanholm, Kun: Astrid Varnay, G: Hans Hotter, A: George London, T: Lawrence Davidson, *Dir:* Fritz Stiedry, Or & Ch: Metropolitan Opera New York
Melodram (live)

1956 P: Ramon Vinay, Kun: Martha Mödl, G: Josef Greindl, A: Dietrich Fischer-Dieskau, T: Hans Hotter, Kl: Toni Blankenheim, *Dir:* Hans Knappertsbusch, Or & Ch: Bayreuther Festspiele
Cetra LO / Melodram (live)

1958 P: Hans Beirer, Kun: Régine Crespin, G: Jerome Hines, A: Eberhard Waechter, T: Josef Greindl, Kl: Toni Blankenheim, *Dir:* Hans Knappertsbusch, Or & Ch: Bayreuther Festspiele
Melodram (live)

1960 P: Hans Beirer, Kun: Régine Crespin, G: Josef Greindl, A: Thomas Stewart, T: David Ward, Kl: Gustav Neidlinger, *Dir:* Hans Knappertsbusch, Or & Ch: Bayreuther Festspiele
Melodram (live)

1960 P: Sandor Konya, Kun: Rita Gorr, G: Boris Christoff, A: Gustav Neidlinger, T: Silvio Maionica, Kl: Georg Stern, *Dir:* André Cluytens, Or & Ch: Teatro alla Scala Milano
Melodram (live)

1962 P: Jess Thomas, Kun: Irene Dalis, G: Hans Hotter, A: George London, T: Martti Talvela, Kl: Gustav Neidlinger, *Dir:* Hans Knappertsbusch, Or & Ch: Bayreuther Festspiele
Philips

1964 P: Jon Vickers, Kun: Barbro Ericson, G: Hans Hotter, A: Thomas Stewart, T: Heinz Hagenau, Kl: Gustav Neidlinger, *Dir:* Hans Knappertsbusch, Or & Ch: Bayreuther Festspiele
Melodram (live)

1970 P: James King, Kun: Gwyneth Jones, G: Franz Crass, A: Thomas Stewart, T: Karl Ridderbusch, Kl: Donald

McIntyre, *Dir:* Pierre Boulez, Or & Ch: Bayreuther Festspiele
DG

1972 P: René Kollo, Kun: Christa Ludwig, G: Gottlob Frick, A: Dietrich Fischer-Dieskau, T: Hans Hotter, Kl: Zoltan Kélémen, *Dir:* Georg Solti, Or: Wiener Philharmoniker, Ch: Staatsoper Wien
Decca

1981 P: Peter Hofmann, Kun: Dunja Vejzovic, G: Kurt Moll, A: José van Dam, T: Victor von Halem, Kl: Siegmund Nimsgern, *Dir:* Herbert von Karajan, Or: Berliner Philharmoniker, Ch: Deutsche Oper Berlin
DG

1982 P: Reiner Goldberg, Kun: Yvonne Minton, G: Robert Lloyd, A: Wolfgang Schöne, T: Hans Tschammer, Kl: Aage Haugland, *Dir:* Armin Jordan, Or: Oper Monte Carlo, Ch: Tschechische Philharmonie
RCA/Erato

1984 P: Warren Ellsworth, Kun: Waltraut Meier, G: Donald McIntyre, A: Philip Joll, T: David Gwynne, Kl: Nicholas Flowell, *Dir:* Reginald Goodall, Or & Ch: Welsh National Opera London
EMI (in englisch)

Diese Diskographie erhebt keinen Anspruch auf Vollständigkeit – Hinweise auf Aufnahmen, die nicht erwähnt sind, werden dankbar entgegengenommen.

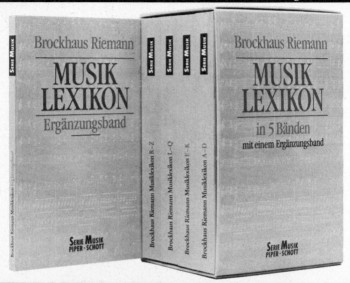